AUTORI VARI

SCHNITTKE

a cura di
Enzo Restagno

con un saggio introduttivo su
"URSS/Russia: 40 anni di musica dalla morte di Stalin a oggi"

Alfred Schnittke (foto Yngvild Sørbye)

Indice

APPENDICE

Presentazione

I ritratti d'autore contemporaneo che ormai da alcuni anni il festival di Settembre Musica allestisce, pur non essendo una novità assoluta, rappresentano però una tendenza consolidata e diffusa. Anche i festival più tenacemente attaccati alla tradizione, come Salisburgo o Lucerna, hanno nelle ultime stagioni aperto vistosamente al "contemporaneo" e i maggiori compositori di oggi sempre più frequentemente vengono invitati a svolgere il ruolo del "compositore in residenza".

La ragion d'essere di un festival è d'altronde quella di svelare e magari precorrere quelle linee di tendenza che le istituzioni stabili inevitabilmente recepiscono con maggiore lentezza. Quest'anno Settembre Musica ha rivolto la sua attenzione ad Alfred Schnittke, un musicista russo nato a Engels sul Volga nel 1934 e diventato una delle voci più diffuse e ascoltate nel difficile concerto contemporaneo. Nel contesto della musica contemporanea l'attribuzione dell'aggettivo "popolare" ha naturalmente valore relativo; posta questa precisazione Schnittke può essere certamente considerato uno dei compositori d'oggi più popolari.

Per andare alla ricerca delle ragioni profonde di questa popolarità Settembre Musica allestisce alcuni concerti monografici, la rappresentazione, prima in Italia, dell'opera *La vita con un idiota* e pubblica questo libro, nono di una serie alla quale non sono mancati i consensi nazionali e internazionali, nonché le traduzioni in lingue straniere.

La vicenda umana e artistica di Schnittke si colloca in un arco di tempo che ha visto succedersi nel suo Paese grandi rivolgimenti: gli anni di Stalin, il "disgelo" sotto Chruščëv, la "normalizzazione" di Brežnev, l'avvio della *perestrojka* e la scomparsa dell'URSS.

Una delle necessità più urgenti che scaturiscono dalle travagliate vicende di questo grande Paese è quella di riscoprirne la storia in tutta la sua complessità andando alla ricerca di verità a lungo rimosse. Parlando un linguaggio privo di parole, la musica possiede il dono ambiguo, magari, ma grandissimo, di una speciale eloquenza, nonché una rara capacità di penetrare nei recessi più intimi della realtà auscultandone e amplificandone il battito. Ecco perché la testimonianza del musicista Schnittke, raccolta da Enzo Restagno e dagli altri studiosi che hanno contribuito alla realizzazione di questo libro, acquista un'importanza particolare. Dalla lettura di queste pagine affiorano dettagli infiniti, corrispondenze inedite tra gli episodi della storia recente e una vita culturale divaricata in due opposte categorie, ufficiale l'una e clandestina l'altra. Attraverso questa difficile dialettica di imposizioni e dinieghi, arroganza e timore, retorica e silenzio coatto, si assiste alla propagazione di un pensiero e di un'operosità tenacissimi che in nessun caso intendono rinunciare alla vocazione di essere portatori di valori. Per queste ragioni il festival di Settembre Musica e la Municipalità di Torino che lo promuove e lo sostiene, ritengono di offrire con questo libro un contributo non insignificante alla diffusione e all'approfondimento di un dibattito di grande importanza nella vita contemporanea.

Torino, luglio 1993   *L'Assessore per le Risorse Culturali*
e la Comunicazione
Ugo Perone

Prefazione

Realizzare un libro su Alfred Schnittke, come prolungamento e approfondimento del ciclo di concerti a lui dedicato dalla sedicesima edizione del festival Settembre Musica, era un impegno scontato, così come era già accaduto per gli altri compositori che fanno ormai parte di una galleria di ritratti contemporanei allestita dal grande festival torinese. Ma questa occasione imponeva qualcosa di più. Nel 1991, il felicissimo incontro con Sofija Gubajdulina era riuscito ad accendere l'attenzione del pubblico e degli esperti sulla grande vitalità musicale del Paese che a quell'epoca si chiamava ancora Unione Sovietica. Sofija Gubajdulina, Alfred Schnittke, Edison Denisov e, in una certa particolare misura, Arvo Pärt sembravano e continuano a sembrare apparizioni straordinarie e non troppo relate provenienti da una civiltà della quale abbiamo una conoscenza alquanto sommaria. Un libro su Schnittke poteva essere dunque l'occasione per gettare uno sguardo più ampio sul mondo del quale questo musicista, giunto ai vertici di una popolarità difficilmente immaginabile in ambito contemporaneo, è una delle espressioni più attraenti e complesse. Le conversazioni con Sofija Gubajdulina del 1991 costituirono il primo sguardo su quel mondo, e nello scoprirlo attraverso una testimonianza diretta nacque una curiosità nei confronti della quale questo volume vuole dare ora una risposta non certo definitiva.

Le conversazioni che nel mese di gennaio ho avuto con Schnittke nella sua casa di Amburgo — svoltesi in russo, con Elizabeth Wilson come interprete — costituiscono solo una parte di questo volume e non sono neppure molto estese. A questa gentile e colta signora inglese devo qualcosa di più di un semplice ringraziamento, poiché il suo intervento non si è limitato al lavoro di interprete. Elizabeth Wilson, violoncellista formatasi a Mosca nella classe di Rostropovič, è anche musicologa di grande competenza. In quest'ultima veste aveva realizzato nel 1989, a Mosca, un documentario per la BBC su Schnittke parte del cui testo è stata utilizzata in questo libro per gentile concessione della BBC Television, in particolare per gli aspetti concernenti la biografia del maestro russo. Oltre a questo testo, la signora Wilson ha messo a mia disposizione una grande quantità di appunti e documenti nonché le sue vaste conoscenze personali nel mondo della musica russa.

Andare alla ricerca dello scenario in cui si è sviluppata la carriera musicale di Schnittke voleva dire risalire agli anni di Stalin e alla dottrina estetica del realismo socialista. Pensavo di affrontare questi problemi molto concisamente, in poche pagine di introduzione, ma mi resi conto in breve che trattare l'argomento era come penetrare in un baratro dall'estensione imprevista. Sarebbe stato più saggio rinunciare a un progetto del genere, ma non riuscivo a farlo: dagli anni di Stalin emana non solo un fascino demoniaco, ma il desiderio, particolarmente acuto in chi li ha vissuti, di assistere allo spettacolo del progressivo riaffiorare della verità. Il caso ha voluto che proprio mentre scrivevo le pagine dedicate alla vita musicale sotto Stalin cadesse il quarantesimo anniversario della morte del dittatore e che per un'altra coincidenza incontrassi un vecchio amico, il violista e direttore d'orchestra russo Rudol'f Baršaj, con il quale ho avuto, in un ristorante di Parma, una lunghissima conversazione. Un vortice di ricordi: la veglia funebre di Stalin nella Sala delle Colonne, alla quale Baršaj partecipò suonando la viola nel suo quartetto; i primi incerti passi del "disgelo"; le spregiudicate uscite del principe Volkonskij, che sembrava tornato in Russia da Parigi per seminare lo scompiglio nel Conservatorio moscovita; la fondazione dell'Orchestra da camera di Mosca; storie infinite di oppressioni, avvilimenti, servitù e opportunismi e il timido accendersi, in quello scenario da anime morte, di qualche barlume di speranza. Mi interessava quasi morbosamente la storia di quella tristezza segreta schiacciata sotto il peso delle menzogne ufficiali e provavo anch'io quell'assillo che da anni non dà requie a Solženicyn: il disvelamento delle storie segrete, sentito come una necessità salvifica della storia.

Il sentimento duplice di orrore e fascinazione che emana dal personaggio Stalin si ripercuote su ogni vicenda del suo tempo, su ogni testimonianza, su ogni monumento. Provate a osservare di notte stagliarsi contro il cielo gli assurdi pinnacoli di pietra che sovrastano l'hotel Ucraina a Mosca; avrete l'impressione di trovarvi di fronte a relitti gotici che qualche inesplicabile metamorfosi surrealista ha fatto rivivere in misteriose simbiosi. C'è qualcosa di infero nella cuspidata monumentalità di quegli edifici, un'assurdità crudele nei poemi e nei dipinti ufficiali, nelle musiche accademiche e trionfali che occhieggiano alle canzoni sentimentali e patriottiche. Seguendo da un lato il fascino perverso di quelle testimonianze e dall'altro la ricerca del ristabilimento della verità, venivo raccogliendo da anni ricordi di musicisti russi su quell'epoca dalla quale pare oggi separarci un'eternità. Le testimonianze rese a viva voce si sommavano e si intrecciavano ai libri di memorie, da quelli di Erenburg a quelli della Mandel'štam, di Solženicyn, della Achmatova, di Brodskij e di tanti altri.

Perfino la pittura del realismo socialista ha conosciuto in questi anni, grazie ad alcune belle mostre, una certa problematica notorietà. Una volta quella pittura e quell'architettura erano pretesto per facili sarcasmi, ora intrigano il cervello, e sotto una vernice di convenzionalità cominciano a rivelare strategie di insospettata complessità.

Con la musica è successa la stessa cosa, ma in una misura decisamente più ridotta. Prokof'ev e Šostakovič erano considerati da noi musicisti attardati, costretti ad onta del loro talento a uno stile definito senza tanti complimenti retorico. Le cose sono cambiate non poco negli ultimi vent'anni e a Šostakovič è stata universalmente restituita la reputazione di un grande del nostro secolo, mentre per Prokof'ev i pregiudizi sembrano un po' più difficili da estirpare. Sulla vita e sull'opera di questi maestri la critica si è applicata non poco, ma su molti altri compositori continua a pesare un oblio che coincide spesso con l'ignoranza. La storia della musica nell'Unione Sovietica resta in gran parte da riscrivere e questo può avvenire partendo dagli anni della formazione di compositori approdati oggi alla celebrità, come Schnittke, Gubajdulina, Denisov, Pärt, o di quelli che ancora attendono di essere rivelati, come Galina Ustvolskaja e Karamanov, oppure rivolgendo la nostra attenzione ai più giovani, Silvestrov, Knaifel', Korndorf, Firsova, Tarnopol'skij, Artëmov. Tutti i compositori che ho menzionato e molti altri ancora si trovano in una singolare condizione culturale ed esistenziale: è come se la loro vita e la loro opera si trovassero a cavallo di due distinte epoche storiche. In molti casi la loro opera si è sviluppata in una sorta di semiclandestinità, nella quale filtravano a poco a poco le informazioni provenienti dall'Occidente. Per un certo tempo, in quel clima culturalmente plumbeo e oppressivo, le procedure forgiate dalle avanguardie occidentali ebbero il sapore di un frutto proibito diventando quindi un vero e proprio oggetto di culto. I compositori russi di quella stagione clandestina non perseverarono però a lungo in quella condizione e seppero in breve tempo conquistare un'indipendenza che assunse spesso i caratteri di un'originalissima sintesi. Proprio in questa sintesi sta per noi il nodo da sciogliere; la nostra musica d'avanguardia proclamava, fino a pochi anni fa, la necessità di uno sviluppo irreversibile, ma, esauritesi le avanguardie, si è ovunque avvertita l'urgenza di un collegamento con la tradizione. Che riannodare questi fili sia un'operazione quanto mai problematica è testimoniato dal travaglio delle ultime generazioni di musicisti. Nell'Unione Sovietica questa operazione è avvenuta alcuni anni fa e ha saputo dare vita a soluzioni di indiscutibile pregio; ecco perché una conoscenza il più possibile dettagliata dei problemi vissuti dai compositori dell'ex-Unione Sovietica ha oggi per noi la massima importanza. È accaduto così che questa introduzione si sia estesa in maniera imprevista nel tentativo di rintracciare qualcuna delle linee fondamentali di sviluppo della vita musicale nell'Unione Sovietica di ieri e nella Russia di oggi.

L'elenco dei documenti usati per questa ricognizione sugli ultimi quarant'anni della musica russa e sovietica cominciano con un prezioso volumetto di Rubens Tedeschi uscito nel 1980 con il titolo *Ždanov l'immortale* e proseguono con *Thèmes avec variations* di Karetnikov, uscito a Parigi nel 1990; ancora tra le edizioni francesi è da menzionare per la ricchezza delle informazioni *Entretiens avec Denisov* di Jean-Pierre Armengaud, uscito nel 1993; fondamentale per la ricchezza delle informazioni è *Sowjetische Musik im Licht der Perestroika*, pubblicato dall'editore Laaber nel 1990 a cura di Hermann Danuser, Hannelore Gerlach e Jürgen Koechel. L'ultimo di questi tre studiosi tedeschi è anche consulente artistico della casa editrice Sikorski di Amburgo, la quale pubblica da alcuni anni la maggior parte dei lavori dei compositori ex-sovietici. Presso questa casa editrice, grazie all'assistenza di Koechel e del dottor Duffek, ai quali va il mio sentito ringraziamento, ho potuto studiare la maggior parte delle partiture, e non sono poche, e ascoltare le composizioni di cui si parla nella parte introduttiva di questo libro.

La seconda e più ampia parte del volume contiene uno studio analitico dell'intera produzione musicale di Alfred Schnittke. Ne è autore Aleksandr Ivaškin, musicologo e violoncellista russo che è oggi lo studioso più attento e informato della musica di Schnittke. Ha fatto un eccellente e documentatissimo lavoro destinato, credo, a diventare il punto di partenza di tutte le ricerche future su questo tema. Un'ampiezza insolita occupa in questo volume il catalogo delle opere con relativa discografia e bibliografia, alla cui redazione ha fornito la sua supervisione lo stesso Schnittke, desideroso di conferirgli la massima completezza. Il testo di Ivaškin e il catalogo sono stati tradotti in italiano con grande competenza e meticolosità dal professor Luigi Giacone al quale va il sincero ringraziamento mio e dell'editore.

La materia della quale è fatto questo libro è, come ciascuno può immaginare, molto fluida, poiché la musica russa segue nella sua forte espansione tendenze disparate, capaci di collegarsi al passato e al presente secondo prospettive molto diverse. Le antiche liturgie, i dati del folclore, l'eredità mistica di Skrjabin, un impulso neoromantico particolarmente fragrante, un astrattismo quasi ascetico e perfino una piacevolezza talvolta al limite del consumismo sono solo alcuni degli elementi che ribollono nel grande crogiuolo, e di questa instabilità mercuriale, che richiede continuamente nuove strategie interpretative, Schnittke è con la sua operosità inesausta il simbolo più efficace.

Torino, luglio 1993 *Enzo Restagno*

Enzo Restagno

URSS/Russia: 40 anni di musica dalla morte di Stalin a oggi

Veglie funebri

Nei primi giorni del marzo 1953, a Mosca la radio trasmetteva in continuazione bollettini con le condizioni di salute del compagno Stalin. D'un tratto nella casa di Rudol'f Baršaj squillò il telefono e gli fu detto di recarsi con gli altri membri del suo quartetto alla Casa dei Sindacati. Lì, nella sontuosa Sala delle Colonne, il popolo sovietico aveva, nel 1924, reso l'estremo saluto al compagno Lenin. La Sala delle Colonne è giustamente considerata per l'eleganza della sua architettura il capolavoro del neoclassicismo russo e per la nobiltà delle sue tradizioni musicali — vi hanno suonato Čajkovskij e Rachmaninov, Clara Schumann e Liszt — la più importante sala da concerto di Mosca.

Ancora una volta la splendida sala era stata trasformata in camera ardente e sul palco per tre giorni e tre notti suonarono le cinque orchestre sinfoniche di Mosca alternandosi, col quartetto di Baršaj, il trio di David Ojstrach e il pianoforte di Emil' Gilel's.

Le veglie funebri con musica non sono una rarità nella storia russa e naturalmente il trio di Ojstrach non mancò di suonare quel fluviale e tristissimo *Trio* in la minore che Čajkovskij aveva scritto per la morte di Nikolaj Rubinštejn dedicandolo «A la mémoire d'un grande artiste». La disperata tristezza di tante pagine di Čajkovskij, con quei sussulti delle frasi che sembrano sciogliersi in singhiozzi, è particolarmente adatta a una veglia funebre, e a quarant'anni di distanza Rudol'f Baršaj ricorda benissimo l'effetto di incredibile oppressione prodotto dall'Adagio in mi bemolle minore del *Terzo Quartetto* di Čajkovskij. Il corteo interminabile della folla ruotava lentamente intorno al feretro di Stalin; esclamazioni di disperazione e singhiozzi risuonavano nell'aria. Inimmaginabile in quel clima la reazione riferita da Nadežda Mandel'štam nelle sue memorie: «Mi urlò dalla soglia: "È morto Stalin!" [...] Accesi la radio e provai una gioia incredibile; era vero, l'Immortale era morto! Per la prima volta dopo tanti

1

anni vedevo il mondo sotto una luce nuova». È solo una delle infinite contraddizioni di un'epoca fra le più surrealmente tragiche della storia recente.

Baršaj e i suoi amici continuarono a suonare e durante le lunghe alternanze i musicisti potevano riposare un po' nelle stanze attigue. «Passai delle ore giocando a scacchi con Ojstrach, che bisbigliava qualcosa di incomprensibile, ma mi sembrava di intuire che non fosse per nulla addolorato per la morte di Stalin. Ad un certo momento l'onnipresente funzionario di partito venne presso di me e ordinò al mio quartetto di seguirlo con strumenti, partiture e soprabiti. Attraverso un dedalo di corridoi e di scale arrivammo in un cortile interno dove ci attendeva un'autoambulanza. Fummo fatti salire e attraverso una città impazzita giungemmo alla sede dell'Unione dei Compositori che si trovava a quell'epoca vicino alla stazione della Bielorussia. Scendemmo dall'ambulanza e davanti all'ingresso dell'Unione vedemmo un grande ritratto di Prokof'ev listato a lutto. Ci avevano portati da una veglia funebre all'altra e davanti al feretro di Prokof'ev suonammo per un'ora, quindi ci riportarono alla Sala delle Colonne».

Povero Prokof'ev! L'ombra di Stalin lo perseguitò perfino oltre la morte. Era a letto ammalato e chiedeva continuamente alla moglie Mira Mendelssohn notizie sulla salute di Stalin. Il destino volle che morissero entrambi nello stesso giorno e i giornali non trovassero neppure lo spazio per annunciare la scomparsa dell'autore de *L'amore delle tre melarance*. La folla che gremiva le strade e l'imponente servizio d'ordine resero difficili e quanto mai povere le esequie del grande musicista che a causa delle censure ottuse e crudeli ispirate da Stalin aveva subito tante umiliazioni. Ma le censure di Stalin e Ždanov erano veramente ottuse? Se si riflette un poco sul concetto di "tipico", come ha fatto di recente con grande acume Boris Groys in *Lo Stalinismo ovvero l'opera d'arte totale*, quelle censure risultano invece ispirate da un'intelligenza demoniaca.

Durante il XIX Congresso del Partito Comunista, Malenkov aveva dichiarato: «Dal punto di vista del marxismo-leninismo, tipico non significa statisticamente medio [...] Il "tipico" è l'ambiente in cui si manifesta prevalentemente la partiticità dell'arte realistica», e in maniera ancora più subdola lo stesso Stalin spiegava: «Per il metodo dialettico è importante soprattutto non ciò che nel momento dato appare consolidato ma comincia già ad essere superato, bensì ciò che sta nascendo e si sta sviluppando, anche se nel momento dato non sembra ancora consolidato, in quanto per il metodo dialettico è invincibile solo ciò che sta nascendo e si sta sviluppando». Naturalmente «ciò che si sta sviluppando» sono le ultime direttive del partito ed in ultima analisi la volontà di Stalin, sicché l'artista impegnato nella ricerca del "tipico" deve cercare di intuire in anticipo la volontà di Stalin.

Non era facile però, perché Stalin era piuttosto volubile, quanto mai diffidente e ostile verso qualsiasi manifestazione di originalità. L'unico scampo pareva essere la più docile e scialba mediocrità, ma anche per praticare questa triste virtù occorreva grande acume perché l'insidia del "naturalismo" poteva spalancarsi ad ogni passo come una trappola mortale. Una poetica provvista di qualche audacia poteva incorrere in ogni momento nell'accusa di "formalismo", mentre una poetica onestamente descrittiva poteva essere tacciata di "naturalismo", ovvero essere colpevole di rappresentare la realtà com'è, seguendo i dettami di un'ignobile obiettività borghese. Bisognava saper inoculare nell'opera quell'impalpabile colore di trasfigurazione, quel senso di ottimismo e di cordialità in cui si compendiava la nuova visione del mondo propria del realismo socialista. Davvero non era facile e i capolavori di quel genere non dovrebbero essere liquidati con un'alzata di spalle a causa del loro apparente accademismo; si dovrebbe cercare piuttosto di cogliere la loro mefistofelica perfezione e la geniale e corruttrice ambiguità che li ispira.

Preso tra la minaccia del "formalismo" e quella del "naturalismo" l'artista dell'epoca di Stalin vive la sua esperienza quotidiana con terrore, poiché l'errore estetico può essere esiziale.

Nadežda Mandel'štam, che possiamo definire senz'altro la redattrice delle memorie più lucide e appassionate di quegli anni, ci invita perentoriamente ad ascoltare la sua testimonianza: «Chiedo che tutti assistano al mio incubo di mezzo secolo, compresi trent'anni e più di completa solitudine» e a proposito dell'artista e di tutti coloro che cercavano di non smarrire del tutto la propria identità, ci svela la funzione di antidoto svolta dal terrore: «Solo riconoscendo la propria inermità e la comune infamia riusciamo a conservare intatta la paura, principio organizzatore della nostra vita e testimonianza viva della comprensione della realtà».

La disperata solitudine di Nadežda Mandel'štam e il terrore dei perseguitati, l'urlo quasi disumano di gioia all'annuncio della radio, i lugubri singhiozzi dell'Adagio in mi bemolle minore di Čajkovskij e la folla gemente che sfila nella Sala delle Colonne, lo smarrimento degli animi, la città impazzita, rappresentano due versanti opposti ma complementari di quell'immensa liturgia che Stalin seppe suscitare con il culto della sua personalità; ha perfettamente ragione Boris Groys quando osserva che «è sintomatico che lo stesso Stalin abbia mantenuto, nonostante la sua indubbia positività, una massiccia dose di attributi demoniaci (per esempio lavora soprattutto di notte, quando la gente normale dorme; il suo prolungato silenzio spaventa e i suoi inattesi interventi in una discussione o nella vita quotidiana hanno spesso il carattere di una provocazione ambigua), assicurandosi in tal modo la pienezza sia della venerazione sincera sia del terrore sacrale». La scomparsa del "demiurgo dialettico" assomiglia dunque a una liturgia sospesa ma non revocata e occorrerà del tempo perché quel culto cominci a sfaldarsi. I primi tentativi consistono nell'esorcizzare il "terrore sacrale"; per il versante dell'amore e della venerazione sarebbe occorso più tempo ed è possibile, stante la dichiarazione dello storico Dmitrij Volkogonov, che il 5 marzo Stalin sia morto solo fisicamente per continuare a sopravvivere politicamente.

Analizziamo il primo tentativo di esorcizzare il male compiuto proprio da un musicista. Nell'estate del 1953 Šostakovič lavora assiduamente alla sua *Decima Sinfonia* e il 25 ottobre la grande partitura in quattro movimenti, per una durata di quasi un'ora, è pronta. Il 27 dicembre la Filarmonica di Leningrado diretta da Mravinskij ne darà la prima esecuzione, suscitando enorme successo e un nugolo di pettegolezzi. Nelle *Memorie* raccolte da Salomon Volkov, Šostakovič dichiara: «Ho celebrato Stalin nella mia successiva sinfonia, la *Decima*, che ho scritto subito dopo la sua morte, e nessuno si è ancora accorto che è imperniata su Stalin e sul periodo staliniano. La seconda parte, lo Scherzo, è un ritratto musicale del dittatore, per dirla senza peli sulla lingua. Certo vi sono anche molte altre cose, ma questo è il tema di fondo». Lo "Scherzo Stalin", così si suole ormai chiamare il secondo movimento della *Decima Sinfonia*, con il suo ritmo concitato e meccanico, con le violente strappate degli archi, i pigolii striduli degli strumentini nei registri acuti, il brutale cadenzare degli ottoni e i rulli di tamburo, rivela chiaramente la sua origine: esso è un'aggiornatissima replica della classica demonologia musicale di Berlioz. Per quanto contrastato e umiliato Šostakovič era un musicista di reputazione mondiale; questo non lo dispensava però da quell'ambiguità della doppia cultura che ancora per molti anni avrebbe gravato sull'Unione Sovietica. Da un lato i componimenti ufficiali come l'oratorio *Il canto della foresta* (1949) o la cantata *Il sole brilla sulla nostra patria* (1952), dall'altro le opere private, destinate al cassetto come il *Quarto Quartetto* o i *Canti ebraici*. Il numero di opere finite nei cassetti in quegli anni, gli ultimi della vita di Stalin, e purtroppo per molti altri ancora, è impressionante e solo ora ci rendiamo conto che riemergendo a poco a poco, quella realtà quasi sconfinata richiede agli storici un lavoro immane. Scegliamo un esempio fino a oggi poco frequentato, quello di Galina Ustvolskaja, allieva prediletta di Šostakovič nata a Pietrogrado nel 1919. Andando a cercare nei suoi cassetti delle testimonianze musicali di quegli anni, troviamo una *Sonata per violino e pianoforte* scritta nel 1952. La Ustvolskaja è un personaggio appartato che vive in una solitudine quasi mistica. Il suo stile è scarno e anche questa *Sonata* rivela una durezza petrosa: ritmi pesanti, note ripetute e staccati ossessivi disegnano profili scuri e drammatici in cui domina un sentimento di ossessione. Nel finale il pianoforte esegue i suoi *staccato* sempre più piano mentre i battiti *col legno* del violino danno un'idea sconvolgente dell'ammutolire della musica. Negli stessi anni (1950) la Ustvolskaja compone un *Ottetto* per due oboi, quattro violini, timpani e pianoforte che avrà la sua prima esecuzione solo nel 1970 a Leningrado. Ascoltata vent'anni dopo, questa testimonianza postuma produce un'enorme impressione. L'esperienza musicale ha coniato nel frattempo, più o meno pacificamente, vocaboli e stili diventati d'uso corrente. In questo *Ottetto* la scrittura "ripetitiva" della Ustvolskaja — possiamo tranquillamente chiamarla così — esplode in tutta la sua durezza e drammaticità. Gli strumenti, in disdegno di qualsiasi *ars combinatoria*, sono usati in tre blocchi ruvidamente squadrati dai quali emana una musica dalle linee semplici e severe che raggiunge il suo apice nel quinto movimento. Qui, in un ampio metro di 7/4, assistiamo alla contrapposizione tra un motivo lamentoso agli archi e agli oboi e una figurazione ritmica data dal battito del pianoforte e dei timpani. In quella contrapposizione così elementare e nuda di colpi di maglio e di sospiri soffocati c'è una tragica grandezza, che potrebbe essere assunta a testimonianza sonora della vita sovietica di quegli anni. La grandezza dello stile della Ustvolskaja consiste proprio in questa sorta di olocausto della sintassi e nella capacità assolutamente rara di costringere i materiali sonori più semplici e più ruvidi a sprigionare una straordinaria eloquenza. L'*Ottetto* della Ustvolskaja dovette aspettare vent'anni per uscire dal suo cassetto, ma altre opere non ignote delle quali si sapeva che erano incappate nei rigori della censura poterono vedere la luce dopo la morte di Stalin. Non ci fu nulla di precipitoso in quei recuperi, la cosa avvenne anzi con molte cautele, ma qualcosa si mise timidamente in movimento.

Il disgelo

Nel fortunato romanzo di Il'ja Erenburg al quale capitò di dare il nome a un'epoca recente della storia sovietica, c'è una scena in cui viene descritto il dibattito che fa seguito a una mostra di pittura. Sono esposte le tele di due pittori che vivono nella stessa cittadina e che a suo tempo furono anche compagni di studi. L'uno, Puchov, è diventato un pittore ufficiale le cui opere seguono abilmente i dettami del realismo socialista, l'altro, Saburov, è una creatura angelica sprofondata interamente nella sua arte; naturalmente non ha avuto alcun successo eppure continua seraficamente a ritrarre alberi e fiori e il volto della moglie. Puchov sa che Saburov possiede un vero talento ed è consapevole di avere sprecato il proprio sacrificando l'autenticità alla maniera. La vicenda de *Il disgelo* si svolge subito dopo la morte di Stalin e vorrebbe illustrare quei fermenti ancora incerti che si percepiscono nell'atmosfera. Così al dibattito dove si discute delle tele di Puchov e di Saburov, capita di ascoltare una voce, non casualmente quella di un operaio, che commentando i quadri di Puchov esclama: «È falso, noi non siamo così, anche l'espressione è travisata. Come dal fotografo: "Ravviatevi i capelli per favore, alzate un pò la testa, un momentino, sorridete"». Inviperito l'accusato replicherà: «Saburov rappresenta il "formalismo", la tendenza a gingillarsi con la macchia di colore, il ripudio del carattere ideologico dell'arte. La pittura di Saburov è un fenomeno estraneo, e io devo mettere in guardia la nostra opinione pubblica... Una simile pittura non è altro che un attentato!». La novità de *Il disgelo* sta nel fatto che Puchov è il perdente, e infatti in una lunga lettera con la quale esce di scena si può leggere: «mi misi a contraffare l'arte perchè mi accorsi che era questo che si richiedeva». Tutto ciò potrà sembrare poco o tanto, ma resta il fatto che attraverso la vicenda di Puchov, artista-simbolo del realismo socialista, viene in primo piano quella perdita dell'io che Nadežda Mandel'štam definisce nelle sue memorie «la malattia del nostro secolo».

Perfino la «Pravda» prende atto di questi fermenti e in un articolo del

25 novembre 1953 si può leggere: «È opportuno incoraggiare l'audacia dell'artista, prendere coscienza della sua individualità creatrice e pur distinguendo pregi e difetti di questa o quella soluzione artistica rispettare il diritto dell'artista all'originalità, all'audacia e alla ricerca del nuovo».

Il tono della vita musicale si eleva gradualmente attraverso rivelazioni e curiosità. Ancora nel 1953 va in scena l'opera *I decabristi* di Jurij Šaporin e tra gli avvenimenti dell'anno successivo è da segnalare l'apparizione di due giovani compositori formatisi entrambi al Conservatorio di Mosca proprio alla scuola di Šaporin, Rodion Ščedrin e Andrej Volkonskij. Di Ščedrin, che mostra di possedere un solido legame con la tradizione russa, si esegue il *Primo Concerto per pianoforte e orchestra*. Non c'è nulla di traumatico in questa musica, ma un piglio brillante e un'efficacia che lasciano indovinare una carriera sicura.

Andrej Volkonskij è un personaggio completamente diverso: discende da uno dei rami più illustri dell'aristocrazia russa ed è nato a Ginevra nel 1933. Buon musicista che ha seguito studi brillanti di pianoforte con Dinu Lipatti e di composizione con Nadia Boulanger, questo aristocratico emigrato decide di tornare in Unione Sovietica nel 1948 per proseguire i suoi studi al Conservatorio di Mosca. I modelli di Prokof'ev e di Šostakovič hanno per lui scarso interesse e le sue predilezioni vanno a Stravinsky e al gruppo dei Sei. In quel Conservatorio efficiente ma conformista Volkonskij fa un pò l'effetto di un *enfant terrible* dal quale ci si può aspettare in ogni momento qualche provocazione. La cantata *Poemi d'amore e di guerra* su testi di Paul Eluard nel 1953 e il *Concerto per orchestra* nel 1954 non sono ancora da considerare provocazioni, ma Volkonskij ha in serbo alcune sorprese destinate a lasciare di stucco l'apparato ufficiale della musica moscovita. Nel 1955 tornano alla ribalta i vecchi maestri: finalmente giunge alla scena *Guerra e pace* di Prokof'ev e Šostakovič presenta il suo ciclo degli *Undici canti popolari ebraici*, che suonano come il preludio all'impegno ulteriore della *Tredicesima Sinfonia / Babij Jar* e quindi come preannuncio di uno dei temi più scottanti vissuti dalla società sovietica, quello dell'antisemitismo. Due altri componimenti che videro la luce in quegli anni hanno da essere intesi come sintomi di cambiamento ad onta della loro scrittura niente affatto traumatica: il *Poema in memoria di Esenin* (1956) di Sviridov e l'oratorio per coro misto e orchestra *I dodici* (1957) che Vadim Salmanov scrisse sull'omonimo poema di Aleksandr Blok. Con Esenin e Blok tornano in scena due grandi poeti che gli anni precedenti avevano condannato all'oblio.

Con questi ultimi avvenimenti si è però già raggiunta una linea di demarcazione capitale nella storia recente dell'Unione Sovietica. Essa è data nel gennaio 1956 dal XX Congresso del Partito Comunista nel corso del quale Chruščëv formulò la clamorosa condanna dei crimini di Stalin e denunciò il culto della personalità instaurato dal dittatore. La tragica contraddizione, implicita in quel gesto, consisteva nel fare quella denuncia nell'impossibilità però di rimuovere l'apparato, nella necessità anzi di mettere i crimini sul conto di una svisatura del sistema, che restava al di sopra di ogni discussione. Che questa contraddizione non sia risolta neppure oggi, a trentasette anni di distanza, è cosa ben nota. Si trattò comunque, oggi lo si vede benissimo, di una breccia aperta nel sistema, e le ripercussioni, anche in campo musicale, furono notevoli. Il gioco delle coincidenze vuole infatti che nello stesso anno Volkonskij proponga con la sua *Musica stricta* per pianoforte la prima partitura seriale e che in Polonia venga fondato quel festival dell'Autunno di Varsavia destinato a diventare nei paesi socialisti una specie di zona franca, in cui circolano liberamente i prodotti dell'avanguardia occidentale che in Unione Sovietica restano vietatissimi. Che nella strategia del rinnovamento promossa da Chruščëv si potesse usare una relativa indulgenza nei confronti della cultura e il pugno di ferro nella sostanza politica è dimostrato dai fatti: si poteva tollerare la nascita dell'Autunno di Varsavia ma si dovevano reprimere con l'esercito i moti di Budapest. La cosa può sembrare perfino ovvia ma non lo è; stando alla testimonianza contenuta nell'*Undicesima Sinfonia* di Šostakovič che per celebrare i quarant'anni della rivoluzione rievoca la tragica repressione zarista del 1905, sorge ancora una volta il dubbio sul vero significato da attribuire alle sue celebrazioni musicali.

Le contraddizioni del 1957 sono tali da conferire a questo anno della musica sovietica un volto enigmatico. Da un lato l'*Undicesima Sinfonia* di Šostakovič che reagisce ai nuovi fermenti di libertà con una scrittura la cui convenzionalità risulta vertiginosamente regressiva, dall'altro l'arrivo a Mosca del pianista Glenn Gould che tiene al Conservatorio un'applauditissima conferenza-concerto in cui esegue e analizza pagine di Schönberg, Berg, Webern e Křenek. Al Conservatorio di Mosca sono legati anche due altri avvenimenti occorsi entrambi nel 1957: uno studente di nome Alfred Schnittke compone il suo primo concerto per violino e orchestra e, del professor Vissarion Šebalin, viene rappresentata al Bol'šoj un'opera intitolata *La bisbetica domata*, un lavoro squisito che vedrà brillare nel ruolo della protagonista una giovane interprete di nome Galina Višnevskaja.

Nel Conservatorio di Mosca, oltre ai già menzionati Volkonskij e Schnittke si stanno formando altri musicisti che rispondono ai nomi di Edison Denisov, Sofija Gubajdulina, Nikolaj Karetnikov. La prima testimonianza ci viene offerta da Denisov nei suoi *Entretiens* con Jean-Pierre Armengaud: «Quando arrivai al Conservatorio nel 1951, volevo conoscere tutta la musica nuova, ma era impossibile, poiché quella di Debussy e Ravel era proibita». Che la musica di Debussy potesse essere considerata sospetta e suscitare inquisizioni di tipo poliziesco risulta anche dalla testimonianza di Nikolaj Karetnikov, studente di composizione in quegli anni nella classe di Šebalin. Nel 1952 una commissione inviata dall'Unione dei Compositori sottopone gli studenti a un interrogatorio poliziesco. Si vuole appurare quali autori Šebalin prenda a modello durante i suoi corsi.

Questo nobile e colto musicista era stato direttore del Conservatorio, ma d'un tratto insieme a Mjaskovskij ne era stato cacciato con l'accusa di avere avviato tanti giovani su di una cattiva strada. Era stato riassunto nel 1951 come professore di composizione e, stando alla testimonianza di

Karetnikov, il suo insegnamento spaziava da Debussy a Mahler e a Stravinsky. In quel clima di miseria spirituale, di terrore poliziesco e soprattutto di delazione (Karetnikov racconta col piglio elegante e ironico proprio dei suoi *Themes avec variations* quanto il possesso di una partitura di Stravinsky fosse pericoloso), gli studenti che cercano una cultura di maggiore respiro scelgono vie private e clandestine. Ci sono cenacoli, personaggi aristocratici, figure misteriose che vivono un po' ai margini, ma che si trovano, per ragioni diverse, in possesso di una cultura estesa e raffinata. La storia di quella cultura privata e clandestina è ancora in gran parte da scrivere e per farlo occorrerà un'indagine immane della quale si sente però acutamente la necessità. Il primo ad avere coscienza di questa necessità di recuperare la storia dagli anni della rivoluzione in poi è stato Solženicyn col suo monumentale e ancora incompiuto ciclo *La ruota rossa*. La storia sospesa, anche quella musicale, assomiglia a un mistero del quale il presente attende la rivelazione, non solo per pacificare la propria coscienza ma soprattutto per riprendere il proprio cammino.

La storia dell'avanguardia musicale sovietica, quella dei Roslavec, dei Lourié, degli Obukov, Wyschnegradsky, Josif Schillinger, Aleksandr Mossolov, Leonid Polovinkin e altri, ancorché scrupolosamente studiata una decina di anni fa da Detlev Gojowy nel suo *Neue Sovietische Musik der zwanziger Jahre,*è un classico esempio di oblio e di dispersione. Da un lato il geniale Nikolaj Andreevič Roslavec che avrebbe potuto essere un singolare anello di congiunzione con il pensiero compositivo della Wiener Schule ma che di fatto sprofonda nel nulla, dall'altro i musicisti che scelgono l'emigrazione come Lourié, Obukov o Josif Schillinger diventando dei personaggi leggermente stravaganti che disperdono fra Parigi e gli Stati Uniti quella singolare miscela di utopia, misticismo e scientismo che ne fa degli inquietanti eredi di Skrjabin. Questa avanguardia non poté lasciare eredità alcuna poichè la cultura ufficiale l'aveva semplicemente rimossa dopo averla giustiziata con l'accusa di "formalismo".

Bisognerà ricostruire la storia delle avanguardie degli anni Venti, dei cenacoli e degli intellettuali emarginati; avere un'idea dell'influenza che può avere esercitato con le sue lezioni e conversazioni lo storico dell'arte Gabricevskij o l'aristocratico cenacolo di artisti che si radunava a Peredelkino nella dacia di Pasternak. Bisognerà rievocare la figura di Philipp Herşcovici, il compositore e teorico rumeno che da Vienna, dopo l'*Anschluss*, era emigrato prima in Romania e poi a Mosca. Aveva conosciuto direttamente i maestri della Wiener Schule ed era anche stato allievo di Webern. A Mosca non gli fu possibile entrare a far parte dell'Unione dei Compositori e tuttavia in una sorta di semiclandestinità diventò una figura chiave per la formazione dei giovani musicisti: Volkonskij, Denisov, Schnittke e il più giovane Suslin furono tutti allievi privati di questo vecchio discepolo di Webern.

Nel 1958 si tenne a Mosca il II Congresso dell'Unione dei Compositori il cui atto più vistoso fu quello di revocare le condanne che nel 1948, con "l'affare Muradeli", avevano colpito fra gli altri Prokof'ev e Šostakovič.

La revoca avveniva con tale cautela da dare l'impressione di un atto di indulgenza generosamente accordato: «Compositori dotati come Prokof'ev, Khačaturjan, Šebalin, Popov, Mjaskovskij e altri, i cui lavori rivelano talvolta tendenze "erronee", vennero semplicemente denunciati come prodotti di una tendenza formalista e antipopolare» e poiché occorreva trovare un capro espiatorio si parlò della «influenza molto negativa esercitata su Stalin da Molotov, Malenkov e Berja». Le opere vietate fra il 1948 e il 1953 si vedono togliere l'interdetto, poi tocca a quelle vietate dal 1930. Si viene così poco alla volta ricostruendo il repertorio della musica russa e in qualche caso saranno grandiose rivelazioni; ma è il concetto di repertorio che si amplia e si specializza. Nel 1958 Andrej Volkonskij e Rudol'f Baršaj fondano l'Orchestra da Camera di Mosca, uno strumento destinato a conquistare rinomanza internazionale, al servizio del repertorio barocco e di quello contemporaneo. Il raccolto non piccolo dell'anno 1958 comprende, con la creazione del balletto *Il cavallino gobbo*, una ulteriore conferma del talento disinvolto e piacevole di Ščedrin.

La breccia attraverso la quale irrompe un'aria nuova sembra destinata ad allargarsi allorché Leonard Bernstein e la New York Philarmonic Orchestra compiono una tournée in Unione Sovietica, facendo ascoltare al pubblico quel *Sacre du Printemps* che solo pochi anni prima poteva costare a uno studente l'espulsione dal Conservatorio. La musica sembra godere, rispetto alle altre arti, di maggiore libertà o quanto meno di maggiore indulgenza; alle prime partiture seriali di Volkonskij si contrappone la rappresentazione dell'opera *La madre* di Khrennikov e Šostakovič compone i suoi sfingei commentari sonori alle rivoluzioni, per cui ci si chiede se alla fine la pensa come un "Premio Stalin" o come Solženicyn ne *La ruota rossa*. Ma Gould che analizza le *Variazioni* op. 27 di Webern e Bernstein che fa ascoltare *Le sacre du printemps* costituiscono un insieme di eventi che si fa fatica ad ammettere parallelo alla scomunica che colpisce Pasternak per aver pubblicato in Italia il suo *Dottor Živago*. Per il fatto di essere meno immediatamente compromettente, il linguaggio musicale ha goduto nelle epoche censorie di questo discutibile privilegio, e così è stato negli anni del disgelo chruščëviano. La musica, specialmente quella strumentale, è decisamente meno compromettente, si può quindi essere un poco di manica larga. Chruščëv doveva pensarla così, ma all'indulgenza sarebbe subentrato il massimo allerta allorché ai suoni dell'orchestra si sarebbero aggiunte le parole; come si vedrà, quelle di Evtušenko, utilizzate da Šostakovič nella *Tredicesima Sinfonia*, faranno saltare la calcolata indulgenza del segretario del PCUS. L'ingresso nel nuovo decennio avviene dunque per la musica sotto i migliori auspici: cadono gli interdetti e si ricostruisce il repertorio, giungono dall'Occidente messaggi decisivi, una nuova generazione di compositori di elevate aspirazioni spirituali e culturali si prepara ad entrare in scena. Se si rievocano alcuni avvenimenti del 1962 si ha l'impressione che con Chruščëv la vita nell'Unione Sovietica stia cambiando e non nella musica soltanto. Aleksandr Tvardovskij ottiene l'autorizzazione per pubblicare, sulla rivista «Novij Mir», *Una giornata di Ivan Denisovič* di Solženicyn. L'idea del «gulag come cancro nascosto sotto la liturgia della rivoluzione», alla cui illustrazione Solženicyn dedicherà anni e anni della sua vita, esplode con violenza inaudita. Da tutte le parti dell'Unione Sovietica giungono allo scrittore ormai celebre lettere di consenso, di implorazione a proseguire nella denuncia, di ringraziamento postumo. Di quella partecipazione corale Solženicyn darà un saggio più tardi pubblicando, ormai esule, una *Antologia dei lettori di Ivan Denisovič.*

Dopo quarantotto anni di assenza Igor Stravinsky torna in Russia per compiervi una trionfale tournée: è uno dei maggiori capolavori diplomatici di Chruščëv che riceve l'illustre ospite al Cremlino. Il vecchio maestro dirige concerti che sollevano ondate di intensa commozione, rivede lontane conoscenze, amici del tempo che fu, pronuncia frasi commoventi, incontra un intimidito Šostakovič, la vedova di Prokof'ev, tiene un contegno duro e strafottente coi burocrati ai quali invece della mano porge il bastone e soprattutto incontra i giovani compositori che ora hanno davanti, idolatratissimo, lo spauracchio di qualche anno prima.

Nell'incredibile 1962 torna sulle scene l'opera di Šostakovič *Katerina Izmailova,* e il successo deve essere suonato all'animo esulcerato del compositore come un risarcimento per una delle beffe più atroci che gli avevano giocato Stalin e Ždanov. L'opera era stata rappresentata nel 1934 a Leningrado e nel giro di un anno si era trasformata in un successo mondiale con riprese a Cleveland, New York, Filadelfia, Buenos Aires, Praga, Zurigo, Stoccolma. Il 26 dicembre 1935 la vide anche Stalin, che però abbandonò il teatro dopo il primo intervallo. Ždanov, da poco investito del potere di supremo censore, colse al volo il malumore del capo e nei primi giorni del gennaio 1936 fece uscire sulla «Pravda» un articolo, divenuto in seguito tristemente famoso, intitolato *Caos invece di musica.* Il capolavoro applaudito in tutto il mondo veniva coperto di infamia e inesorabilmente ritirato dalle scene.

L'amletico e tormentato Šostakovič poteva dunque sciogliere le sue riserve per accedere a una forma di comunicazione più diretta e lo fece con la sua *Tredicesima Sinfonia* universalmente conosciuta col titolo *Babij Jar,* che è anche il titolo della poesia di Evtušenko dalla quale sono tratti i versi cantati nella prima della cinque parti della sinfonia.

Nella *Testimonianza* raccolta da Volkov, Šostakovič dichiara: «Fu per me fonte di vera felicità la lettura di *Babij Jar* di Evtušenko, un poema che mi ha estasiato come ha estasiato migliaia di altre persone. Molti avevano udito parlare di Babij Jar, ma c'è voluto il poema di Evtušenko perchè si rendessero conto davvero di che cos'era accaduto in quella località. Un ricordo che dapprima i tedeschi, poi il governo ucraino hanno tentato di cancellare; ma dopo la pubblicazione dell'opera di Evtušenko è apparso chiaro che quell'episodio non sarebbe stato mai più dimenticato. Ecco la forza dell'arte. La gente sapeva di Babij Jar anche prima che il poeta ne scrivesse, ma stava zitta. E quando ha letto il poema, il silenzio è stato infranto. L'arte dissolve il silenzio».

La nobile testimonianza del musicista risulta qui, a causa della gentilezza nei confronti di Evtušenko, un po' fuorviante, poiché il ruolo della musica è decisamente sottovalutato, come risulta palesemente da un altro passo della *Testimonianza*: «Nel caso specifico, Chruščëv non ce l'aveva con la musica: a farlo imbestialire era la poesia di Evtušenko sulla quale la sinfonia è scritta. Ma certi combattenti del fronte musicale tornarono alla carica: ecco, proclamarono, ecco che Šostakovič una volta ancora si è dimostrato infido. Bisogna fargliela vedere! Ed ebbe il via una disgustosa campagna di calunnie».

È comprensibile che per modestia Šostakovič minimizzi il potere di persuasione della musica, ma quella della *Tredicesima Sinfonia* nasce da una poetica della sincerità e dell'immediatezza capace di raggiungere risultati così sconvolgenti da non poter sfuggire a orecchi sospettosi.

Nel 1958 Šostakovič aveva dichiarato: «Noi sosteniamo quell'ideale di semplicità che ha caratterizzato gli artisti di vero talento e questo ideale dimostra non la mancanza di raffinatezza ma la ricchezza del loro mondo spirituale». Con questa dichiarazione dall'aria così innocua, ma anche non poco ambigua, Šostakovič si mette dalla parte del prediletto Musorgskij e, come se non bastasse, immediatamente prima di comporre la *Tredicesima Sinfonia* lo troviamo intento a orchestrare, di Musorgskij, *I Canti e le danze della morte*. La contiguità tra la *Tredicesima Sinfonia* ed il mondo spirituale di Musorgskij è particolarmente accentuata sul piano teatrale; alla dimensione del teatro tendono infatti con angolature diverse i cinque episodi che compongono la sinfonia.

Babij Jar è il luogo vicino Kiev nel quale fu perpetrato nel 1941 il massacro di centomila uomini, donne e bambini. Non ci sono monumenti e pietre tombali a ricordare la strage che accanto a una maggioranza di ebrei annovera tra le vittime persone appartenenti a religioni diverse. Non importa; Evtušenko e Šostakovič nel rievocare la strage desiderano sentirsi «antichi come il popolo ebreo» per iniziare un disperato viaggio tra le persecuzioni antiche e moderne di quel popolo. Il tono della poesia di Evtušenko è semplice e commovente, ma è la musica a rivestire di colori scuri e tragici quella disperata ballata trasformandola in un immenso affresco. Il coro di voci maschili intona all'unisono i versi in maniera sillabica secondo una consuetudine propria del canto popolare, e infatti l'ascoltatore ha l'impressione di vedere un intero popolo alzarsi in piedi e denunciare con un ritmo grave, oscillante tra ballata e preghiera, le infamie e le sofferenze atroci.

Dopo questo prologo tragico e grandioso viene in scena lo humour; in questa estrema e indomabile risorsa Šostakovič individua l'unica possibile difesa contro la tirannide. Lo humour — che gli è profondamente congeniale e che sarà sempre presente nel percorso artistico di questo grande musicista — indossa i panni grotteschi del sarcasmo ed è singolare che in questa prospettiva si assista a una specie di contrappasso. Nella società in cui toccò a Šostakovič di vivere, la tirannide aveva l'aspetto di una liturgia e in quel clima di generale mistificazione il principio positivo dello humor è dunque costretto ad assumere le apparenze del demoniaco. Questo travestimento musicale si manifesta non soltanto nei ritmi concitati e nei timbri grotteschi, ma con un dinamismo teatrale che, grazie anche alle immagini surreali di Evtušenko, ritrova la vena antica de *Il naso*.

Il terzo quadro, in tempo "Adagio", descrive le donne russe in pazienti e interminabili attese davanti ai negozi dove sperano di fare la loro magra spesa. La musica grave e solenne si affida a un ostinato nel registro grave degli archi il cui disegno circolare sottolinea il carattere di tragica ballata. La magistrale scena di folla raffigura la miseria quotidiana con tocchi di superbo realismo ed il potere di trasfigurazione lirica conferisce all'immagine un tocco di indimenticabile, sofferta evidenza.

All'immagine del popolo schiacciato dalla miseria subentra nel quarto quadro quella dello stesso popolo preso nella morsa del terrore. "Paure" ha un inizio lento e oscuro con un solo della tuba che proietta la vicenda in una zona metafisica. Sembra di assistere a una meditazione musical-filosofica sul tema della paura, un teatro di moralità sospeso tra l'oratorio barocco e la metafisica wagneriana, ma vi è in più un tono allucinato che discende direttamente dalle pagine più drammaticamente visionarie del *Boris Godunov*. Il tema della paura mette le ali all'ispirazione di Šostakovič; la paura delle denunce di ogni interlocutore dietro al quale potrebbe celarsi un delatore, le paure di ieri e quelle di domani, l'incubo quotidiano di cui parla Nadežda Mandel'štam, diventano in quest'episodio una requisitoria universale. Anche in questo caso, dietro la voce del basso che modula attraverso tutti i brividi del terrore, pare di vedere un popolo intero che si alza per denunciare la condizione disumana alla quale è costretto. L'*Allegretto*, che descrive nella quinta parte il carrierista, appartiene anche lui, con i suoi feroci sarcasmi, all'antica pianta teatrale dalla quale era germogliato tanti anni prima *Il naso*.

Davanti a un'eloquenza così grande e profonda, capace di sfociare in una sorta di rappresentazione, come potevano le autorità restare indifferenti? Il sospetto era nell'aria già la sera della prima esecuzione; c'era un imponente servizio di polizia davanti al Conservatorio di Mosca e i testi di Evtušenko non furono, contrariamente all'abitudine, stampati sul programma di sala. Fu un successo strepitoso e bisognava essere ciechi e sordi per non capire che con la *Tredicesima Sinfonia* il sistema politico e la storia recente venivano messi sotto accusa. I detentori del potere non erano né ciechi né sordi, erano anzi quanto mai perspicaci e così *Babij Jar* fu drasticamente ritirata dalla circolazione. L'effetto dirompente della pubblicazione di *Ivan Denisovič* sommandosi a quello di *Babij Jar* crea una condizione insostenibile; Chruščëv è responsabile di tutto ciò e deve scontare per giunta lo smacco subito sul piano della politica internazionale col ritiro dei missili da Cuba. La sua posizione all'interno dell'apparato si fa improvvisamente critica e i custodi dell'ortodossia contrattaccano, costringendolo a precipitose ritirate. Gli artisti incoraggiati fino a qualche giorno prima vengono improvvisamente strapazzati e insultati e il famoso "incidente del Maneggio" segna la prima vistosa sconfitta. Seguiranno umilianti autocritiche e violente tirate reazionarie, in cui si torna a lodare

Stalin e ad asserire la dogmatica infallibilità dell'ideologia. È la fine del "disgelo". Nella sua brillante sintesi storica (*Ždanov l'immortale*) Rubens Tedeschi ricorda: «Sei mesi dopo, il 13 ottobre 1963, l'incerto ideologo è licenziato». A quel punto, però, compositori come Edison Denisov, Alfred Schnittke , Nikolaj Karetnikov, Sergej Slonimskij, Arvo Pärt, Sofija Gubajdulina, Valentin Silvestrov, Leonid Grabovskij, Vjačeslav Artëmov, Boris Tiščenko, sono già entrati in scena. Potranno sviluppare le loro carriere secondo linee divergenti, ma l'esperienza degli anni del "disgelo" in cui hanno mosso i primi passi del loro apprendistato creativo, non potranno essere dimenticati.

L'età post-utopica e la vecchia Russia

Nella *Giornata di Ivan Denisovič* e nella *Tredicesima Sinfonia*, che consideriamo i maggiori documenti degli anni del "disgelo", non c'è soltanto la denuncia. I due autori, nell'atto di portare alla ribalta l'infamia, affondano lo sguardo in un passato che nel caso di Šostakovič diviene addirittura remoto. Così facendo si spezza l'utopia e, sia pure nella prospettiva della sofferenza, il paese viene restituito al flusso della storia.

L'ideologia ufficiale aveva per decenni sostenuto che lo stato socialista rappresentava la prima incarnazione di una nuova società intesa come approdo dell'evoluzione dialettica, nella quale l'uomo sovietico era il protagonista consapevole di una fase che si collocava oltre la storia. Il XX Congresso del Partito Comunista, con la denuncia degli errori dello stalinismo, aveva incrinato l'utopia, e i documenti degli anni del "disgelo" (massimamente i due che abbiamo indicato) l'utopia l'avevano mandata in frantumi con lo svelarne gli atroci retroscena. Chruščёv poteva recitare tutte le autocritiche che gli venivano imposte, l'apparato poteva riaffermare la sua autorità e avviare la fase plumbea della "normalizzazione", ma restava chiaro per tutti che si era entrati in una fase diversa, caratterizzata dal tramonto dell'utopia che aveva distinto gli anni di Stalin. Questa età difficile e quanto mai contraddittoria è stata giustamente definita "post-utopica".

È incredibilmente difficile descrivere il senso di smarrimento causato dal tramonto di quell'utopia che, sia pure con mezzi spietati, aveva per anni e anni cercato di forgiare le coscienze, e anche in questo caso si assiste al ritorno ciclico di taluni sentimenti e convinzioni che da secoli investono la coscienza del popolo russo nei momenti dei cambiamenti traumatici. C'è in questo popolo una pazienza infinita e un'abitudine antica a coabitare con la sofferenza; tutto ciò spesso viene percepito come destino, e si ha al tempo stesso coscienza di una certa differenza rispetto all'Occidente. Il progresso che viene dall'Occidente talvolta viene visto come un'imposizione che tende a stravolgere la vera natura russa. Musorgskij quando scrive la *Chovanščina* ne è perfettamente consapevole e con il rogo degli "Antichi credenti" si assiste, alla fine dell'opera, all'inabissarsi dell'immagine della vecchia Russia. Musorgskij era persuaso che il suo "uomo integralmente russo" fosse il custode di qualità umane destinate a essere spazzate via dal progresso. Lo zar Pietro per mettere la Russia al passo con l'Occidente aveva soppresso le virtù più profonde. Il progetto di Stalin era alquanto più ambizioso: l'URSS non doveva soltanto superare l'Occidente, doveva superare la storia borghese dell'Occidente. La realizzazione di quell'utopia era costata sofferenze inaudite e alla fine si era risolta in un fallimento. Il destino dell'umanità russa dolente e paziente trovava quindi un'ennesima conferma, si trattava soltanto di orientarlo nel presente. L'utopia dell'uomo nuovo verrà sostituita da un ritorno ai valori eterni del popolo russo, che ha dovuto soffrire la rivoluzione e lo stalinismo. Anche l'antico complesso d'inferiorità della Russia nei confronti dell'Occidente più progredito trovava una singolare riformulazione: gli intramontabili valori morali distrutti in Occidente dal progresso, dallo spirito del pluralismo e dalla cinica tolleranza verso il male morale, sopravvivono nell'Unione Sovietica. È una singolare mescolanza di vecchi motivi di propaganda politica e di rinnovati impulsi mistici che ricorda la contrapposizione manichea tra Occidente e URSS dell'epoca di Stalin, solo che ora la propria salvezza il popolo russo va a cercarla non in un avvenire radioso ma nel proprio passato, nelle sue antiche virtù e tradizioni. L'impulso verso il nazionalismo e la tradizione è forte e fatalmente comporta anche la ricerca dei responsabili delle sciagure della storia recente. Si diffida degli internazionalisti, dei cosmopoliti, dei russi emigrati e poi tornati in Russia, e naturalmente degli ebrei. Ecco perchè il nuovo nazionalismo si tinge spesso, in maniera anche vistosa, come nel caso dell'Unione patriottica Pamjat' (Memoria), di antisemitismo. La polemica contro l'Occidente in nome delle virtù umane del popolo russo è, come si accennava, un motivo ciclico che distingue ogni fase traumatica della storia di quel paese, e le accuse che dalla presidenza del Soviet Kazbulatov lancia oggi a Boris Eltsin colpevole di svendere la santa Russia alle leggi brutali dell'economia capitalista, ricalcano quell'antico copione.

L'URSS dell'età post-utopica diventa quindi tradizionalista, sentimentale, religiosa, mistica, antisemita, avversa al progresso, attenta agli echi provenienti dall'antico cristianesimo ortodosso, alle tradizioni rurali in via di estinzione, all'ecologia. È un miscuglio un po' caotico che si spiega col difficile reinserimento nell'orizzonte della storia, una specie di improvviso *horror vacui* ben descritto da uno degli interlocutori di Karetnikov: «In seguito a diverse collisioni storiche il nostro paese è stato privato della sua cultura e per questo è stato proiettato fuori dalla storia. Continuando ad esistere pur stando fuori dalla storia, è diventato un'assurdità storica. E nella misura in cui questo paese è un'assurdità storica, può succedervi di tutto».

La "letteratura contadina" con i racconti di Boris Možaev, Vasilij Belov e poi anche del siberiano Valentin Rasputin, esalta la simbiosi tra natura e buoni sentimenti, e il sentimento religioso, a lungo oppresso sotto Stalin, riprende vigore con il restauro delle chiese e dei monasteri e una forte ripresa di interesse per la pittura delle icone. Il più grande documento di questi sentimenti nati dalla volontà di sprofondare nella storia è la grande epopea filmica *Andrej Rublev* di Tarkovskij. Il lungo viaggio del grande pittore attraverso le lande malinconiche del medioevo russo è una straordinaria rappresentazione visiva della storia di un popolo intesa come destino, ma quel destino si conclude con la glorificazione mistica rappresentata dai grandi affreschi e dalle icone. La tendenza tipicamente russa a umanizzare il sacro nella pittura di icone trova in Rublev l'impulso decisivo dopo un lunghissimo silenzio che il pittore si è imposto come regola. Ogni atto della sterminata rapsodia vissuta un giorno dopo l'altro verrà custodito in quel silenzio fino a trovare la via della sublimazione. L'arte di Rublev non smarrisce il senso della trascendenza, ma in essa l'umano e il divino si fanno più vicini e tutte le vicende dell'umano, composte in geroglifici invisibili ai più, verranno trascritte e custodite nelle immagini.

Ancora una volta bisogna osservare che i censori non erano degli sprovveduti e quella triste epopea del medioevo russo composta da Tarkovskij non incantò nessuno. Il film venne vietato e il geniale regista allontanato dagli studi cinematografici per sei anni. Se è vero che una musica per film veramente efficace deve essere piuttosto convenzionale, nel fare confezionare quella per il suo *Rublev* Tarkovskij deve essersi attenuto strettamente a questo principio. Dimenticando per un momento quella scialba colonna sonora proviamo a immaginare la musica ideale per *Rublev*. Non saprei concepirne una migliore di quella dei quattro *Inni* che Schnittke ha composto fra il 1974 e il 1979 per un organico esiguo e insolito che comprende un violoncello, un contrabbasso, un fagotto, un'arpa, un cembalo, timpani e campane. La tendenza a umanizzare il sacro che sta scritta nei dettagli delle icone, come la fronte di un vecchio saggio nel bambino tenuto in braccio dalla vergine o gli occhi dolenti di quest'ultima, come se ancora vi aleggiasse il riflesso di innumerevoli immagini di tristezza, viene narrata nel film di Tarkovskij come un'anamnesi. L'opera d'arte svela l'esperienza umana in essa sublimatasi e trascesa. Qualcosa di analogo si ritrova negli *Inni* di Schnittke, anch'essi interpretabili come un viaggio verso la trascendenza. Le immagini della storia sono rispecchiate qui nelle reminiscenze più o meno vaghe delle antiche liturgie, e per conferire questo potere evocativo ai suoni Schnittke compie un lavoro straordinario sulla scelta e sulla trasformazione dei timbri. L'arpa e il cembalo con le loro corde pizzicate riportano spesso l'immagine di antichi salteri, i timpani e le campane hanno il potere di evocare spazi e tempi dilatati e lontani, e il fagotto con l'ambiguità del suo timbro risulta più idoneo che mai a evocare voci dai profili un po' misteriosi e confusi a causa della lontananza. È però dai due strumenti ad arco, violoncello e contrabbasso, che scaturiscono le visioni più prodigiose. A loro due soli è dedicato il secondo *Inno* che inizia con un movimento lento e grave quasi senza tempo, dai colori quanto mai cupi. La pienezza del suono è inaudita e ci si avvede di ciò allorché i due strumenti iniziano una sequenza di pizzicati pesantemente cadenzati che è mimesi perfetta di una marcia affannosa. La pienezza del suono così idonea a disegnare l'orizzonte plumbeo e i passi della marcia (c'è da chiedersi se esista nella musica russa metafora più congeniale di quella rappresentata dalla marcia o dall'avanzare cigolante di un carro!) svapora completamente nell'episodio successivo ove gli strumenti ascendono verso i registri acuti per scorporarsi nei suoni armonici. La scrittura è quanto mai statica, ma il sortilegio dei suoni armonici crea metamorfosi di timbri tali che pare di udire echi di strumenti a fiato, di voci umane e di organi, e allorché i suoni si immobilizzano nella zona più acuta è una grande striscia di luce che si inarca sull'orizzonte come già era accaduto all'inizio della *Prima Sinfonia* di Mahler, proprio con i contrabbassi! Il suono del salterio, delle campane e dell'organo (in realtà si tratta di cembalo, campane tubolari e fagotto) ci fa ascoltare con il terzo *Inno* una melodia antica che volteggia da uno strumento all'altro come fra la terra il cielo, fra l'interno del tempio e la linea dell'orizzonte, fino a formare una vera e propria icona sonora.

Quel suono di campane, quella rimembranza di antiche liturgie, di pitture sacre e di monasteri della Santa Russia aveva cominciato a risuonare in numorosi componimenti nati proprio negli anni seguenti la morte di Stalin, intrecciandosi con le rimembranze di una civiltà rurale ormai quasi estinta.

Una singolare coincidenza fece sì che Stravinsky si rivolgesse con crescente attenzione alla sorgente del folclore russo, dalle *Noces* in poi, proprio nel momento in cui si faceva chiara in lui la separazione definitiva dal paese d'origine. L'intenso colore russo di certe sue partiture deriva in parte anche dal timore di smarrire la propria identità, da una sorta di desiderio inconscio di preservarla proprio attraverso quelle opere. La coincidenza sta nel fatto che i musicisti sovietici si rivolgono anch'essi alle stesse tradizioni nel momento in cui cercano di recuperare la propria identità sospesa. Il primo a muoversi in questa direzione fu Sviridov componendo nel 1956 il suo *Poema in memoria di Esenin*, in cui vengono giustapposte le immagini rurali della Russia prima e dopo la rivoluzione. I titoli delle singole parti sono eloquenti: *Il villaggio abbandonato, L'inverno canta, La notte di San Giovanni, 1919, i ragazzi del villaggio...*

Ha mietuto premi e onorificenze a non finire questo "Artista del popolo", "Eroe del lavoro socialista", "Premio Lenin" ecc., e tutto questo potrebbe ingenerare l'impressione di un compositore di regime gonfio di retorica e di magniloquenza. Nulla di più errato: quello di Sviridov è un talento lirico e intimista di gran pregio, capace di raggiungere, nelle liriche per voce e pianoforte su versi di Blok, le altezze del capolavoro.

Le immagini della vecchia Russia con i suoi monasteri, le sue icone e le sue antiche leggende divengono un filone fertilissimo: Volkov arriverà a scrivere un *Concerto Andreij Rublev* e un *Trittico di Vladimir* dedicato a uno dei più celebri monumenti della Santa Russia. A un'altra delle città dell'"Anello d'oro" è dedicato il ciclo di liriche per soprano, tenore e sette strumenti *Suzdal'*, composto da Boris Tiščenko nel 1964. Le linee melodiche appartengono con i loro profili modali all'orizzonte arcaico, mentre le parti strumentali, collocate sul fronte di una decisa modernità, producono un ben calcolato effetto di estraniazione. Alle origini della storia russa risale Tiščenko con il balletto *Jaroslavna* il cui soggetto è tratto da quel poema epico medioevale, il *Canto della schiera di Igor'*, già immortalato dal *Principe Igor'* di Borodin.

Una vocazione spiccata per i temi della vecchia Russia la si trova nell'ucraino Jurij Butcko che oltre alla formazione musicale acquisita al Conservatorio di Mosca, possedeva una solida base di studi storici.

L'uso della modalità, le antiche liturgie, gli elementi folclorici dell'Ucraina e della Russia stanno al centro degli interessi di questo colto e raffinato musicista. Eccolo dunque impegnarsi nella rievocazione di personaggi leggendari della storia del suo paese come ne *La leggenda della rivolta di Pugačëv* — un oratorio per soli, coro maschile e orchestra su testi di Puškin — oppure volgere lo sguardo nella medesima direzione di Stravinsky con *I canti di nozze* per soli, coro maschile e orchestra, oppure ancora comporre una sinfonia da camera intitolata *Canto solenne di chiesa* o una sorta di poema sinfonico al quale darà il nome di *Antiche pitture russe*. La dimensione russa così congeniale a Butcko — tra le sue cose migliori figura l'opera *Il diario di un pazzo*, tratta da Gogol' — la si ritrova anche nell'eclettico Rodion Ščedrin. Anche lui scrive con *Le anime morte* un'opera su soggetto di Gogol' e anche lui ci darà la sua versione musicale della *Storia di Pugacev*. Gli antichi canti liturgici sono all'origine del suo secondo concerto per orchestra che porta significativamente il titolo *Rintoccare di campane*, un'opera in stile "vecchia Russia" che nasce da una commissione di Leonard Bernstein, con tanto di prima assoluta a New York. Il versatile Ščedrin può passare disinvoltamente dallo stile "vecchia Russia" agli influsssi jazzistici del suo *Secondo Concerto per pianoforte e orchestra*, ma la mano che compone queste partiture è sempre abilissima nel confezionare componimenti di sicura riuscita. Tra i risultati più felici dell'eclettica produzione di Ščedrin c'è un componimento che può essere, per le sue parti arcaicizzanti, assimilato al genere "vecchia Russia". Il titolo *Poetoria* sta a significare «Concerto per poeta con accompagnamento di voce femminile, coro e orchestra», e il poeta portato in scena è una delle voci più note apparse nell'Unione Sovietica del dopo-Stalin: Andrej Voznesenskij (anche lui, come Evtušenko, abilissimo nel recitare in pubblico le sue poesie). Dall'intreccio tra la voce recitante di Voznesenskij e quella del contralto nasce un'efficace contappunto di immagini moderne e antichi riti legati al folclore, in cui Ščedrin può dar prova della sua abilissima *ars combinatoria*.

Pleurs, di Edison Denosov, per soprano, pianoforte e percussioni — basato su canti popolari russi — e il grande affresco della vita rurale prima della rivoluzione contenuto nell'opera *Virineia* di Sergej Slonimskij dimostrano come compositori forniti di interessi diversi diano il loro contributo a questa tendenza che non va interpretata come un fatto stilistico (dal punto di vista dello stile le opere che abbiamo citato sono spesso tra di loro molto lontane), ma come un'aspirazione a riappropriarsi della storia dopo gli anni dell'utopia imposta da Stalin. La tendenza verso la "vecchia Russia" nasceva in parte da un sentimento di diffidenza nei confronti dell'Occidente, ma la conoscenza delle esperienze culturali maturate nell'altra parte del mondo esercitava comunque un fascino non lieve. I musicisti della generazione più giovane si troveranno presi tra fascinazione e diffidenza, e vivranno questa contraddizione con intensità più o meno grande anche perché una reale conoscenza della musica dell'Occidente continuerà a essere ufficialmente contrastata.

La storia della generazione di musicisti entrata in scena negli anni del "disgelo" è destinata a svilupparsi in un'epoca successiva, che riconosciamo oggi tra le più inquiete e contraddittorie ad onta di tutte le apparenze.

La normalizzazione

All'esposizione di arte contemporanea svoltasi nel 1962 nella sala del Maneggio, Nikita Chruščëv aveva dato in escandescenze: lo scultore Ernest Neizvestnij e i pittori Ilja Kabakov, Vladimir Jankilevskij e Beljutin si erano visti coprire d'insulti ed erano stati trattati come dei mascalzoni. Che le cose non andassero bene e il processo di liberalizzazione della cultura stesse subendo una brusca frenata lo si comprese ancor meglio con le reazioni suscitate dall'esecuzione della *Tredicesima Sinfonia* di Šostakovič, ma il peggio doveva ancora venire. Nel 1963 il poeta Josif Brodskij venne arrestato con l'accusa di parassitismo e internato in un ospedale psichiatrico. Sottoposto a perizia medica e giudicato sano di mente venne messo sotto processo e condannato a cinque anni di confino e di lavori forzati. Il processo fece epoca non solo perché ad appellarsi contro le sentenze furono Anna Achmatova, Tvardovskij e Šostakovič, ma soprattutto perché la scrittrice Frida Vigdorova riuscì a far pervenire ai giornali stranieri la relazione completa del processo. In tutto il mondo si poterono leggere quelle grottesche requisitorie che, raccolte da Efim Etkind, diventeranno un documento famoso con il titolo *Josif Brodskij - Procès d'un poète*.

Nell'ottobre 1963 Chruščëv è costretto alle dimissioni e gli subentra Brežnev con l'impegno di gestire la "normalizzazione". La strategia è già tutta in quella parola: si deve senza traumi tornare alla normalità poichè l'organismo è sostanzialmente sano, ha solo attraversato un periodo di turbolenza. La restaurazione che indossa i panni farisaici e paternalisti del buon senso è la più odiosa, perché incoraggia incondizionamente la mediocrità e il conformismo. Queste saranno infatti le qualità ufficiali dell'età di Brežnev, ed è quindi perfettamente comprensibile che subisca un notevole incremento la cosidetta doppia cultura: da un lato quella ufficiale con il suo triste corteo di mediocrità e conformismo, dall'altro quella "del dissenso", che perfino nell'uso dei suoi strumenti rivela il suo carattere alternativo. Lo strumento più tipico dell'"altra" cultura è infatti il *samizdat* che letteralmente significa "edizione in proprio" termine che si oppone ironicamente a "Gosizdat", l'edizione di stato. Impagabile il commento di Anna Achmatova: «Viviamo in un'epoca pre-gutemberghiana».

Lo scenario della doppia cultura all'interno della vita musicale ci viene rivelato con ritmo quasi teatrale da una pagina dei *Thèmes avec variations* in cui Karetnikov rievoca una visita compiuta da Luigi Nono all'Unione dei Compositori:

Maria Judina mi chiamò al telefono: «Kolia, Luigi Nono è a Mosca! Si trova in questo momento all'Unione dei Compositori. Ci vada immediatamente. Ha sentito parlare di lei e di Denisov e desidera incontravi. Si metta d'accodo con lui per un incontro qui da me». Venni a sapere in seguito che all'Unione dei Compositori si erano preparati con grande cura per questa visita e che Krennikov dopo aver riunito le sue truppe avrebbe tenuto un discorso del genere: «Tremate! Non si tratta di uno di quegli stranieri di servizio che tante volte abbiamo visto sfilare tra i nostri muri. Quello che sta per arrivare è un vero nemico: è membro del Comitato Centrale del Partito Comunista Italiano, è il genero di Schönberg e un vero avanguardista. Allerta quindi!» Quando entrai nella sala da ricevimento delle commissioni straniere dove Luigi stava ascoltando delle registrazioni dei nostri corifei, già erano stati espulsi dalla sala Denisov e Schnittke.

Si stava ascoltando una registrazione. Verso la metà del primo movimento Luigi fece interrompere e rifiutò categoricamente di proseguire nell'ascolto malgrado le assicurazioni di Ščedrin che l'essenziale doveva ancora venire. Si passò a Sviridov e la reazione di Nono fu esattamente la stessa.

In quel momento il responsabile della commissione straniera mi sussurrò all'orecchio che il segretario dell'organizzazione mi pregava di andare immediatamente da lui. Mi scusai e uscii per raggiungere l'ufficio che mi era stato indicato.

Il segretario era pallido come uno spettro... davanti a lui tre telefoni squillavano in continuazione «.... Sì... Sì... È nella sala... Sta ascoltando... Sì... Oh, è un vero incubo! Non sappiamo più cosa fare! Sì... Sì... Certamente. Sì... Sì... È nella sala che ascolta... Sì, certamente... Oh! Ma cosa facciamo? Ha detto che Sviridov era della... Ha detto che Kabalevskij era della... Ha detto che Aram Ilic... Sì, che anche Khačaturjan era della... Sì... Sarà fatto. Sì... Sì... È nella sala che ascolta... Che possiamo fare? Oh! Sì, Sì... C'è Ščedrin... È qui davanti a me... Glielo dirò, senz'altro, glielo dirò...»

All'indomani, a casa di Maria Judina, il responsabile del dramma in maniche di camicia andava su e giù per la stanza tenendosi la testa fra le mani e gridando in francese: «Ma perché sono venuto in questo paese? Che cosa faccio qui? È un incubo, una casa di matti! Non ci capisco più niente! Avrei fatto meglio a restarmene tranquillamente a Venezia! Che perdita di tempo! A che pro tutto questo! Non riesco a capire! Ho chiesto a Khrennikov di organizzarmi un incontro con Šostakovič e lui mi ha detto che Šostakovič si trova in questo momento a Leningrado. All'Unione apro per caso la porta di un ufficio e ci trovo Šostakovič! Chiedo di vedere Roždestvenskij e Khrennikov mi dice che si trova all'ospedale perché si è rotto una gamba. Telefono a casa sua e mi risponde proprio lui! Cosa vuol dire tutto ciò?».

Khačaturjan, Sviridov, Kabalevskij e l'accorto Ščedrin vengono presentati in questa rievocazione come l'assise dei compositori ufficiali; non sono i soli ovviamente, ma hanno delle buone ragioni, e non solo ideologiche, per tenere i giovani più audaci ai margini. Si è anche visto che durante la visita di Nono, Denisov e Schnittke erano stati allontanati dalla sala. Sono loro i nuovi e avversati protagonisti della musica sovietica, e a quell'epoca — siamo agli inizi della "normalizzazione" brezneviana — il credo dodecafonico è condiviso da tutti i giovani ribelli con un fervore dichiarato apertamente da Schnittke: «Per un certo periodo il serialismo fu per me un principio molto dogmatico [...] Fu una specie di atteggiamento stoico da parte mia».

Si suole indicare ne *Le soleil des Incas*, composto da Denisov nel 1964, la prima importante partitura seriale scritta nell'Unione Sovietica, ma la cosa è vera solo in parte. Tra le prime partiture seriali di Volkonskij e questa bella cantata di Denisov, che si ispira con molta originalità all'ammiratissimo modello del *Marteau sans maître* di Boulez, si inseriscono le opere di esordio dell'estone Arvo Pärt, che già nel 1960, in un brano sinfonico intitolato *Necrologio* (per le vittime dell'ultima guerra), aveva adottato la tecnica seriale, ripresa l'anno successivo nell'oratorio *Il corso del mondo*. Nella produzione di questo alacre compositore baltico le opere si succedono per alcuni anni seguendo la linea seriale; poi, all'improvviso, il silenzio. Una crisi profonda travaglia il musicista, che si riconosce fondamentalmente estraneo ai propri mezzi stilistici. Una solida fede religiosa e lo studio dei grandi polifonisti franco-fiamminghi sono gli elementi attraverso i quali si attuerà la rinascita. L'Arvo Pärt conosciuto in tutto il mondo come autore della *Passione Secondo San Giovanni* o del *Miserere* nasce proprio dal rifiuto di un linguaggio estraneo e dalla singolare invenzione di un "minimalismo" intriso di sentimenti religiosi, in cui il medioevo cristiano si sostituisce all'Oriente, cui si ispira il minimalismo americano.

Il primato di Denisov è quindi una priorità nel segno della congenialità. *Le soleil des Incas* rivela immediatamente le doti peculiari del compositore: un uso magistrale e intensamente lirico della voce e la capacità di creare tessiture strumentali agili, eleganti ed essenziali ove la preziosità dei timbri si sposa a un rigore della concezione achitettonica che più mitteleuropeo non si potrebbe immaginare. Questi due versanti sono riconoscibili nella maggior parte delle composizioni di Denisov, che rivela fra l'altro una spiccata propensione per gli organici cameristici. La *Musica romantica* per oboe, arpa e trio d'archi (1968), il *Trio per archi* (1969), il *Quintetto per clarinetto e archi* (1987) e la *Sinfonia da camera* (1982) figurano tra le più belle realizzazioni della musica da camera russa degli ultimi decenni. Viene dalla Siberia, Denisov, e dai genitori, fisico il padre, medico la madre, ha ereditato una propensione spiccata per il rigore scientifico. Gli anni di apprendistato li divide tra la matematica e la musica con una tenacia che rammenta la durezza della terra d'origine; ma il siberiano Denisov è anche un classico esemplare di quella cultura russa che considera indispensabile il rapporto con l'Europa. Da solo impara il francese, perché è innamorato della letteratura di quel paese che tracce così profonde ha lasciato nel suo. Scriverà un'opera su l'*Ecume des jours* di Boris Vian, diverrà conoscitore così esperto delle sonorità di Debussy che a lui verrà affidato l'incarico di orchestrare il giovanile e dimenticato *Rodrigue et Chimène*, del quale per tanti anni hanno favoleggiato gli studiosi dell'autore del *Pelléas*.

Debussy e Boulez, le tecniche seriali come mezzo per raggiungere il massimo nitore della struttura, l'impulso drammatico e la delicatezza della tavolozza impressionista, le accensioni liriche di un melos tipicamente russo, aperture culturali cosmopolite e patriottismo. È comprensibile che con questi connotati un musicista come Denisov non avesse negli anni di Brežnev la vita facile, e come se non bastasse non voleva saperne di iscriversi al partito. I segni di quell'inflessibilità sono ben evidenti in una descrizione della vita musicale di quegli anni che assomiglia a una requisitoria:

> Ai personaggi ufficiali i conformisti non davano ombra, erano infatti musicisti del loro stesso livello, la cui musica viene immediatamente dimenticata dal pubblico. Quando però si aveva a che fare con qualcuno dotato di una certa personalità, allora nasceva un problema di rivalità. Si sentivano molto offesi perché la maggior parte dei musicisti insigniti del titolo di "Artista del popolo", del Premio Stalin e Lenin, quasi mai venivano invitati all'estero per qualche concerto. A quell'epoca noi ricevevamo quasi ogni mese degli inviti per assistere alle nostre prime esecuzioni. I compositori ufficiali ne erano esacerbati, poiché si ritenevano grandi artisti destinati a rappresentare ovunque la musica sovietica. Avevano il potere nelle loro mani e quasi mai venivano invitati all'estero. La loro musica veniva eseguita ogni anno nella sala grande del Conservatorio di Mosca, in un concerto molto elegante con i migliori interpreti e le migliori orchestre, ai quali quelle esecuzioni venivano imposte. Ma Vladimir Zacharov, il direttore della sala del Conservatorio, mi ha raccontato con quali difficoltà riusciva a riempirla: erano quasi tutti soldati, ai quali la partecipazione al concerto veniva imposta. Ci sono andato qualche volta per curiosità ed era vero: la sala era piena di soldati.

Il 5 marzo 1966 moriva Anna Achmatova. Gli ultimi anni della grande poetessa erano stati accettabili; dopo tante vessazioni le autorità le avevano concesso addirittura di compiere un paio di viaggi all'estero, in Italia e in Inghilterra, dove era stata festeggiatissima. Le sue poesie continuavano però a circolare poco ed era ben vivo il ricordo di quando essere trovati in possesso di un volume dei suoi versi poteva voler dire esser tratti in arresto.

Il *Requiem*, la commovente raccolta di poesie in cui si evocava lo strazio delle madri russe in attesa davanti alle carceri in cui venivano detenuti e non di rado giustiziati i loro figli, naturalmente non era stato pubblicato nell'Unione Sovietica. Era uscito su una rivista a Monaco di Baviera nel 1963, ma per leggerlo ufficialmente i russi avrebbero dovuto aspettare fino al 1987 quando uscì contemporaneamente sulle riviste «Oktjabr'» e «Neva». Per anni dunque *Requiem* circolò attraverso i canali privati del *samizdat*, e in questa forma lo lesse Boris Tiščenko, il quale parecchi anni dopo così avrebbe rievocato sulla «Pravda» il suo incontro con la poesia della Achmatova: «All'inizio degli anni Sessanta conobbi Cirel Spincson, un geologo molto colto che in seguito ad accuse assurde aveva trascorso 18 anni in campo di concentramento. Fin dal 1926 era stato in buoni rapporti con Anna Achmatova. Fu lui a pretendere che musicassi il *Requiem* ed io cominciai a scrivere la musica. Josif Brodskij mi fece conoscere la Achmatova e quando le domandai il permesso di musicare il suo *Requiem* rispose: "Scriva quello che vuole". Attentamente esaminò il testo che avevo con me e vi fece qualche annotazione». Tiščenko non fece in tempo a mostrare alla Achmatova il suo lavoro poiché la partitura del *Requiem* fu ultimata sei mesi dopo la morte della gran dama della poesia russa, ma quand'anche fosse riuscito avrebbe potuto al massimo offrirgliene una lettura al pianoforte. Quei versi e quella musica avrebbero dovuto attendere per una ventina d'anni la loro rivelazione. Nel 1989, ormai in piena *perestrojka*, a Leningrado furono indetti grandi festeggiamenti per celebrare il centenario della nascita della Achmatova. I versi del *Requiem*, come si è visto, non erano più clandestini e in quelle celebrazioni la partitura di Tiščenko poté finalmente venire eseguita suscitando emozioni e ammirazione. L'opera monumentale, quindici numeri che ricalcano fedelmente il tracciato dei versi, veniva a configurarsi come la sfida postuma che negli anni di Breznev un giovane compositore aveva lanciato nel portare alla luce, con tutta la forza della trasfigurazione lirica, la tragedia che aveva colpito un intero popolo. La partitura di Tiščenko è anche un documento quanto mai interessante della condizione in cui si trovava il linguaggio musicale nell'Unione Sovietica degli anni Sessanta. Non c'è alcuna speciale audacia in questa bella partitura, ma un notevole sentimento di indipendenza che consente all'autore di coniugare tra di loro istanze diverse, antiche e moderne. Punto di partenza dell'intera costruzione è un uso della serie dodecafonica che rammenta le procedure di Webern. Le due voci soliste, tenore e soprano, intonano tre frammenti melodici, *Requiem, Stabat Mater, In memoriam*, che corrispomdono alle tre parti dell'opera. Ciascuno dei tre frammenti si basa su un motivo di tre suoni che forma una costellazione di intervalli di seconda e terza maggiore. La costellazione si ritrova identica in ciascuno dei tre frammenti, ma il gioco delle trasposizioni e delle imitazioni fa sì che con i tre frammenti si abbia l'enunciazione del totale cromatico, ovvero una serie dodecafonica ricca di simmetrie interne. Quasi tutta la partitura si riconduce alla struttura enunciata all'inizio dai frammenti-motto, ma entro questo impianto strutturale rigoroso Tiščenko introduce una grande varietà stilistica, che con molta flessibilità fa comparire sequenze di cluster, microintervalli, passaggi con altezze indeterminate, triadi, passi liberamente atonali, tratti in stile folclorico, citazioni liturgiche e antiche tecniche contrappuntistiche. Ecco che la lezione seriale non è più un presupposto dogmatico a cui assoggettarsi ma soltanto un principio unificatore, capace di accogliere, rendendoli stringati ed efficaci, gli spunti di un'invenzione personale e di una tradizione stilisticamente varia e composita.

L'intento del compositore è non solo quello di essere all'altezza della parola poetica dell'Achmatova, ma soprattutto di comporre quella tragedia collocandola nell'aura della storia. Prima ancora dell'intonazione dei frammenti-motto il *Requiem* si apre con un preambolo in prosa recitato da una voce su nastro magnetico: «Nei terribili anni della *ežovščina* ho trascorso diciassette mesi a fare la coda presso le carceri di Leningrado...». Gli archi tengono immobili e pianissimo i loro suoni e l'effetto sarà quello di proiettare la vicenda in un tempo diverso, più lontano e più interiore, dove la storia si sacralizza, diviene liturgia. Dopo quelle battute immobili che si ergono come un arco funebre, può iniziare la rapsodia delle rievocazioni e delle riflessioni. Sono orizzonti aspri e desolati quelli in cui la musica di Tiščenko immerge i versi dell'Achmatova, e bisogna convenire che la parola poetica trova in questa partitura un mirabile prolungamento delle emozioni che ha saputo far nascere. Valga fra i molti l'esempio offerto dal numero tre, dove i versi rievocano la scena dell'arresto:

Ti hanno portato via all'alba,
Io ti venivo dietro, come a un funerale,
Nella stanza buia i bambini piangevano,
Sull'altarino il cero sgocciolava.
Sulle tue labbra il freddo dell'icona.
Il sudore mortale sulla fronte... Non si scorda!
Come le mogli degli strelizzi, ululerò
Sotto le torri del Cremlino.

Desolazione e angoscia sono narrate da un lungo solo dello strumento al quale Čajkovskij, Stravinsky e Šostakovič avevano insegnato gli accenti della malinconia e del mistero: il fagotto. E in seguito la voce del soprano intona il suo desolato racconto accompagnata soltanto dal controcanto del fagotto. I ritmi di questo "Adagio" producono pulsazioni angosciose come se all'interno del fraseggio del "Lamento" si insinuassero visioni di una crudeltà lancinante, contrappunti improvvisi e subito svaniti.

Il *Requiem* di Tiščenko rivela molto bene la condizione del musicista sovietico progressista negli anni Sessanta. Ancorché vietata e osteggiata la cultura dell'Occidente è ormai sufficientemente nota; potrà essere oggetto di infatuazioni passeggere, ma è praticamente impossibile che si risolva in un feticismo della tecnica. Ci sono motivi esistenziali e civili troppo urgenti e minacciosi perché ciò possa accadere, e i versi dell'Achmatova testimoniano l'esigenza di volgere il pensiero compositivo verso un impegno per il momento solo interiore. Spesso si scrive per il cassetto, ma ciò non impedisce che quelle musiche sigillate posseggano una forte e tragica eloquenza.

La "normalizzazione" cerca di invitare alla distensione ma la risposta dei musicisti si fa tragica e più cupa. Šostakovič compone nel 1968 con la sua *Quattordicesima Sinfonia* un'opera dominata da cima a fondo dal pensiero della morte, e le opere che scriverà negli ultimi anni mostrano nel grande maestro un volto impietrito in tragiche contemplazioni. Paradossalmente proprio quando vive questo desolato epilogo Šostakovič irradia un influsso più che mai intenso sui giovani musicisti. Quelle onde tragiche si propagano al *Requiem* di Tiščenko, che fu tra gli allievi prediletti del maestro, e in maniera ancor più penetrante alle creazioni solitarie di Galina Ustvolskaja, altra allieva sommamente ammirata dal maestro. C'è però un'altra compositrice che pur senza appartenere alla sua scuola fu fortemente incoraggiata da Šostakovič: Sofija Gubajdulina. Anche questa musicista, divenuta col tempo una delle voci più ammirate della musica del suo Paese, conquistò indipendenza e originalità verso la fine degli anni Sessanta, dopo aver svolto fino in fondo l'apprendistato seriale.

Gli esordi di Sofija Gubajdulina sono spiritualmente molto prossimi alla funerea desolazione delle ultime opere di Šostakovič. La cantata *Notte a Menfi* per mezzosoprano, coro maschile e orchestra utilizza liriche dell'antico Egitto, tradotte in russo da Anna Achmatova e Vera Potapova, che derivano in gran parte da iscrizioni funerarie. Scritta nel 1968 ed eseguita nel 1970 alla radio di Praga, *Notte a Menfi* avrebbe dovuto attendere anch'essa gli anni della *perestrojka* per essere ascoltata nell'Unione Sovietica. Oggi noi la consideriamo la prima importante testimonianza dell'arte di Sofija Gubajdulina, poichè vi emergono i primi accenni di un pensiero che tende alla identificazione tra strutture musicali e categorie etico-filosofiche. La contrapposizione tra la voce del mezzosoprano e il coro maschile è nettissima: il cammino della voce solista è lirico, disteso, prossimo talvolta alle cadenze liturgiche; quello del coro, registrato su nastro magnetico e proveniente dal lato della sala opposto al palcoscenico, è aspro, quasi sempre parlato e stagliantesi sullo sfondo ruvido delle percussioni. Le ragioni della vita e della morte si fronteggiano dunque in una opposizione radicale che oppone anche le categorie del soggetto e dell'oggetto, dell'interno e dell'esterno. Si tratta per ora di un abbozzo soltanto, ma già si vede bene come ciascuno dei due mondi si articoli secondo ben differenziate caratterizzazioni musicali. Nell'ondata di nero pessimismo che in quegli anni sommergeva la musica sovietica, quella della Gubajdulina rischia di inabissarsi, e a testimonianza di questo precipitare verso il negativo bisogna menzionare il *Quartetto n. 1* per archi composto nel 1971 ma eseguito per la prima volta soltanto nel 1979 a Colonia. Obiettivo di questa partitura è quello di essere una metafora della distruzione e dell'assoluta impossibilità di qualsiasi comunicazione.

Tutto ciò è realizzato con procedure in cui con molta discrezione si fa appello alle risorse del teatro musicale. Il *Quartetto* è in un unico movimento, vi si riconosce però una struttura tripartita che consente di articolare in tre fasi successive il mimo-dramma dell'incomunicabilità dei quattro musicisti, i quali devono, seguendo le indicazioni della partitura, allontanarsi progressivamente fino a trovarsi lontanissimi, confinati nei quattro angoli del palcoscenico, di dove non possono più né udirsi né comprendersi. La mimesi della perdita della comunicazione è realizzata come un percorso il cui punto di partenza è un unisono dei quattro strumenti. Si tratta però di un unisono che contiene ed evidenzia come sintomi febbrili le energie centrifughe che lo distruggeranno: trilli, oscillazioni microtonali, improvvise e violente alterazioni dinamiche. Il cammino verso la disintegrazione si configura quindi come un passaggio graduale dalla concentrazione alla dispersione, in cui i procedimenti distruttivi sono rappresentati dallo sfaldamento polifonico e ritmico, dal collasso del tempo e dal dilagare delle pause, dalla dispersione stereofonica delle quattro fonti sonore e dalla dilatazione estrema dei registri. L'analogia tra questo quartetto della Gubajdulina e tante opere analoghe che si possono trovare in Occidente in quegli anni non deve però trarre in inganno. Il negativo di cui questo quartetto è lo specchio non è tanto un concetto filosofico o una dimensione genericamente esistenziale quanto piuttosto il diario fedele di una condizione vissuta giorno per giorno, di quella condizione che ci è stata rivelata dalle Memorie di Nadežda Mandel'štam, che riteniamo i veri Annali della storia recente di quel paese.

Al sentimento tragico della vita del *Quartetto n. 1* fa però da contrappeso un'altra composizione nata anch'essa nel 1971, dove con maggiore chiarezza si afferma quel principio dell'opposizione binaria che già traluceva nella cantata *Notte a Menfi*. Il titolo, emblematico, è *Concordanza* e l'organico cameristico, un quintetto di fiati e un quartetto d'archi con le percussioni che fanno da cerniera, consente alla Gubajdulina di condurre agilmente il suo primo esperimento di drammatizzazione della scrittura strumentale secondo schemi di ben calcolate antinomie. Il concetto di "concordanza" presuppone il suo opposto, ovvero quello di "discordanza", e queste due fondamentali opposizioni generano due categorie. Da un lato si ha la serie "concordanza-azione-melodia con legato- intervalli stretti-monoritmia-tessitura continua-testo determinato", dall'altro "discordanza-controazione - staccato-intervalli ampi- poliritmia-tessitura frammentata-testo aleatorio". Dall'opposizione e dall'intreccio di queste due serie nasce un disegno di vera e propria drammaturgia strumentale, in cui si può riconoscere la mimesi di due opposte e complementari categorie spirituali: il controllo razionale della struttura e l'impulso verso l'azione tipico dell'Occidente, e la contemplazione statica e l'intuizionismo sopra-razionale dell'Oriente. Essendo nata e cresciuta in Tataria da madre russa e padre di origine islamica, Sofija Gubajdulina si è sempre sentita alla confluenza di due civiltà, e questa consapevolezza ha saputo conservare ed esprimere nella sua musica. L'opera in cui questa sintesi viene espressa più ampiamente è *L'ora dell'anima*, una complessa e monumentale partitura le cui numerose versioni occupano un arco di tempo che va dal 1974 al 1980. La massa orchestrale è formata da alcuni strati che si sovrappongono e si personalizzano come attori di un dramma. Il gruppo degli ottoni, quanto mai esteso, risulta violento e aggressivo, spesso corifeo di musiche di consumo che si pongono come emblemi della violenza e della volgarità. Questa identificazione del banale musicale con le energie del male e della ditruzione rivela il forte influsso che ebbe su Sofija Gubajdulina, proprio nel 1974, la rivelazione della *Prima Sinfonia* di Schnittke, ma anche la tenace sopravvivenza in Russia di quella tendenza a mettere in scena musicalmente il male, che da Gustav Mahler si riversa nell'opera di Šostakovič. Il teatro strumentale della Gubajdulina è però eticamente alquanto più complesso; le percussioni acquistano quelle valenze magiche e rituali che le trasformano nelle voci mistiche studiate con tanto acume da Marius Schneider, ed è su questo orizzonte timbrico che l'autrice fa risuonare alcuni dei suoi accenti più sensibili, arrivando ad attribuire ai timpani la funzione di un oracolo. La schiera degli strumenti positivi si completa con gli archi, l'asiatico *chang* e la voce femminile. Azione e controazione, aggressione e meditazione, Oriente e Occidente si contrappongono in un gioco minaccioso di sopraffazioni e resurrezioni e nel sublime finale lirico la voce del mezzosoprano accompagnata dal *chang* intona i versi di Marina Cvetaeva, dando vita a uno degli episodi più ispirati della musica di Sofija Gubajdulina.

Questo principio di un dualismo etico capace di tradursi in un teatro strumentale continuerà a influire nelle opere successive, e ne sono chiara testimonianza titoli come *Vivente-non vivente*, *Rumore-silenzio*, *Chiaro-scuro*, *Giardino della gioia e della tristezza*, *Pari e dispari*, *Pro et contra*, *Stimmen-Verstummen*. Ma nel teatro strumentale è implicato un altro valore che non sfuggirà a Sofija Gubajdulina. Il gesto del suonare uno strumento non è solo un elemento spettacolare, come già avevano rilevato Stravinsky e Prokof'ev; esso si compone in una liturgia dai forti valori simbolici. Ancora una volta regredendo agli orizzonti di Marius Schneider, Sofija Gubajdulina è in grado di investire il fenomeno musicale nella sua globalità con una luce nuova.

Nascono così le "Liturgie strumentali", ove non solo gli organici dell'orchestra e i gesti degli esecutori si inscrivono in un orizzonte simbolico in cui domina il disegno della croce, ma i componimenti stessi tendono a raggrupparsi in capitoli di una fantastica liturgia. Nell'opera della Gubajdulina si può ravvisare un "Proprium missae" formato da tre concerti intitolati *Introitus* (per pianoforte e orchestra), *Offertorium* (per violino e orchestra), *Detto II°* (per violoncello e orchestra che sta in luogo del Communio) e un "Ordinarium missae" formato dai cinque movimenti della sonata per violino e violoncello *Radujsia* (Gioisci).

Alcuni di questi lavori hanno incontrato un successo mondiale, ma al di là della loro sincera e commovente bellezza non dovrebbe essere trascurato l'ordine saldissimo e il sistema di valori in cui quelle partiture si inscrivono, poichè si tratta probabilmente del tentativo per ora più riuscito di ritrovare una fondazione etica all'operare musicale.

La "normalizzazione" di Brežnev prosegue nel suo corso e anche questa volta la musica sembra beneficiare di una speciale disattenzione; può accadere così che nel 1966 ci sia lo scalpore dei processi a Sinjavskij e Daniel e che nel 1967 Pierre Boulez approdi a Mosca con l'orchestra della BBC dirigendo in un concerto trionfale Schönberg, Berg, Webern e il proprio *Eclat*. L'infiltrazione di elementi propri del linguaggio delle avanguardie occidentali è ormai un fatto compiuto e la fase del fervore neofita si avvia nei compositori sovietici al declino; si va in cerca di una propria dimensione ed è significativo che la fine degli anni Sessanta sia caratterizzata da una serie di nuove apparizioni. A queste ultime appartiene quella di un compositore giovanissimo dal talento esplosivo: Aleksandr Knaifel'. Essendo nato nel 1943, all'inizio degli anni Sessanta Knaifel' si trova a svolgere il ruolo un po' scomodo dell'enfant prodige. Ha compiuto studi eccellenti a Leningrado e a Mosca dove ha studiato anche il violoncello nella classe di Rostropovič. All'ammirazione profonda per Šostakovič affianca una fertile amicizia coi musicisti moscoviti più progressisti (Volkonskij, Denisov, Gubajdulina, Schnittke) e nel 1966, a soli ventitrè anni, è in grado di proporre con *Il fantasma di Canterville* un'opera da camera dall'omonimo racconto di Oscar Wilde, che pur rivelando un consistente debito nei confronti di Šostakovič mostra in ogni episodio un raro senso del teatro. Un'immaginazione timbricamente incontenibile e una ritmica flessibile e scalpitante risultano capaci di estrarre, da un'orchestra da camera quanto mai esigua, effetti grandiosi e suggestivi. Colpisce in quest'opera prima di un compositore ventitreenne il senso spiccato dell'ironia, che nell'atto di calcare la mano sugli effetti sonori sa anche collocarli opportunamente in cornice creando un'abile sequenza di *tableaux*, uno dei quali, la notevole Passacaglia per organo che vorrebbe indicare il *double* sonoro del fantasma, si è giustamente conquistato una posizione autonoma nel repertorio concertistico. Ascoltando quelle sonorità brillanti e debordanti, quei ritmi così ben squadrati ed efficaci, nonchè la fluente invenzione melodica, si ha l'impressione di trovarsi di fronte a un compositore animato da una rara facilità di mano, un talento istintivo e sensuale per il quale la musica rappresenta il più spontaneo dei giochi. È probabile che Knaifel' possegga queste qualità, e la musica per il balletto *Medea*, scritta nel 1968, sembra a un primo ascolto confermare tale impressione. L'organico piuttosto inusuale comprende 4 controfagotti, 8 corni, 4 trombe, 4 tromboni, tuba, 4 timpani, grancassa, tam tam, 2 arpe, 24 violini (divisi in 3 gruppi) e 9 contrabbassi. Con questa massa di fiati e una tavolozza timbrica dai colori così violentemente contrapposti, Knaifel' crea una scrittura a blocchi dura e aggressiva, spesso aspra e lancinante. I blocchi sonori sono formati da grandi scansioni sincroniche dei vari strumenti, ma all'interno di ogni blocco pulsano metri di sofisticata complessità, che portano all'estremo una tendenza che ha i suoi precedenti più significativi in Stravinsky, in Bartók e nella Ustvolskaja. L'immaginazione sonora di Knaifel' a contatto con l'antico tema teatrale di Medea diviene addirittura incandescente, ma in tutta quella violenza fonica e ritmica si avverte il rovello di una intellettualissima tendenza stilizzatrice che avrebbe procurato nel volgere di qualche anno svolte inaudite.

Una riflessione alquanto più dialettica sul rapporto tra la tradizione culturale dell'Occidente e altri dati più personali, più interiori, si verifica in quegli anni nell'opera di Valentin Silvestrov . Nato nel 1937 a Kiev non decise subito di dedicarsi interamente alla musica; compì regolari studi di architettura e cominciò a lavorare all'istituto dei lavori pubblici di Kiev, studiando contemporaneamente la composizione. Ad ascoltare oggi la prima delle sue tre sonate per pianoforte si resta attoniti. Una musica in *pianissimo* giunge da chissà quali lontananze: note isolate piene di echi, dolcissime e insinuanti, ghirlande lievi e alate scaturite da qualche misteriosa reminiscenza skrjabiniana. Siamo nel 1960 e un modo siffatto di sfiorare il pianoforte da parte di un compositore di ventitrè anni ha dell'inaudito: un contemplativo attardato che ignora completamente la storia? Le dichiarazioni poetiche di musicisti del genere hanno un tono patetico o arrogante, sostanzialmente sprovveduto, ma non è il caso di Silvestrov, che a proposito della sua Sonata dichiara: «Voglio che si esegua questo brano con la sordina dall'inizio alla fine. Voglio che l'intero brano produca l'impressione di un suono armonico. L'ho composto molto tempo fa, come reazione contro la musica martellata. Volevo comporre un brano che non si imponesse perentoriamente all'ascoltatore, che non pretendesse di conficcarglisi nel cervello. A quell'epoca avevo bisogno di scrivere una musica del genere; poco dopo l'ho rifiutata. Adesso però l'ho riscoperta, semplificata e tagliata». Da una dichiarazione del genere emergono tratti che si riveleranno via via distintivi della personalità di Silvestrov; l'idea un po' mistica della musica come destino, nel crearla, ignorarla e riscoprirla, la concezione — piuttosto mistica anch'essa — dell'intero brano come un suono armonico, ovvero come un grembo misterioso in cui si agita l'intera vicenda, e l'intenzione polemica contro la cultura dell'Occidente, responsabile in questo caso di aver prodotto una musica "martellata". Su questa polemica, vissuta però come una sofisticata dialettica, si svilupperà l'originalissima parabola creativa di Silvestrov. Affinchè la polemica sia fertile bisogna impossessarsi degli strumenti della parte avversa, e infatti i componimenti di esordio di Silvestrov sono caratterizzati dalla giustapposizione e dall'incrocio di tecniche diverse, rappresentanti differenti scuole di pensiero. La vicenda comincia nel 1961 con un quintetto per archi e pianoforte in cui l'intreccio di piani diatonici e cromatici sortisce una serie di effetti abilmente dissonanti. Il gioco delle opposizioni si fa più sfumato e misterioso nei successivi *Triada* per pianoforte (1961) e nel trio per flauto, tromba e celesta (1962). C'è qualcosa di inafferrabile e allusivo in questa musica che fin dalle prime apparizioni attrasse l'attenzione degli ascoltatori. Silvestrov diventò per l'Occidente una delle voci più interessanti dell'Unione Sovietica e i grandi interpreti occidentali guardarono alla sua musica con un'attenzione di cui sono prova i lavori successivi. Nel 1964 nasce *Misterium* per flauto e 6 gruppi di percussioni destinato a Severino Gazzelloni e nel 1966, su commissione della Fondazione Koussevitzky, la terza sinfonia, *Eschatophonia*, che verrà tenuta a battesimo da Bruno Maderna a Darmstadt nel 1968.

Skrjabiniano fin nel titolo, *Misterium* inaugura esplicitamente il principio poetico dell'opposizione delle culture: da un lato c'è il pensiero formalizzante, ovvero lo strutturalismo, dall'altro le ragioni del mistero intese come libera gestualità, che è espressione delle forze incantatorie. All'arte dell'Occidente intesa come mimesi e concettualizzazione, Silvestrov contrappone un mondo interiore popolato da energie misteriose e libere che producono gesti incantatori. In *Eschatophonia* questa opposizione si precisa fino all'identificazione: le strutture concettualizzate, ovvero il post-webernismo, si contappongono alle sonorità primordiali del mistero. Ecco come, facendo appello a una classica opposizione Oriente-Occidente già tante volte incarnatasi nella musica russa, Silvestrov è in grado di dare una sua personalissima risposta al problema serialismo integrale/aleatorismo che proprio in quegli anni travagliava le avanguardie occidentali. Ad approfondire il rapporto tra "culturale" e "misterioso" Silvestrov si sarebbe dedicato con grande impegno nel 1971 scrivendo, con *Drama*, un'opera in cui l'orizzonte del compositore ucraino viene definito con nuova profondità. *Drama*, con i suoi 40 minuti, deriva dalla somma di due sonate e un trio; il primo movimento di quest'opera tripartita coincide con una sonata per violino e pianoforte, il secondo con una sonata per violoncello e pianoforte e il terzo con un trio che impegna finalmente tutti e tre gli strumenti. Quella che inizia con *Drama* è una singolarissima evocazione del passato, uno studio quasi proustiano della memoria musicale. L'opera è in un certo senso piuttosto teatrale, piena di consapevoli arcaismi e tenta di comporre varie fasi dello sviluppo storico in un singolo testo. A dominare sono le parti dall'apparenza aleatoria, quelle appartenenti al versante del mistero, ma il termine aleatorio non rende sufficientemente giustizia a questa scrittura delicata e inafferrabile, dalla quale tralucono visioni che giungono sul filo di inaspettate armonie. Le armonie sono d'altronde il tratto distintivo dell'altro versante, specialmente nella parte del pianoforte, ove abbondano le triadi e le ottave, i disegni scalari a gli arpeggi. È evidente che nella tessitura sottile di *Drama* l'opposizione comincia a cedere alla contiguità, ed è proprio da questa integrazione quasi alchemica delle due dimensioni che prende l'avvio il progetto di Silvestrov. Dai giochi della memoria sortiscono creature alle quali conviene il nome di allegorie. La rimenbranza è dunque l'arte di connettere allegoricamente le immagini del passato, ma in questo gioco sottile, fatto di contesti che mutano ogni volta, quasi non è possibile distinguere ciò che proviene dal passato e ciò che invece si inoltra nel futuro. È attraverso l'immaginazione allegorica che il passato si connette al futuro, la reminiscenza all'invenzione, e i contesti riformulano ogni volta il significato del testo. Di qui quel carattere quasi sempre lieve e impalpabile che caratterizza la musica di Silvestrov; di qui anche quella sensazione di smarrimento temporale che nasce da un ascolto in cui figure antiche si riaffacciano trasmutate nella loro sostanza timbrica e armonica.

Come primo sostanzioso approdo di questa sintesi alla quale tende l'operare di Silvestrov vorremmo indicare il quartetto per archi composto nel 1974, poichè si tratta di un'opera non bella soltanto ma caratterizzata dal possesso di ben consolidate certezze. In primo luogo si nota la scomparsa di qualsiasi elemento aleatorio a beneficio di una scrittura totalmente notata, salvo talune parti non in battuta dove però gli strumenti eseguono liberamente dei passi scalari. L'espediente mira semplicemente a far interagire zone di maggiore fluidità entro una dimensione più precisa, ma ciò in cui consiste l'attrazione maggiore del quartetto è il percepire la scrittura tonale articolata secondo una nuova sintassi.

Da questo momento la scrittura di Silvestrov non ha più bisogno di ricorrere a contraposizioni perchè la dialettica di "cultura" e "mistero" si è trasferita interamente nell'orizzonte della memoria e nell'arte di una rievocazione sempre nuova e mutevole. Potrà sembrare lievemente prossima ai sofismi una tale poetica, ma le opere che Silvestrov ha saputo creare seguendo tali itinerari di pensiero posseggono una forza di persuasione e un fascino tra i più rari. Componimenti come la *Seconda* e la *Terza Sonata per pianoforte*, la *Sonata per violoncello e pianoforte*, le monumentali *Quinta* e *Sesta Sinfonia* sono i soli per i quali l'appellativo "neoromantico" non sia una sciocchezza o un'etichetta di comodo, perché l'immersione in quel particolare orizzonte hanno saputo conquistarla con un travaglio sfibrante e appassionato, capace di fondere e ricreare i piani della storia e dell'immaginazione.

Galina Ustvolskaja: una carriera appartata

A sfogliare il volume che contiene le sei sonate per pianoforte di Galina Ustvolskaja si resta un poco sconcertati. L'abitudine a situare, a trovare ascendenze e modelli viene immediatamente sconfitta da quei pentagrammi sui quali senza divisioni di battuta si susseguono le note con una frugalità che ignora deliberatamente qualsiasi articolazione ritmica di una certa complessità. Si pensa all'antica musica non mensurata nella quale l'interprete era chiamato a una partecipazione capace di raggiungere il significato attraverso un'esplosione-intuizione delle inflessioni più segrete. La dimensione storica e romantica del pianoforte è completamente trascesa e lo strumento diviene qualcosa come una tastiera sulla quale eseguire mentalmente i propri pensieri che si dipanano in un gioco di polifonie virtuali. Pure, ad ascoltarlo, il pianoforte della Ustvolskaja risulta quanto mai concreto, a mezza via tra la più ascetica scrittura di Bach e uno strumento a percussione ligneo. Il mondo sonoro descritto da questo strano strumento è in continua espansione: dalla *Prima Sonata* scritta nel 1946 alla *Sesta* che nasce nel 1988, si passa da un'austera monodia percussiva a una scrittura dalle molte dimensioni. Lo stile percussivo acquista una superiore densità grazie alla tecnica dei cluster mobili e il vecchio contrappunto "nota contro nota" diviene un contrappunto di grappoli di suoni.

Per sottolineare l'estraneità della Ustvolskaja alle principali correnti musicali del nostro secolo Viktor Suslin ricorre a una metafora particolarmente appropriata secondo la quale la musica di questa signora, nata a Pietrogrado nel 1919 e cresciuta alla scuola di Šostakovič, sarebbe «un'isola rocciosa e solitaria nell'oceano delle correnti compositive del XX secolo». Questo pensare e vivere la musica fuori del tempo, in una solitudine rocciosa e austera, è una sfida già risuonata nel nostro secolo, e in tal senso la Ustvolskaja entra a far parte di una schiera piccola ma inquietante di compositori. A causa della spoglia semplicità dei suoi ritmi sarebbe interessante contrapporre, come polo opposto, il pianoforte della Ustvolskaja a quello meccanico di un altro asceta come Conlon Nancarrow.

L'opera della Ustvolskaja possiede però anche uno specifico religioso sul quale è lei stessa a richiamare l'attenzione: «Per quanto non religiose in senso liturgico, le mie opere sono piene di spirito religioso, e secondo me possono produrre il loro effetto migliore in una chiesa, senza introduzioni e senza analisi scientifiche. In una sala da concerto, ovvero in un ambiente profano, esse producono un'impressione completamente diversa».

Questo intendimento religioso ma non liturgico è particolarmente evidente in un trittico, *Compositio n. 1-2-3*, scritto fra il 1970 e il 1975. I titoli delle tre composizioni suonano rispettivamente *Dona nobis pacem*, *Dies irae*, *Benedictus qui venit* e ci mettono di fronte a organici strumentali veramente singolari. Ottavino, tuba e pianoforte per *Dona nobis pacem*; 8 contrabbassi, pianoforte e percussioni per *Dies irae*; 4 flauti, 4 fagotti e pianoforte per *Benedictus qui venit*. Le durate, rispettivamente di 22, 21 e 12 minuti, suggeriscono un'esecuzione globale capace di dare un'idea sufficientemente profonda dell'orizzonte musicale della Ustvolskaja. Il proposito di raggiungere il massimo della comunicazione con il minimo dei mezzi sottintende naturalmente un principio ascetico che è la negazione di qualunque retorica, ma affinchè il miracolo della massima comunicazione si compia occorre che i mezzi minimi posseggano qualcosa come una sublime frugalità. È proprio nella ricerca di questa frugalità, che è poi la capacità di illuminare interiormente la materia sonora, che la Ustvolskaja ha la mano particolarmente felice. Esemplare risulta in tal senso il *Dies irae*, ove la sonorità degli otto contrabbassi e del pianoforte raggiunge una rara concentrazione di staticità e di violenza percussiva. L'orizzonte oscuro disegnato dai contrabbassi è fatto essenzialmente di note tenute, ma in quella massa compatta gli accenti, le variazioni della dinamica, i tremoli e i pizzicati sono in grado di produrre angosciose perturbazioni. Il pianoforte con accordi-cluster di varia estensione, pizzicati sulla cordiera e con l'ausilio delle percussioni, introduce nel plumbeo scorrimento di quella materia sonora pulsazioni violente destinate a suscitare nella coscienza dell'ascoltatore visioni apocalittiche.

Altrettanto singolari nella forma e nell'organico strumentale risultano le cinque sinfonie finora scritte dalla Ustvolskaja. La *Prima Sinfonia*, composta nel 1955, si articola in tre movimenti dei quali il primo e il terzo sono soltanto strumentali; nel secondo intervengono due voci infantili che intonano un testo di Gianni Rodari tradotto in russo. I temi che compaiono in ciascuno dei tre movimenti hanno un carattere cantilenante che attraverso le iterazioni sfiora spesso lo stile ripetitivo, ma nel loro susseguirsi le ripetizioni acquistano via via accenti diversi che disegnano un arco teso fra il candore dell'innocenza e la cupezza della tragedia. Con la *Seconda Sinfonia*, scritta nel 1979, che porta il sottotitolo «Vera ed eterna benedizione», inizia una trilogia su testi di Ermanno il Contratto. L'organico piuttosto insolito comprende 6 flauti, 6 oboi, 6 trombe, trombone, 2 grancasse, voce di tenore e pianoforte. Il trattamento musicale è giocato interamente sui sincroni di tutti o parte degli strumenti, eppure il risultato è, dal punto di vista drammatico, notevolissimo. La voce è impiegata poco, quasi in un ruolo di recitante che ripete una figura simile a un grido strozzato che verrà ripresa ampiamente dalla tromba. Le altre due parti del trittico di Ermanno il Contratto, «Gesù Messia, salvaci!» per la *Terza Sinfonia* e «Preghiera» per la *Quarta*, vanno verso una progressiva riduzione degli organici e delle durate: 5 oboi, 5 trombe, trombone, 3 tube, percussioni, voce, pianoforte (per 16 minuti) la *Terza*; tromba, tam-tam, pianoforte, contralto (per 13 minuti) la *Quarta*. La *Quinta Sinfonia*, e per ora ultima, acquista più che mai l'apparenza di una liturgia. Scritta nel 1989 reca il sottotitolo «Amen», dura una decina di minuti e presenta un organico composto da oboe, tromba, tuba, violino, percussioni e una voce recitante maschile che recita il «Padre nostro»; la Ustvolskaja prescrive che questo interprete sia vestito completamente in nero. Probabilmente questa sinfonia raggiunge il massimo di frugalità e impegno drammatico consegnandoci l'immagine di una musica in cui le aspirazioni ideali hanno trasceso e sublimato il rapporto con la storia. Proprio l'essere stati drammaticamente sospinti fuori della storia negli anni di Stalin ha contribuito a far nascere questi mondi silenziosi e privati, le isole rocciose e solitarie di cui parlava Suslin cercando di descrivere la carriera della Ustvolskaja. Trascendere il rapporto con la storia non vuole dire però reciderlo; capita anzi che il battito della storia si faccia più lontano e più lieve, ma non per questo meno penetrante.

È la sensazione che si ricava dall'ascolto dei lavori cameristici della Ustvolskaja: il finale della *Sonata per violino e pianoforte*, con i battiti del legno e gli staccati del pianoforte che pulsano sempre più lievi, o l'intero terzo movimento del *Duo per violoncello e pianoforte* in cui la sofferta melodia del cello nasce dagli oscuri bisbigli di tremoli del pianoforte. La scrittura di solito rude, frammentata e ripetitiva della Ustvolskaja conosce qui un formidabile riscatto dando prova di una possente invenzione melodica. Si tratta di un'eccezione, è vero, che conferma però l'esistenza del dono del canto. Quel canto che non può svilupparsi e vibrare in un mondo popolato di terrori, che può soltanto ammutolire, e i finali dei componimenti cameristici di quell'ammutolire offrono l'immagine più sincera e toccante che sia dato immaginare.

Schnittke e i mondi musicali perduti

Parlando della disciplina dodecafonica alla quale si sottomise nei suoi anni di apprendistato, Schnittke commenta: «Fu una specie di atteggiamento stoico da parte mia». I segnali di insofferenza che caratterizzarono quell'esperienza non sono difficili da individuare. La *Prima Sonata per violino e pianoforte* scritta nel 1963 è, a detta dell'autore, «uno dei primi saggi di tecnica dodecafonica» e si deve riconoscere che l'operazione è condotta con grande correttezza, avendo cura di conferire alla serie esposta dal violino la massima intensità melodica. Il temperamento lirico del compositore riesce così a manifestarsi in tutta la sua pienezza. Questo equilibrio tra disciplina formale e impulsi lirici viene però incrinandosi nelle opere successive. Nel 1966, il *Secondo Concerto per violino e orchestra*, pur conservando la sua struttura seriale, rivela l'esistenza di un centro di gravità dato dalla ripetizione di una sola nota. Si tratta di una tendenza che le opere future, ormai lontanissime dall'orizzonte dodecafonico, sapranno esaltare con enorme forza di immaginazione. Dello stesso anno è anche il *Primo Quartetto per archi* che la tendenza unificatrice implicita nel sistema dodecafonico sembra superare sarcasticamente. In questa partitura di gran pregio è il concetto stesso di forma a subire da più parti una pericolosa aggressione. Abbondano i *glissando* e dopo i quartetti di Bartók non si possono più avere dubbi sul potere lesivo di questo procedimento; abbondano anche le catene di trilli e di *pizzicato* che tendono a trasformare i quattro in un solo grande strumento, negando quell'idea di conversazione dalla quale si è sviluppata l'esperienza del quartetto classico. Naturalmente i procedimenti polifonici entrano in crisi e sopravvivono soltanto lembi di libere eterofonie. Malgrado il colpo mortale assestato all'idea di forma il *Primo Quartetto* mostra una straordinaria vitalità, un dinamismo del suono e una forza nelle più minuscole inflessioni che ne fanno un capolavoro giovanile, capace di entusiasmare fin dal primo ascolto. Le energie che aggrediscono la forma — trilli, *glissando*, *pizzicato* — appartengono al novero di quei gesti sonori che si inscrivono in un orizzonte acustico dominato dall'idea di un suono non formalizzato, qualcosa come un'energia sonora allo stato nascente. Siamo sul versante della pura intuizione, del "misterioso" di cui parlava Silvestrov e ancora una volta si ripropone quel conflitto tra cultura e intuizione che abbiamo imparato a riconoscere come uno dei principi attivi dell'esperienza di Schnittke, Silvestrov, Sofija Gubajdulina, Arvo Pärt, Artëmov e altri ancora. Naturalmente ciascun compositore saprà indirizzare questo fertile conflitto verso obiettivi diversi ma oltre a rilevare la radice comune dell'esperienza ci interessa notare come questa classica contrapposizione solo apparentemente abbia dei punti di contatto con l'opposizione cultura-natura studiata da Lévy-Strauss e riverberata significativamente nell'opera di Luciano Berio. Per i musicisti russi l'opposizione tra cultura e mistero è, come ha mostrato efficacemente Sofija Gubajdulina, opposizione tra Oriente e Occidente e risale in ultima analisi all'eredità spirituale di Skrjabin, che con tutte le sue utopie e i suoi atteggiamenti ritualistici resta l'ispiratore neppure troppo occulto di gran parte del pensiero musicale nell'Unione Sovietica. Basterebbero le tinte religiose che non di rado assumono i componimenti di Schnittke, Arvo Pärt e Sofija Gubajdulina a svelare la radice mistica di quel pensiero, ma in fondo non è necessario spiegare ogni cosa; più utile e più interessante è seguire il formarsi e il dipanarsi di quel pensiero attraverso le opere. Così nel 1968, scrivendo la sua *Seconda Sonata per violino e pianoforte*,

Schnittke ebbe un'improvvisa rivelazione. Aveva giustapposto un accordo di sol minore e un accordo dissonante ponendo in mezzo una lunga pausa; furono quei sei secondi di silenzio a fargli prendere atto di quanto poteva nascere dalla collisione della sfera tonale con quella atonale. Di accordi del genere Schnittke ne aveva scritti migliaia nella sua vita, ma solo in quel momento, attraverso la tensione silenziosa della pausa, era in grado di realizzare come quei due accordi potevano essere anche intesi come segnali provenienti da due mondi diversi. Da un lato il mondo tonale ritmicamente ordinato, con le sue citazioni provenienti da Beethoven, Brahms, Bach; dall'altro quello atonale, cromatico, ritmicamente libero e senza tempo, con le cadenze aleatorie del pianoforte che dilagano sulla pagina come capricciosi geroglifici. Forte di queste nuove certezze la *Sonata* contrappone le due tipologie, sfrutta l'effetto di stupore delle lunghe pause e si inoltra in questa nuova dimensione che sarà anche spettacolare, poiché la musica passando da un mondo all'altro indosserà gli stili e le procedure compositive come maschere. Perfettamente consapevole di questa dimensione spettacolare del componimento che mette in scena se stesso, Schnittke spiegherà in questo modo il sottotitolo *Quasi una sonata*: «Il pezzo è al limite della forma-sonata. La forma è messa in dubbio, non sembra compiuta, ma la Sonata è già finita. Essa mi ricorda il film *Otto e mezzo* di Fellini, che non fa altro che mostrare quanto il film sia difficile e impossibile da realizzare. Non viene realizzato, in effetti, ma al tempo stesso il film si trova ad essere già girato. Con questa Sonata per me le cose sono andate nello stesso modo». Questo mettere in scena le peripezie della musica è il presupposto da cui nasce un'opera decisiva come la *Prima Sinfonia*. Le premesse della *Sonata* si estendono e il compositore si impegna in un singolare censimento di tutti i tipi di musica esistente: jazz, musiche per film, classici decaduti a cliché, musiche per banda, canzonette, citazioni, magmi sonori inediti. L'elenco degli stili , dei comportamenti e tipi di fruizione musicale fornito da Schnittke nella *Prima Sinfonia* è impressionante e i termini più ricorrenti nella difinizione di quest'opera sono caos e apocalisse: «Nel mio lavoro mi sono ispirato alla rappresentazione dell'Apocalisse. Ci sono molte rappresentazioni dell'Apocalisse di molti compositori e artisti, ma credo che nessuna rappresentazione possa pretendere di essere completa o definitiva, poiché l'Apocalisse è uno degli splendidi vertici del pensiero e dello spirito umano, la cui interpretazione non si esaurisce mai, e mi riferisco all'interpretazione musicale. Tutti possono trovare la loro interpretazione e aggiungere il loro mattone a questo edificio eterno».

Davanti alla quantità e qualità delle citazioni — Chopin, Strauss, Čajkovskij, ma anche intermezzi jazzistici e canzoni patriottiche — ci si chiede se Schnittke intenda compiere un'ennesima operazione linguistica, collocandosi nella scia di quegli studi sulla decontestualizzazione che avevano preso l'avvio tanti anni prima proprio con i linguisti del suo paese; certe dichiarazioni di poetica sembrano andare in questa direzione: «Mescolo gli stili e li trasformo, non per trarne una sintesi, ma per creare una scrittura polistilistica, nella quale tutte le diversità degli stili sono usate come tasti di un'unica grande tastiera». La *Prima Sinfonia* di Schnittke ha però un singolare preambolo che getta una luce piuttosto ambigua su tutta l'operazione polistilistica. L'atto preliminare è dato dall'esecuzione della *Sinfonia degli addii* di Haydn, scritta duecento anni prima, nel 1772. Durante l'intervallo che segue la sinfonia di Haydn un musicista sale sul palco deserto e suona le campane; dopo trenta secondi compare un trombettista che inizia una libera improvvisazione jazzistica, quindi è la volta di un violinista che suona camminando su e giù per la scena, poi da ambo i lati del palco entra tutta l'orchestra inpegnandosi in una "Improvvisazione libera". Dopo le varie peripezie contenute nei quattro movimenti i musicisti lasciano la scena uno dopo l'altro e sul palco ormai deserto risuonano, incise su nastro, le ultime 14 battute della Sinfonia di Haydn. La vicenda assume dunque una configurazione circolare che si apre e si chiude nel nome di Haydn. L'idea di un ciclo che si apre, si chiude e torna a riaprirsi trascende di molto qualsiasi teoria del linguaggio per chiamare in causa i concetti del destino e della storia. L'indagine sulle operazioni polistilistiche di Schnittke può essere interessante quanto si vuole, ma risulta inconcludente se la si separa da questo sfondo filosofico, e le opere che seguiranno la *Prima Sinfonia* sono proprio dedicate all'esplorazione di questo sfondo.

L'effetto liberatorio prodotto dalla *Prima Sinfonia* deve essere stato enorme; Schnittke deve essersi reso conto che poteva all'improvviso spostarsi con la massima disinvoltura tra gli stili e i piani della storia e le invenzioni che scaturivano da questo vagare non avevano bisogno di cornici e di virgolette, di aloni ironici e nostalgici. Da quel sentimento di liberazione nacquero alcune opere di toccante sincerità: gli *Inni* tra il 1974 e il 1979, quel *Quintetto con pianoforte* (1972-76) che resta a tutt'oggi l'opera universalmente più eseguita e amata, e il *Requiem*, nel 1975, come prolungamento del *Quintetto*: «Volevo scrivere nel *Quintetto* un movimento che riassumesse, in forma strumentale, tutte le parti di un Requiem e a questo scopo composi tutti i temi. Più tardi mi sono accorto però che i temi possedevano un carattere esclusivamente vocale e così decisi di conservarli per un'opera futura. Mi commissionarono a quell'epoca le musiche di scena per il *Don Carlos* di Schiller. Le ho composte nella forma di un Requiem celebrato in maniera non visibile, dietro la scena, pensando naturalmente alla possibilità di un'esecuzione in concerto».

I presupposti metafisici del polistilismo di Schnittke, balenati nella *Prima Sinfonia* attraverso l'evocazione di Haydn, si precisano meglio in un paio di componimenti nati entrambi tra il 1976 e il 1977, *Moz-Art à la Haydn* e il *Primo Concerto grosso*. Il caos scatenato con tanta violenza nella prima sinfonia risulta in queste pagine un poco più addomesticato e la collisione degli stili viene indirizzata secondo ben calcolate strategie. Tre diverse sfere sonore interagiscono nel *Concerto grosso*: quella della musica barocca con reminiscenze di Vivaldi e Corelli, quella più moderna con una scrittura liberamente atonale che non disdegna l'uso dei micro-intervalli, e infine quella della musica funzionale di tipo banale che non esita a mescolare un tango e una citazione del *Concerto per violino* di Čajkovskij. Ciò che viene precisandosi in questo *Concerto grosso* è la dimensione etica, poiché il banale viene fatto coincidere con il male secondo una prospettiva esistenzialista di sapore sartriano: «il banale ha una funzione fatale in questo componimento: esso interrompe tutti gli sviluppi e trionfa anche alla fine. Nel nostro tempo, in cui anche i mezzi più audaci e innovativi suonano smussati, il banale acquista in questo genere di confronti una potenza espressiva quasi demoniaca. Il banale appartiene alla vita e io non trovo giusto che la musica triviale sia stata per molti anni estromessa e ignorata dallo sviluppo dell'avanguardia». *Moz-Art à la Haydn* è un breve componimento di 12 minuti sottotitolato «Pantomima per due violini, due piccole orchestre d'archi, contrabbasso e direttore». Il punto di partenza è dato da un frammento di Mozart consistente in una parte di violino di una pantomima perduta che si sa composta per il Carnevale 1783. Partendo da quel foglio superstite Schnittke dà vita a una tessitura in cui interagiscono i materiali più eterogenei. L'operazione polistilistica è abile e disinvolta, ma l'indizio veramente interessante è dato dalla dichiarazione di Schnittke di avere udito quel frammento di Mozart in sogno nella notte fra il 23 e il 24 febbraio 1976. Sembra una notizia senza importanza (anche Stravinsky ha dichiarato qualche volta di aver udito in sogno la musica che poi ha composto), ma da questa puntualizzazione emerge la tendenza a rapportarsi non solo al frammento ma al fantasma della musica perduta. Anche quest'ultimo atteggiamento non sembra originale di certo; basta pensare ai ricorrenti tentativi di completare le più celebri opere incompiute della storia della musica. C'è tuttavia nell'orientamento di Schnittke qualcosa di insolito, che ha il carattere di un'esperienza iniziatica. In un'intervista uscita nell'ottobre 1988 su «Sovetskaja Muzyca» Schnittke rivolge lo sguardo al passato come se compisse un'anamnesi collocandosi in un punto oltre la vita:

Tre anni fa ho avuto un infarto, e quello che ho scritto dopo è diverso da quello che ho composto prima. Prima avevo la sensazione che quello che esisteva fuori di me avesse una struttura, una precisa struttura cristallina, una forma completa e per così dire ideale. Adesso le cose stanno diversamente: non percepisco più quella struttura cristallina, ma una forma instabile che muta continuamente... Ho l'impressione che questo sia un mondo di immagini fallaci, illimitato e sconfinato. In esso c'è una sfera d'ombra costituita da ciò che non è stato scritto con le note e che non ha lasciato traccia alcuna. C'è poi una regione non più di ombre ma di essere reale costituita da ciò che è rimasto. In questo senso vive nella sfera reale quello che Mozart è riuscito a scrivere. Nella sfera irreale delle ombre sta rinchiuso un portentoso mondo sonoro che a lui non è riuscito di far vivere. Si può anche supporre che questo Mozart non realizzato sia sconfinato, così come Bach e tutti gli altri grandi. Perciò la musica realmente esistente è solo una piccola parte di uno smisurato mondo sonoro con cui l'uomo ha a che fare, e quando vi prestiamo attenzione possiamo avvertirlo, questo smisurato e illusorio mondo musicale.

Da considerazioni del genere le idee stesse di opera, stile, autore e storia escono profondamente modificate e l'attività del compositore sempre di più si configura come un tendere l'orecchio verso l'auscultazione di questo «smisurato e illusorio mondo musicale». Il mondo della storia, con i suoi stili che si susseguono, si sviluppano e si connettono in catene ove domina il principio causale, coincide con quella precisa struttura cristallina nella quale il compositore ha creduto per un certo tempo; dopo affiorano le forme instabili che mutano continuamente, per le quali il prima e il poi, il reale e il virtuale non possono più essere categoricamente diversi. L'idea di immanenza sembra prendere il sopravvento su quella di sviluppo.

> Ogni volta che ascoltiamo qualcosa di vero non veniamo colpiti dalla novità inaudita, che può benissimo esserci, ma dal fatto che da esso si sprigiona quello che già conosciamo. Molte volte avvenimenti di questo genere mi hanno causato forti impressioni musicali... Penderecki, Messiaen, Schubert, Gesualdo da Venosa, Guillaume de Machault, ad ascoltarli mi davano l'impressione di conoscerli già. Avvenimenti del genere hanno rinforzato la mia convinzione che tutto il nostro mondo musicale esiste fin dall'inizio in tutte le sue manifestazioni. Silvestrov, Pärt e altri non stilizzano l'antico. Si tratta semplicemente di un ritorno. A venire alla luce non sono le strutture che non furono realizzate fino in fondo ma quelle che non procedono in una precisa direzione.

L'idea di sviluppo consequenziale del linguaggio musicale viene decisamente smentita: i compositori non si connettono l'uno all'altro sviluppando ciascuno un segmento di una struttura. A dipanarsi lungo il corso della storia sono le linee che non procedono «in una precisa direzione» e la consapevolezza, oggi acquisita, di un tale procedere genera nel nostro tempo uno sviluppo a forma di spirale. Ecco perché la musica degli *Inni* sfiora come in sogno le antiche liturgie della chiesa russa, passa accanto alle icone per captarne il mistero e poi subito allontanarsi; ecco perché con la cantata *Seid nüchtern und wachet...*, volendo accostarsi al personaggio di Faust non sceglie né la versione di Goethe né quella di Christopher Marlowe, ma decide di rivolgersi alla primitiva e ruvida versione stampata nel 1587 a Francoforte da Johann Spiess, dove le ombre gotiche sono così dense che i profili della vicenda sembrano fluttuare in una dimensione senza tempo, pronti in ogni istante ad assumere qualsiasi sembianza, magari anche quella ferocemente espressionista del tango in cui si narra l'orribile fine del dottor Faust.

L'intervista a «Sovetskaja Muzyca» dalla quale abbiamo tratto le citazioni precedenti uscì nell'ottobre 1988. Un mese dopo, il 10 novembre, aveva luogo al Concertgebouw di Amsterdam, con la direzione di Riccardo Chailly, la prima esecuzione del *Quarto Concerto grosso*, denominato anche *Quinta Sinfonia*. C'è dunque una stretta contiguità cronologica tra quest'opera e i pensieri espressi nell'intervista e realmente si ha l'impressione che Schnittke nello scrivere la sua *Quinta Sinfonia* abbia voluto addentrarsi in quella «sfera d'ombra costituita da ciò che non è stato scritto con le note». Il secondo movimento, Allegretto, termina con l'esecuzione delle 27 battute dell'inizio del secondo movimento del giovanile quartetto con pianoforte di Gustav Mahler. Non c'è seguito; il breve componimento del sedicenne Mahler si arresta dopo quelle poche battute. Nella *Quinta Sinfonia* di Schnittke il frammento non è però usato come citazione, poiché l'intero secondo movimento è costituito da una serie di variazioni che si allontanano vistosamente dal tema che le ha generate. La rievocazione del mondo di Mahler resta attraverso quelle variazioni qualcosa di incerto, veramente perduto in una zona d'ombra e occorreranno gli altri movimenti perché la meditazione su Mahler possa propagarsi alla musica del presente. Il terzo movimento si divide in una prima parte in tempo Lento e una seconda in tempo Allegro. Nell'orchestra pulsano lentissime le note di un corale ma il registro è così grave (a suonarle sono contrafagotti, tuba, e timpani) che quasi non si riesce a distinguere il profilo della melodia. Grazie agli aloni diffusi dai tam-tam, dai contrabbassi e dall'arpa si percepiscono però i tonfi profondi di quei suoni. Nelle sue ultime partiture, *Das Lied von der Erde* e nella *Nona Sinfonia*, Mahler aveva introdotto suoni gravi e lenti che sembravano promanare dal profondo della terra per propagarsi fino al nostro orecchio. Le onde dei suoni gravi vanno notoriamente più lontano, posseggono una maestà e una forza che le fa penetrare nelle fibre dell'ascoltatore introducendovi un turbamento misterioso. Questo corale oscuro e profondo con cui si apre il terzo movimento della nostra Sinfonia potrebbe essere la metafora sonora di quella sfera d'ombra. Il fantasma di Mahler non si è ancora precisato quando scatta ai crotali e allo xilofono un disegno lineare il cui stridore si inarca su quei suoni-abisso con inaudita ferocia. Segue un tema lucido e scattante alle trombe; le belle trombe di Mahler che risuonavano in lontananza hanno qui una voce dura e crudele. Sono momenti fugaci in cui il libro della storia sembra sfogliare vertiginosamente le sue pagine spostandoci nel tempo e nello spazio. Risuona nuovamente il corale agli archi ma anche all'arpa e alle campane, che effondono un alone timbrico da antica chiesa russa. Le frequenti mutazioni timbriche mostrano di essere la trama segreta della vicenda; i timbri agiscono infatti come definitori di campi magnetici che orientano, ora in un senso ora nell'altro, i percorsi della memoria storica. I fantasmi di Mahler, Šostakovič, Musorgskij, Berg e dell'antica chiesa russa stanno sullo sfondo; i timbri, gli echi, talvolta una figura melodica o un procedimento contappuntistico li evocano, non già direttamente ma attraverso un complesso gioco di affinità e di simboli, che fanno appello nell'ascoltatore, e reminiscenze non di vocaboli ma di emozioni. E tuttavia nel movimento conclusivo il fantasma di Mahler si avvicina fino a incombere quasi su ogni battuta. La grande melodia lenta che compare ai violini primi è quanto di più mahleriano si possa immaginare. È forgiata secondo quel disegno che non conduce in nessun luogo e che potrebbe ripetersi all'infinito, è ricca di accenti e di portamenti, abbondano i grandi salti di nona e di settima, è contappuntata dagli altri archi in modo da creare una tessitura che è come un gran fascio vibrante di suoni, è trasfigurata e resa celestiale dagli aloni sprigionati dalle note dell'arpa. Ma a cosa servirebbe una reminiscenza così commossa e fedele? Il proposito di Schnittke non è soltanto evocare dalla mitica sfera d'ombra le musiche che mai furono scritte; l'intendimento più profondo è mostrare la possibile prosecuzione di quelle musiche nelle vicende del mondo, richiamare in vita quei fantasmi per indirizzarli verso nuovi percorsi, e a questo scopo nulla agisce meglio dei campi magnetici creati dai timbri. Così dopo quindici battute di pura evocazione mahleriana compare ai corni un greve motivo di marcia funebre che si dipana su un substrato timbrico che non ha nulla di mahleriano. I timpani, i piatti, il tam-tam, il pianoforte, le campane, i campanelli, il clavicembalo, producono uno strascicare metallico ricco di striature esotiche, pulsante e inquieto, in cui s'adunano le sofisticate esperienze coloristiche della musica contemporanea. Anche il desolato canto della tuba che prosegue il disegno di marcia funebre risulta alquanto estraniato rispetto al mondo di Mahler, che però ritorna più autentico che mai nell'episodio successivo attraverso il canto delle viole. Lo spirito di Mahler va e viene in questo finale della Sinfonia di Schnittke, si trasforma, si evolve, ma le metamorfosi e gli spostamenti danno ogni volta vita ad una musica autentica, lontanissima da qualsiasi strategia di manipolazione degli stili. Non per niente il rapporto più complesso con un musicista del passato Schnittke l'ha cercato con Mahler. È possibile che non ci abbia neppure pensato, ma con questa scelta il compositore russo si trova a contestare e rettificare il ruolo profetico che la musica del nostro secolo ha assegnato a Gustav Mahler.

Profeta della condizione moderna, padre spirituale della moderna Scuola di Vienna, idolatrato da Berg e Webern, Mahler si ritroverebbe a indicare spiritualmente il cammino ai compositori che costruiranno la musica moderna, ove per moderno si intende una condizione incalzata dal demone del progresso. L'immenso mondo spirituale creato da Mahler poteva in realtà irradiare la sua influenza anche molto più lontano, perché un conto è la capacità di fecondazione che una certa musica possiede e un altro la volontà di questo e quel compositore di autoproclamarsi erede di un determinato maestro. Per svariate ragioni l'influsso esercitato da Mahler su Šostakovič è stato riconosciuto ma non studiato in profondità; si è trattato di un influsso forte che assomiglia al destino di una pianta che, portata in un altro territorio, si acclimata benissimo e produce una fioritura rigogliosa ancorché differente da quella originaria. La musica di Mahler, che ha una capacità di acclimatazione straordinaria, ha trovato in Russia, ma anche negli Stati Uniti d'America, un terreno fertilissimo ma, ben al di là del problema degli stili, occorreva che qualcuno richiamasse l'attenzione sull'aspetto più intimo del fenomeno dell'influsso: Schnittke lo ha fatto esemplarmente con la sua *Quinta Sinfonia* riportando il problema specifico nell'alveo di quello più vasto della creatività musicale.

Ho sempre considerato la creazione musicale come un influsso reciproco tra attività consapevole e processi intuitivi. Da un lato la riflessione rigorosa su quello che si fa, dall'altro la percezione inconsapevole, la ricerca secondo l'intuizione [...] Vorrei anche dire che ho di solito la sensazione che per poter scrivere un'opera devo accoglierla in me e questo non accade né facilmente né in fretta [...] Si deve ascoltare l'opera futura come se già esistesse nel proprio mondo interiore. Il compito del compositore non è quello di costruire l'opera seguendo il proprio intendimento e neppure quello di trovare o calcolare qualcosa di già conosciuto. No, è necessario ascoltare letteralmente l'opera che vive dentro di noi. Secondo me è necessario che un compositore si renda conto che non fa quello che vuole, ma quello che necessariamente deve fare. E malgrado la mia opera sia quello che esiste nel mio mondo interiore, pure io mi sottometto a lei come a qualcosa che esiste oggettivamente, indipendentemente e fuori di me. Non so se si tratta di un'illusione o no, ma sempre mi sembra che sia la musica a costringermi a questa o quella decisione. Io non la creo, non la invento, ma scopro e porto alla luce quello che già è in me [...] Con il mio lavoro avverto il rischio di addentrarmi in una regione nella quale non sono ancora stato e contemporaneamente avverto la certezza di procedere nella giusta direzione. Per questo ogni mio passo risulta controllato e non è il risultato dell'anarchia o dell'arbitrio. Ogni opera che si trova in me ha la sue regole oggettivamente esistenti, che io devo intuitivamente afferrare e realizzare. Per me scrivere musica significa proprio questo.

Gli sviluppi più recenti

Per molti anni l'incontro con la musica sovietica è avvenuto in maniera un po' fortuita: le organizzazioni ufficiali privilegiavano alcuni compositori a scapito di altri e la scelta dipendeva, lo si è visto, da ragioni non propriamente oggettive. Gli editori che rappresentavano in Occidente i compositori sovietici hanno compiuto sforzi notevoli per promuoverne la conoscenza, ma dovevano anche loro fare i conti con un apparato che agiva come un filtro. A queste difficoltà organiche altre se ne devono aggiungere di carattere pratico: il numero dei compositori di un Paese così sterminato è impressionante e le comunicazioni con i territori delle ex repubbliche sovietiche restano ancor oggi non facili. Tutto questo non ha impedito fortunatamente la conoscenza di grandi personalità come quelle di Schnittke, Gubajdulina, Denisov, Pärt i quali, sia detto per inciso, da qualche anno vivono quasi tutti all'estero e pubblicano le loro opere presso editori stranieri. Sarebbe ingiusto tacere il contributo formidabile che alla conoscenza di queste opere hanno dato alcuni grandi interpreti russi di fama mondiale. Il direttore Gennadij Roždestvenskij, Mstislav Rostropovič nel duplice ruolo di direttore e violoncellista, i violinisti Gidon Kremer, Tatiana Grindenko, Oleg Kagan, i violoncellisti Ivan Monighetti, Vladimir Toncha, Natalja Gutman, il pianista Alekseij Ljubimov, il percussionista Mark Pekarskij — e molti altri ne tralascio di meriti non inferiori — si sono battuti per questa musica con coraggio e determinazione grandissimi, ma l'elogio alla loro generosità e intelligenza sarebbe un po' astratto se non tenesse conto delle condizioni di lavoro. In Occidente, salvo rare e nobili eccezioni, la musica contemporanea ha sempre dovuto accontentarsi delle briciole: poco tempo per le prove, interpreti svogliati, direttori artistici spesso poco competenti e retrivi... La lista delle miserie della musica contemporanea è lunghissima e dovrebbe trasformarsi in una requisitoria che riserveremo ad altra occasione. In Unione Sovietica non era così: magari Gennadij Roždestvenskij doveva litigare come un forsennato con un vice-ministro della cultura rozzo e arrogante per strappare il consenso all'esecuzione del bellissimo *Offertorium* per violino e orchestra di Sofija Gubajdulina, ma una volta ottenuto quel consenso poteva dedicare all'opera nuova tutto il tempo che riteneva opportuno. Affidate ai migliori interpreti, alle migliori orchestre e ai migliori direttori le opere contemporanee potevano esprimere adeguatamente i valori di cui erano portatrici. Naturalmente non è tutto così semplice; la prassi musicale nell'ex-Unione Sovietica presentava tante altre sfumature e contraddizioni, ma nella sostanza le cose stavano così.

Resta il fatto che altre personalità di grande rilievo come ad esempio quelle di Galina Ustvolskaja, Valentin Silvestrov, Aleksandr Knaifel', Vjačeslav Artëmov, Vladimir Tarnopol'skij, Gya Kanceli, Tigran Mansurian, Avet Terterian, Nikolaj Korndorf, quelle dei più giovani Elena Firsova, Viktor Ekimovskij, Frangis Ali-Sade, Aleksandr Raskatov e quelle provenienti dalle attivissime regioni baltiche come Bronius Kutavicius, Osvaldas Balakauskas, Algirdas Martinaitis, sono in Occidente, specialmente in Italia, scarsamente conosciute.

Nella speranza che la conoscenza della musica russa e delle altre regioni ex-sovietiche possa rapidamente aumentare vorremmo richiamare brevemente l'attenzione su alcune di quelle personalità che sono portatrici di una storia complessa e affascinante.

Già si sono visti gli esordi di Aleksandr Knaifel' caratterizzati da una violenza fonica che pareva provenire da una concezione libera e sensuale del suono. Quell'istintività così felice e indomita mostrava però nella sottigliezza delle scansioni ritmiche un'inclinazione ancora latente alla speculazione teorica che col tempo avrebbe preso il sopravvento. Desideroso di trascendere i limiti di quelle prime esperienze pur così felici, Knaifel' sarebbe giunto alla fine degli anni Settanta all'olocausto di quei doni così spontanei per addentrarsi in un territorio astratto, non scevro da speculazioni mistiche. Nasce così la ricerca dell'inflessione più minuta, l'estrema valorizzazione delle pause e del silenzio e una nozione del tempo musicale prossima ad una stasi nella quale si adunano fortissime tensioni. La svolta si manifesta alla fine degli anni Settanta, dopo un travaglio durato ben otto anni, e il risultato sarà affidato a due lavori terminati entrambi nel 1978: *Ainana*, sottotitolato «Diciassette variazioni su un nome, per coro da camera, percussioni e nastro magnetico» e *Jeanne*, «Passione per 13 gruppi di strumenti di 56 solisti». Da notare che, in seguito alla nuova concezione del tempo, la durata di questi due componimenti sale rispettivamente a 42 e a 80 minuti! *Ainana* è un originalissimo capolavoro che pare abolire i confini tra il vocale e lo strumentale; la varietà delle emissioni vocali sembra inscriversi talvolta in un orizzonte percussivo, talaltra dar vita a stupefacenti metamorfosi come nella tredicesima variazione dove sei voci di basso sono usate come un gruppo di tromboni. Gli accordi fermi, a quattro parti molto dilatate, producono un effetto sensazionale di dilatazione dello spazio sonoro. L'elemento ritmico che contrassegnava in senso drammatico le opere degli anni Sessanta sopravvive ancora, ma si è incredibilmente evoluto spostandosi verso un registro mistico, come se nel suo evolversi la musica di Knaifel' perdesse via via la sua corporalità per accedere a una dimensione metafisica. L'approdo per ora più significativo di questa tendenza è dato dall'*Agnus Dei* «per quattro strumenti a cappella» (1985). I quattro esecutori-officianti suonano una quantità di strumenti fra cui: quattro sassofoni, un pianoforte scordato, contrabbasso, cembalo, organo elettrico, celesta, vibrafono, campane tubolari, marimba, timpani, sintetizzatore, sonagli aerei, crotali, triangoli, tam-tam, con una dinamica sempre sul *piano*, talvolta alle soglie dell'udibile. Il metronomo di 16 per la semicroma moltiplicato per le 830 battute della partitura dà una durata di 120 minuti! Questo tempo mistico, quasi immobile, chiede all'ascoltatore una specie di esercizio spirituale, ed è in questa dimensione che Knaifel' distingue la sua esperienza temporale da quella dei compositori americani. Come già il minimalismo di Arvo Pärt si distingueva da quello di un Reich per un diverso fondamento spirituale, così l'immobilismo e il silenzio di Knaifel' si distinguono da quelli di un Feldman grazie alla radice mistica. Il tentativo di bloccare il tempo per accedere a una dimensione mistica non è raro nella musica sovietica contemporanea, come dimostrano le opere del georgiano Gya Kanceli, fondate sulla poetica della "stasi dinamica", e la diffusione delle tecniche minimaliste nei compositori delle regioni baltiche. Pur essendo condotta con tanto rigore, l'esperienza ascetica di Knaifel' non è irreversibile: lo dimostrano di tanto in tanto partiture che irrompono inaspettate in quel contesto. Fra queste vorremmo segnalare un recente lavoro della durata di 70 minuti; si tratta del ciclo per voce femminile e pianoforte intitolato *Il cavallo sciocco*. Il pianista e la cantante sono impegnati, talvolta perfino con scambio di ruoli, nel dare vita a questo delizioso microcosmo infantile in cui la sperimentazione e la poesia producono un autentico capolavoro.

L'estetica del postmoderno risulta propensa a compiere disinvolti spostamenti da un versante all'altro della cultura e dell'informazione più di qualsiasi tendenza polistilistica. Per una sorta di intima vocazione il postmoderno è onnivoro, volutamente incapace di distinguere tra alto e basso, vicino e lontano. L'idea stessa di sistema estetico viene rifiutata come tutte quelle operazioni che si fondano su di un sistema o su residui di ideologie. La *Prima Sinfonia* di Schnittke con il suo dilagante polistilismo non era affatto un'opera postmoderna, impegnata com'era a rintracciare nell'idea di caos la fondazione metafisica dell'unita della realtà sonora. La realtà culturale e l'orizzonte dell'informazione nell'Unione Sovietica degli anni Ottanta risultano profondamente mutati, contrassegnati da una varietà ed eterogeneità che non hanno probabilmente confronto in nessun altro paese del mondo. Le frontiere sono sempre più aperte, i viaggi all'estero più frequenti, le ideologie cedono progressivamente e al tempo stesso l'immenso serbatoio di ricchezze folcloriche ed etniche comincia a essere sistematicamente esplorato. Il jazz e il rock, il misticismo e l'esotismo, le antiche tradizioni contadine e le avanguardie danno vita in certi casi a strane miscele, a esplorazioni musicali imprevedibili. L'esempio più interessante di questo procedere pieno di svolte inattese è dato da un compositore come Vjačeslav Artëmov. Nato a Mosca nel 1940, ha seguito regolari studi al Conservatorio della sua città sotto la guida di Sidel'nikov ma anche studi di fisica, trovando in Varèse e Skrjabin gli autori capaci di suggerirgli una concezione creaturale e mistica del suono. Sospinto da queste curiosità Artëmov ha seguito alcune missioni folcloriche nel nord della Russia e poi sempre più lontano, esplorando musicalmente territori come la Georgia, l'Azerbajdžan, l'Iran, il Tibet. Nel 1975 con Sofija Gubajdulina e Viktor Suslin ha fondato il gruppo Astreja, che si proponeva di ricavare nuove suggestioni compositive dallo studio degli strumenti esotici. Al tempo stesso si sentiva attratto dalle esperienze minimaliste sviluppate dai compositori baltici e da quelle neoromantiche. Un suo *Capriccio romantico* per corno, pianoforte e quartetto d'archi sembra nel 1976 imboccare risolutamente la via del Neoromanticismo, recuperando attraverso le citazioni del *Concerto per violino* di Sibelius un sincero pathos della natura del tipo di quello che vibra nella *Musica del bosco* per soprano, corno e pianoforte di Silvestrov, ma in quell'orizzonte così estroverso ed ecologico si insinueranno ben presto altre suggestioni. Gli *Inni degli effluvi improvvisi* (1982) sono un componimento decisamente originale per sassofono, clavicordo e pianoforte. Tratti jazzistici, effluvi romantici e oasi metafisiche definite da tempi lenti e magie di timbri formano un contesto infinitamente vario e seducente. La vera rivelazione del talento di Artëmov si avrà però nel 1981 con le quattro *Invocazioni* per soprano e quattro esecutori di percussioni (l'immancabile e geniale Pekarskij). Rifacendosi a un'antica idea ritualistica Artëmov chiamerà i quattro episodi *Invocazione del fato, delle stelle, delle anime, dei suoni* facendo corrispondere a ciascuna invocazione le figure dei serpenti, degli uccelli, del vento e del fuoco. La simbiosi fra voce e strumenti a percussione suggerisce l'abbandono di qualsiasi testo semantico per giungere ad un linguaggio mitico in cui la comunicazione è garantita da una specie di porosità tra il suono e tutto il resto del creato. I fonemi danzano dunque con i rintocchi, i tonfi, i fruscii e i crepitii degli strumenti, ed è una danza sacra alla quale il senso ritualistico conferisce una profonda unità della forma. Commentando questa stupefacente partitura Schnittke osserva: «Ci sentiamo trasportati in un ambito di memorie genetiche che vanno oltre l'individualità. Questo componimento di Artëmov sviluppa il lavoro sperimentale di Chlebnikov in quei poemi quasi-fonetici redatti in un linguaggio primitivo. Questo linguaggio sorgivo è come una specie di lava fonetica non ancora congelata in parole definite e immutabili. L'unità è assicurata dall'uso di connessioni timbriche tra i bisbigli della cantante e il fruscio delle maracas all'inizio, e dall'imitazione che la voce fa dei cimbali verso la fine». Schnittke ha perfettamente ragione nel richiamare il modello russo del "linguaggio trans-mentale" di Klebnikov, ma nella ricerca delle connessioni timbriche tra la voce e gli strumenti, che sono poi l'ossatura segreta del componimento, bisognerebbe richiamare i modelli dei *Folk songs*, di *Circles* e della *Sequenza III* di Berio, modelli studiatissimi, come si sa, e capaci di irradiare un'influenza vastissima, ancora tutta da documentare, anche nell'Unione Sovietica. L'influenza di Berio sulle affinità chimico-timbriche e sulle metamorfosi strutturali del linguaggio è innegabile nelle *Invocazioni* di Artëmov, ma il compositore russo segue impulsi mistici destinati a portarlo in altre direzioni, come accadrà nel 1986 con gli *Inni Guriani* per tre violini, archi e percussioni. È questa probabilmente l'opera di Artëmov in cui maggiormente le suggestioni di Varèse si coniugano con le aspirazioni cosmiche di Skrjabin. Tutta la partitura degli *Inni* è uno scintillio ininterrotto dei tre violini proiettati nei registri acuti e degli aloni irradiati dai metallofoni sulla tela di fondo stesa dagli archi. La sostanza cosmica del suono degli *Inni* è chiarita così dallo stesso Artëmov: «Io scrivo diversi tipi di musica, ma tutte le mie opere sono facce di un unico componimento, di un'immagine nascosta. Per me la musica è manifestazione dell'anima del compositore inteso come manifestazione dell'anima del mondo. Il suono è qualcosa con cui non ci si può ingannare; l'intera personalità del compositore vi si rispecchia. Un artista è un nervo esposto, una luce, una coscienza. Egli non deve oscurare sè stesso; deve piuttosto cercare di cambiare il mondo attraverso sè stesso. Io credo nella trasfigurazione del mondo attraverso la musica...». Con presupposti del genere la musica può tentare di dare la scalata all'Olimpo. *Cammino verso l'Olimpo* si chiama infatti l'opera più ambiziosa di Artëmov. Il demone dell'eclettismo viene però a turbare questa mistica ascesa: passi jazzistici, ritmi ballabili e spunti di musica di consumo ibridano questa «Sinfonia per grande orchestra con violino e organo solisti» con mano disinvolta e spregiudicata. Se il cammino verso l'Olimpo passa attraverso il night club, il teatro di varietà, l'America di Varèse e il misticismo di Skrjabin, non meno inconsueto è il cammino lungo il quale procede il *Requiem* che Artëmov ha recentemente dedicato «Ai martiri della sofferta storia russa». Alla base di questa imponente partitura per soli, doppio coro, organo e orchestra sta un impiego costante, ancorché variatissimo, dei processi ripetitivi con le voci impegnate in sillabazioni di fonemi cantati, bisbigliati e gridati. Prevalgono i passi schiettamente tonali nelle parti dei soli e del coro ma, per raggiungere un effetto di estraniazione, su quei canti planano, a volte anche con violenza, linee strumentali totalmente indipendenti, che sortiscono l'effetto di una inquietante eterofonia e a volte di un'eco deformante.

All'anarchia postmoderna e al disinibito conformismo del *Requiem* di Artëmov si può contrapporre come esempio di rigore l'opera di Viktor Ekimovskij, nato a Mosca nel 1947. Ad ascoltare il suo *Mandala* (1983) per nove strumenti si giurerebbe che abbia studiato con Donatoni: gli strumenti divisi in quattro gruppi propongono disegni di poche note che si modificano attraverso alcune ripetizioni. Siamo al meccanismo rotante che sfrutta abilmente le virtualità del materiale e dunque in una prospettiva prossima al più classico strutturalismo. Esaminando più da vicino il curriculum di questo sapiente compositore ci si imbatte nelle *Variazioni da camera* (1974) per tredici esecutori dedicate alla memoria di Anton Webern e Anton Čechov. Davanti a quella densa polifonia fatta di gesti brevi e mobilissimi, e timbricamente quanto mai mutevoli, viene il sospetto di trovarsi di fronte a un giovane accademico, ma l'ascolto alcuni anni dopo (1989) delle *Doppie variazioni da camera* per dodici esecutori, rivela un compositore che, proprio partendo dal rigore strutturale, ha trovato magnificamente la sua strada. Anche questa volta abbiamo a che fare con un contrappunto puntillistico, ma l'esito è ora superbo. Il progetto relativamente semplice divide, secondo l'indicazione del titolo, l'opera in due parti. Nella prima le note-punto sono semicrome, costituiscono quindi una pioggia di atomi timbrici fitta e leggera, e inoltre la dinamica è sempre sul *piano*. Via via comincia però l'allungamento delle note, che da punti si trasformano in linee. Con il contrappunto delle linee si giunge a una occupazione totale dello spazio. La seconda parte torna a proporre lo stesso procedimento però con dinamica sul *forte*; ci troviamo così di fronte alla stessa vicenda presentata con intensità e peso specifico diversi. È però con *Composizione 43* (1986) per due pianoforti che Ekimovskij offre pienamente la misura del suo talento. La sontuosità della scrittura pianistica non può fare a meno di richiamare i modelli di Skrjabin e di Messiaen, ma la varietà e la forza dell'organizzazione ritmica riescono a comporre la materia in maniera mirabile consegnandoci con questa *Composizione 43* un'opera che arricchisce notevolmente la letteratura per due pianoforti.

Denisov ha dichiarato recentemente che «la poesia di Mandel'štam è talmente densa da non lasciare spazio alla musica»; un destino un po' ironico ha voluto che questa affermazione fosse smentita con i fatti, ovvero con la musica, da una giovane compositrice che è stata anche sua allieva. Indendiamo parlare di Elena Firsova (Leningrado 1950) che consideriamo una delle personalità più squisite fra i compositori russi dell'ultima generazione. Osip Mandel'štam, il poeta esiliato e perseguitato fino alla morte nell'età di Stalin, le cui opere proibilte furono per anni custodite soltanto nella memoria della moglie Nadežda, ha conosciuto con gli anni una resurrezione irresistibile che lo ha portato a essere considerato uno dei più grandi poeti di tutto il secolo. Per Elena Firsova la poesia di Mandel'štam è una fonte di ispirazione dalla quale già sono sgorgati alcuni capolavori. Con la resurrezione di Mandel'štam attraverso la musica di Elena Firsova assistiamo a uno dei più fecondi recuperi dell'intellighenzia da parte delle nuove generazioni, e forse non casualmente le scelte della compositrice cadono sui versi più antichi di Mandel'štam, quelli in cui si celebrano i temi più universalmente idealistici: «La mia musica è strettamente legata alla poesia di Osip Mandel'štam, specialmente ai suoi componimenti giovanili. Le mie opere migliori fanno ricorso ai suoi versi. Anche i miei lavori strumentali sono quasi sempre legati alla poesia di Mandel'štam, ai suoi sentimenti più intimi, alle sue riflessioni sull'arte e sulla morte.

L'*Elegia* per pianoforte e le *Tre liriche di* Mandel'štam per soprano e pianoforte le sento particolarmente vicine poichè hanno un carattere spiccatamente intimo e personale al quale vanno musicalmente le mie predilezioni». La cantata *Tristia* (1979) per soprano e orchestra da camera, con i suoi accenti intensamente drammatici e la cantata *La vita terrena* (1984) per soprano e orchestra da camera figurano tra le migliori riuscite dell'ultima stagione della musica russa. La voce e gli strumenti (flauto, percussioni, arpa, 3 violini, 2 viole, violoncello e contrabasso) seguono percorsi perfettamente complementari che si integrano e si modificano a vicenda. Indimenticabile l'orizzonte desolato descritto dalla voce sola all'inizio e la replica saltellante e nervosa offerta dagli strumenti. L'inquiedudine nevrotica, la disperata solitudine e i furori di Mandel'štam sono veramente diventati musica. Ascoltando i fruscii leggeri delle percussioni e le melodie del flauto o il lento rintoccare dell'arpa sul quale si inarca il lamento della voce nell'episodio finale, vengono in mente le considerazioni di Mandel'štam sulla musica: «Il silenzio è come un baratro su cui è sospesa l'anima dell'uomo e la musica riuscirà forse a superare l'orrore del silenzio e ad ammaliare il caos». Elena Firsova deve essersene ricordata nel musicare *Il canto dello Stige* (1989) per soprano, oboe, pianoforte e percussione e *L'abisso* (1991) per mezzosoprano, flauto e percussione. Malgrado l'autrice abbia dichiarato che i suoi lavori migliori sono scaturiti dalla poesia di Mandel'štam, c'è un'opera strumentale in cui riconosciamo uno dei suoi traguardi più alti: il terzo quartetto per archi intitolato *Misterioso* (1980) e dedicato alla memoria di Stravinsky. C'è qualcosa di ossessivo e drammatico in questa bellissima partitura dove i quattro strumenti sembrano roteare nello spazio e creare formidabili tensioni. Condotta con la massima libertà, la scrittura sembra obbedire talvolta a impulsi di improvvisazione e nel corso della composizione si accentua il carattere allucinato che spinge gli strumenti verso accumuli frenetici e caotici. Il Finale è però lento e mesto, un vero canto *in memoriam* che dalle regioni gravi si sposta verso i registri acuti, dove un'improvviso diradarsi della trama polifonica lascia svettare un unico suono acuto e immobile.

Il quartetto *Misterioso* è una di quelle opere capaci da sole di attrarre l'attenzione verso il loro autore; nel caso di Elena Firsova si tratta però di una compositrice con un vasto catalogo e una carriera ormai consolidata. Ci sono tanti altri compositori in quell'immenso Paese dei quali capita di ascoltare un'opera che suona come una promessa. Occorrerebbe molto tempo per andare in cerca di queste promesse e non di rado, conoscendo un po' più a fondo i loro autori, si vedrebbe che le promesse sono già state mantenute. Basteranno due casi a mo' di esempio, quello dell'azerbajdžana Frangis Ali-Sade (Baku 1947) e quello del moscovita Aleksandr Raskatov (1953). La Ali-Sade è un'eccellente pianista che ha studiato la composizione a Baku con Kara Karajev, dal quale ha accolto il suggerimento di innestare le tecniche della composizione contemporanea sugli elementi della tradizione azerbajdžana. È quello che accade nella sua sonata per violoncello e pianoforte intitolata *Habil-Sajahy* (1979). Il suono del pianoforte preparato, alquanto simile a quello di un cymbalom, e l'originalità della scrittura violoncellistica sortiscono un risultato mirabile non solo sul piano timbrico; fantasia, forza di invenzione melodica, impeto ritmico e senso del colore si coniugano con spontaneità incantevole. Se, conquistati da questa sonata, si va a curiosare un po' nella produzione della sua autrice, si scopre che Frangis Ali-Sade è anche autrice di una bella sonata per pianoforte in memoria di Alban Berg (1970) e di un eccellente e originale quartetto per archi (1988).

Un'impressione altrettanto seducente la si prova ascoltando il *Circolo di canto* (1984) che Raskatov ha scritto su versi di Vasilij Jukovskij. La voce del mezzosoprano, un violoncello, un pianoforte, una celesta e un clavicembalo sviluppano un roteante alone di timbri in cui il canto inserisce le sue struggenti interiezioni. Si tratta di un minuscolo capolavoro che risuona come un breve incantesimo neoromantico, e l'attesa suscitata trova preziose conferme nelle *Sequenze sentimentali* (1986) per tredici strumenti, nell'austero *TxetrU (Urtext)* (1992) per soprano, clarinetto basso, viola, violoncello e contrabbasso.

Il caso di Raskatov ci consente di risalire alla condizione attuale della vita musicale nella ex-Unione Sovietica. L'avvento della *perestrojka*, con Gorbacëv nel 1985 e poi con Eltsin, non è stato senza conseguenze per la vita musicale: le istituzioni del passato regime, in particolare l'onnipotente Unione dei Compositori, hanno perso potere e mezzi finanziari. In un regime non più di monopolio la vita musicale andava completamente riorganizzata. Fu così che in quel fervore di iniziative il pianista Alekseij Ljubimov decise di fondare nel dicembre 1988 il festival "Alternativa - ?". Era una manifestazione non ufficiale alla quale diedero la loro adesione Tatiana Grindenko, Ivan Monighetti, Mark Pekarskij e Ivan Sokolov. Si allestirono programmi intelligenti e provocatori che sotto il titolo "Musica viva e morta" facevano ascoltare opere di Boulez e Kabalevskij, di Cage e di Khrennikov; si invitò Stockhausen a eseguire *Aus den sieben Tagen*, si diede la prima esecuzione dell'*Agnus Dei* di Knaifel', si dedicarono alcuni concerti ai musicisti degli anni Venti e ai compositori della diaspora per dimostrare in tutti i modi la volontà di riappropriarsi della propria storia. Il segnale più esplicito di questo desiderio di riaprire i processi della storia interrotta e di ritrovarne lo spirito, lo si ha nel gennaio 1990 con la fondazione a Mosca della AMC-2, ove la sigla sta per Associazione di Musica Contemporanea. Si tratta della resurrezione della famosa associazione fondata a Mosca nel 1924 da Roslavec, Mossolov, Popov, Mjaskovskij, Šostakovič, della quale a suo tempo Alban Berg e Alfredo Casella avevano detto meraviglie e che nel 1932 fu cancellata insieme a tutte le altre associazioni da un decreto del Comitato Centrale. Nel rinascere oggi la AMC-2 riprende intendimenti del vecchio statuto del tipo «Far conoscere il più diffusamente possibile le opere nuove degli autori di qualsiasi tendenza in URSS e all'estero». Ne è presidente Edison Denisov e tra i soci figurano Schnittke, Gubajdulina, Silvestrov, Vustin, Karajev, Šut, Korndorf, Smirnov, Firsova, Raskatov, Tarnopol'skij, Kasparov, Pavlenko e altri, che costituiscono una specie di ala sinistra, alternativa quindi alla vecchia Unione dei Compositori. Le difficoltà, materiali soprattutto, in cui la AMC-2 si dibatte sono grandi, ma questo non ha impedito la formazione di un ensemble eccellente che sotto la direzione di Alekseij Vinogradov si impegna per far conoscere al mondo «le opere nuove degli autori di qualsiasi tendenza». Naturalmente la musica russa e anche quella delle altre repubbliche non passa tutta attraverso questa e altre associazioni. Alcuni dei maggiori compositori sono anzi attivi all'estero, ma il dato nuovo e fondamentale è che la musica russa appartiene oggi al mondo intero e sempre più si prende coscienza ovunque del fatto che quell'immenso patrimonio deve essere ancora in gran parte scoperto e valorizzato.

Parte prima

La vita

Queste conversazioni con Schnittke sono state realizzate in due distinte occasioni. La prima è un "estratto" di quanto è stato registrato da Elizabeth Wilson a Mosca nel settembre 1989 in occasione delle riprese del documentario televisivo della BBC sulla vita di Alfred Schnittke. Alla BBC va il nostro ringraziamento per la gentile concessione ad utilizzare quel materiale. La seconda conversazione è frutto di un incontro tra Enzo Restagno e il compositore ad Amburgo, nel gennaio 1993; in questa circostanza Elizabeth Wilson ha avuto la funzione di interprete. Il lettore riconoscerà le due conversazioni, distinte in due capitoli, dalle sigle degli interlocutori.

Conversazione tra Elizabeth Wilson e Alfred Schnittke

W. — *Potrebbe parlarci della Sua infanzia?*

S. — A quell'epoca niente faceva pensare che sarei diventato un musicista, poiché solo a dodici anni cominciai a studiare musica, e tuttavia ricordo che fin da bambino c'erano momenti in cui avevo la sensazione di udire della musica nella mia immaginazione. A Vienna nel 1946 cominciai a prendere lezioni di pianoforte e ad ascoltare qualche concerto. Ascoltai la *Settima* di Bruckner e il *Concerto per arpa* di Händel, con la direzione di Otto Klemperer. Furono impressioni indimenticabili; a queste si aggiunse l'incontro con *La Walkiria*, che vidi in un edificio diverso da quello che ospita attualmente il Teatro dell'Opera. Ascoltando l'orchestra, provavo un'autentica beatitudine, ma quando i cantanti cominciavano a cantare la cosa diveniva meno interessante.

W. — *Dove è nato e dove ha trascorso i Suoi primi anni?*

S. — Sono nato nella città di Engels che è vicino a Saratov. Fino al 1941 era il centro della Repubblica tedesca del Volga, poi la Repubblica si sciolse e la maggior parte dei miei parenti del ramo materno fu esiliata in Siberia e nel Kazachstan.

W. — *Che lingua parlavate in casa?*

S. — Tedesco, all'inizio, ma era il tedesco dei tedeschi del Volga, una lingua ormai un po' desueta; i tedeschi del Volga si stabilirono in Russia duecento anni fa e si trovano oggi ad usare delle espressioni ormai dimenticate in Germania. In un secondo tempo la nostra lingua diventò il russo e da allora ho sempre parlato e pensato in russo piuttosto che in tedesco.

W. — *Come avete vissuto durante la guerra?*

S. — Subimmo delle privazioni, esattamente come tutti gli altri, non però quelle dure privazioni che dovettero sopportare i miei parenti esiliati in Siberia e nel Kazachstan. In qualche raro caso arrivai a rendermi conto, cosa molto sgradevole per la psicologia di un bambino, che ero contemporaneamente ebreo e tedesco. A volte durante la mia infanzia fui schernito per la strada, ma accadde molto raramente.

W. — *Ha frequentato una scuola normale?*

S. — Sì, e nel complesso i miei ricordi della scuola sono piacevoli.

W. — *Ebbe la possibilità di ascoltare musica in quegli anni?*

S. — Raramente. Durante gli anni della guerra tutte le radio erano state confiscate, così non potevo sentire nulla. Uno dei miei ricordi più felici è quello del ritorno delle nostre radio, nel 1946; ascoltare era come una festa.

W. — *Perché furono confiscate le radio?*

S. — Non so se sia successo in tutto il Paese, ma eravamo in guerra e noi eravamo piuttosto vicino a Stalingrado; forse dipese proprio da quello. C'era un'unica stazione radio, controllata.

W. — *Quali sono i Suoi primi ricordi musicali?*

S. — Le mie prime vere impressioni musicali sono collegate al mio arrivo a Vienna [dove il padre lavorava nella redazione di un giornale] poiché lì cominciai a prendere lezioni di pianoforte. Non avevamo un pianoforte in casa, ma andavo a prendere lezione e a studiare dalla mia insegnante, Frau Ruber, che abitava la stessa nostra casa al piano di sopra. I risultati furono piuttosto incoraggianti; imparai a leggere la musica molto in fretta e anche se incontravo difficoltà nell'eseguire i passi veloci, con gli spartiti mi districavo benissimo, al punto da provare a scrivere le mie prime composizioni. Prima del pianoforte di Frau Ruber c'era stato l'incontro con una fisarmonica. Credo che fosse una specie di riconoscimento ottenuto da mio padre sul lavoro. Non era una buona fisarmonica e aveva un'estensione molto limitata, ma tutto è cominciato di lì. Trent'anni dopo tornai a Vienna e scoprii che Frau Ruber viveva sempre nello stesso posto, così andai a farle visita.

W. — *Lei ha detto che appena iniziò a suonare il pianoforte iniziò anche a scrivere musica. Significa che già allora desiderava diventare compositore?*

S. — C'era dentro di me un desiderio del genere, sebbene un po' confuso. Volevo suonare, ma volevo comporre prima di essere capace di suonare. Credo di aver avuto una predisposizione al comporre prima di cominciare a suonare il pianoforte. Ricordo di aver scritto un frammento e di averlo mostrato a Frau Ruber che molto sorpresa mi disse che c'era un tema principale e un secondo tema come in una sonata, tutte cose delle quali non avevo la più pallida idea.

W. — *In che anno è tornato in Unione Sovietica e quali furono le difficoltà di adattamento?*

S. — Tornammo nel 1947 e incontrammo parecchie difficoltà; prima fra tutte quella dell'abitazione. Per otto o nove anni affittammo due stanze fuori città, ed eravamo in cinque in famiglia! I miei genitori non riuscivano a trovare lavoro: mia madre dopo aver avuto per breve tempo un impiego, lo perse; mio padre lavorava come traduttore per la rivista «Novoje Vremja». Io frequentavo la settima classe in una scuola fuori città, poi, dal 1949, cominciai a studiare all'Istituto Superiore di musica di Mosca. Studiare musica era il mio più vivo desiderio ma forse ero già troppo avanti con l'età. Mio padre però aveva incontrato qualcuno che lavorava alla scuola di musica che gli consigliò di chiedere la mia ammissione. Mi presentai all'Istituto praticamente senza nessuna speranza di venire accolto, ma gli insegnanti mostrarono per me un certo interesse e decisero di ammettermi a frequentare il corso per direzione di coro.

W. — *Il 1948 fu un anno particolare per la vostra storia musicale; vuole parlarcene un poco?*

S. — Sapevo qualcosa della Risoluzione del 1948 diretta contro Šostakovič, Prokof'ev, Khačaturjan e altri celebri compositori, ma francamente ero male informato e non conoscevo bene la musica in questione. Quando entrai nella scuola di musica era il 1949; da quel momento cominciai a capire sempre di più e il terribile errore di quella Risoluzione mi fu presto evidente insieme alle fantastiche e incredibili circostanze in cui musicisti illustri come Šostakovič e Prokof'ev avevano subito quella critica umiliante.

W. — *Potrebbe parlarci del clima musicale di quegli anni che noi in Occidente conosciamo forse in maniera ancora un po' generica?*

S. — Posso provare. Ricordo che tutte le opere di Prokof'ev e Šostakovič, salvo rarissime eccezioni, sparirono dalle trasmissioni radiofoniche e dai programmi dei concerti. Non dimenticherò mai l'impressione negativa che mi procurò l'ascolto del *Canto delle foreste* di Šostakovič. Mi resi conto che era un lavoro molto scadente e per molto tempo non riuscii a capire come un compositore di quella levatura avesse potuto scrivere della musica simile. Al tempo stesso ero fortemente attratto da quel poco di Šostakovič che mi riusciva di conoscere. Prima di iscrivermi al Conservatorio ero incantato dalla sua *Quinta Sinfonia* e poi sognavo di ascoltare tutte le musiche che non venivano eseguite. Fra queste c'erano le sinfonie di Mahler, che io cominciai ad ascoltare solo verso il 1955. Era musica inaccessibile e introvabile e ricordo benissimo come quanto di più moderno e radicale ci fosse concesso di ascoltare fosse il *Poème de l'extase* di Skrjabin; il *Prometeo* era già considerato un po' equivoco. Skrjabin esercitò comunque su di me una profonda influenza: le sue ultime sonate per pianoforte, il *Poème de l'extase* e il *Prometeo* avevano un grande fascino cui venne ad aggiungersi quello irradiato dalla musica di Šostakovič. Nel 1953, quando ormai ero entrato al Conservatorio, iniziò il periodo del *disgelo* e frequentando i cosiddetti "studi politici" notai uno studente del terzo anno che si chiamava Edison Denisov. Sosteneva che la Risoluzione del 1948 era stata un errore, ma dopo un po' lui andò a Leningrado e arrivò un insegnante che si premurò di restaurare il punto di vista ufficiale. Non poteva durare a lungo tuttavia, e in breve tempo gli errori della Risoluzione del 1948 furono ammessi ufficialmente, con la precisazione però che l'errore si limitava all'interpretazione che della Risoluzione era stata data. Avevamo formato un gruppo di studio di diplomandi, capitanato da Denisov che proprio allora eseguì in riduzioni per pianoforte a quattro mani l'*Ottava* e la *Nona Sinfonia* di Šostakovič. La conseguenza fu una telefonata seccatissima di un certo professor Jarustovskij che occupava una posizione ufficiale, ma dopo cinque o sei mesi quelle stesse opere vennero eseguite pubblicamente.

Il disgelo proseguiva gradualmente e in quel clima più favorevole si poterono ascoltare alcune registrazioni tra cui il *Pierrot lunaire* di Schönberg e la sinfonia *Mathis der Maler* di Hindemith. Fu proprio in quegli anni al Conservatorio che avvenne la mia formazione attraverso gli studi con il professor Golubev, con cui ho avuto un ottimo rapporto, e con la frequentazione di alcuni giovani musicisti dalla personalità molto interessante, i quali creavano nell'insieme un micro-clima quanto mai fervido. Ho in mente i nomi di Denisov, di Karetnikov, del rumeno Anatol Vieru, di Roman Ledenjov e Nikolaj Sidel'nikov. Una grandissima influenza la esercitava il mio compagno di classe Aleksandr Karamanov. Io lo considero un genio assoluto il cui sviluppo è stato un po' misconosciuto. Ricordo che quando Luigi Nono venne a Mosca qualche anno dopo, Karamanov lo interessò più di chiunque altro; la sua musica non veniva praticamente eseguita e io credo che la sua opera sia ancora interamente da scoprire.

Nonostante i disagi, ricordo gli anni del Conservatorio con una certa nostalgia. La realtà che ci circondava era molto negativa, caratterizzata dalla quasi completa mancanza di esecuzioni di un numero enorme di autori; le opere di Bartók erano eseguite molto di rado, quelle di Schönberg — ad eccezione di *Verklaerte Nacht* — mai, per non parlare degli autori contemporanei. Ma questo non significava nulla, poiché avevamo la possibilità di ascoltare le registrazioni, ne discutevamo tra di noi e ci riflettevamo su. La situazione cambiò quando ci diplomammo e uscimmo dal Conservatorio; allora ci trovammo di fronte alle difficoltà della vita: diventare membri dell'Unione dei Compositori e quindi partecipare o no alla vita musicale ufficiale. Per qualche compositore, come Ledenjov e Volkonskij, le difficoltà potevano essere notevoli. Volkonskij fu espulso dal Conservatorio nel 1954 perché si era presentato in ritardo all'inizio del trimestre accademico. Le autorità pensavano che si sarebbe dato da fare per essere riammesso, ma lui lasciò cadere la cosa.

W. — *Che tipo di musica scriveva da studente e quando poi diventò membro dell'Unione dei Compositori?*

S. — Il mio sviluppo subì l'influenza non tanto del romanticismo quanto di quella che potremmo chiamare la sua reincarnazione, ovvero l'influenza di Mjaskovskij, del quale il mio insegnante, Evgenij Golubev, era stato allievo. Ci fu poi una forte influenza di Šostakovič e successivamente di tutto quello che arrivava dall'Occidente, soprattutto del linguaggio dodecafonico, senza trascurare gli influssi esercitati da Bartók e da Carl Orff, sotto i quali mi trovavo quando scrissi con l'oratorio *Nagasaki* il mio saggio di diploma. Mi sento ancora legato sentimentalmente a quest'opera perché con essa, per la prima volta, riuscii a trovare una posizione indipendente.

W. — *Quali composizioni presentò quando tentò di entrare nell'Unione dei Compositori?*

S. — L'oratorio *Nagasaki* e il mio primo concerto per violino, un'opera quest'ultima che inserirei, pur con tutte le sue ingenuità, nel mio catalogo ufficiale.

W. — *Come considera l'opera di Šostakovič?*

S. — Sono convinto che la mia formazione di compositore deve moltissimo a Šostakovič; l'influenza che esercitava era enorme, perché in lui vedevamo una figura viva che non si adeguava a norme e modelli. Poteva essere molto attraente o anche molto sgradevole, ma in ogni caso restava, come la sua musica, totalmente imprevedibile. In fondo lui continuava a vivere fra di noi come compositore, faceva parte dell'Unione dei Compositori ma non si adeguava agli standard formali. Proprio per questa sua capacità interiore di essere libero e imprevedibile pur vivendo all'interno del sistema, lo consideravamo un modello.

W. — *Šostakovič spesso ricavava dei guadagni scrivendo musica per il cinema; anche Lei ha seguito questa strada. Vuole parlarci di questa Sua esperienza?*

S. — Ne ho avute anche troppe esperienze di questo genere! Mi piacerebbe sapere quanti dei miei colleghi hanno scritto, come ho fatto io, la musica per sessanta film e quanti di loro sono vissuti quindici anni avendo come unica fonte di reddito la musica per film. Una condizione del genere può rivelarsi disastrosa; ho visto non pochi tra i miei colleghi più dotati rinunciare a poco a poco a qualsiasi progetto di creazione autonoma per dedicarsi completamente a quell'unico genere di composizione, che era però il solo a garantire loro la sopravvivenza. A parte tutti gli aspetti negativi, lavorare per il cinema può anche essere utile; ti permette, per esempio, un contatto continuo con l'orchestra, che realizza subito quello che hai scritto, senza contare le collaborazioni con registi interessanti. Klimov, Igor' Talankin, Larissa Šepit'ko, Michael Schweitzer, Andrej Chržanovskij, Aleksandr Mitta e Aleksandr Askol'dov sono alcuni dei registi con cui sono venuto a contatto. Non si trattava soltanto di un lavoro di routine; potevo sperimentare soluzioni ed effetti che non avrei potuto usare nella musica pura: comporre per il cinema divenne per me una sorta di stravagante laboratorio.

W. — *Ha usato in altre Sue opere la musica composta per i film?*

S. — Sì, e in più di una occasione. I temi del mio *Primo Concerto grosso* derivano dal film *Agonija* di Eljem Klimov, da *La farfalla* di Andrej Čhržanovskij e da *Racconto di come lo zar Pietro diede moglie al moro* di Mitta. Dal film di Romm *Il mondo oggi* derivano alcuni frammenti entrati poi a far parte della mia *Prima Sinfonia*. Aggiungerei come esperienza molto importante quella di trasformare elementi della musica classica in cliché e quella della confezione di "finti classici". Mi capitava così di essere in contatto con il mondo musicale in tutta la sua estensione, con tutti i suoi problemi e le sue complessità, ivi compresa la dimensione non seria, e quello che ne usciva era un mondo musicale aperto su tutti i lati. [...]

W. — *Vorrei chiederLe se i Suoi genitori erano religiosi.*

S. — Direi che sebbene fosse una cattolica battezzata, mia madre non era credente. Non era credente, ma inconsciamente continuava a credere: era evidente dal suo comportamento. Mio padre era ebreo ed era stato educato da ebreo, ricevendo il *Bar-Mitzvah* (la "maggiore età" religiosa) in sinagoga, ma non era credente e così fu fino alla fine.

W. — *Che importanza hanno avuto per Lei la religione e la religione dei Suoi genitori?*

S. — Molta; ricordo i miei primi discorsi sulla religione a Engels con mia nonna, una cattolica tedesca, che durante la guerra leggeva la Bibbia luterana. Quelle conversazioni con lei non furono tanto importanti per il loro significato quanto per il fatto che le avrei ricordate per tanti anni; quando si trattava di credere o non credere, di come considerare la chiesa, durante quei pensieri lei era sempre di fronte a me.

Un momento decisivo venne nel 1965, con la lettura de *Il dottor Živago*, dalla quale appresi che il credere dipende dalla persona e non dalla nazionalità. Decisi così di farmi battezzare cattolico per seguire la religione di mia madre, anche se per me tra i tre principali rami del Cristianesimo c'è poca differenza. Mi piace anzi pensare che esista un qualche rapporto irrazionale non solo tra i tre rami del Cristianesimo, ma tra le diverse religioni.

W. — *Esprime questo spirito religioso nella Sua musica?*

S. — In molte mie opere c'è un collegamento diretto o indiretto con questi pensieri. Ho scritto un *Requiem* sul testo latino e la mia *Seconda Sinfonia* è una messa che usa il canto gregoriano. Ho composto un *Concerto per coro* e su versi di Grigor Narekaci, un monaco armeno vissuto mille anni fa, e, ancora per coro, le *Cantiche di penitenza*, scritte per le celebrazioni del millennio del cristianesimo in Russia. [...]

W. — *Qualche anno fa Lei ha avuto qualche serio problema di salute.*

S. — Sì, ho avuto un colpo apoplettico molto grave. Sebbene fossi quasi sempre cosciente, lo ero però solo in superficie. Ci sono venti o ventun giorni dei quali non riesco a ricordare nulla. Era come se mi trovassi in una zona completamente buia con solo qualche raggio di luce. Ricordo un momento particolare, con i volti di due amici che erano venuti a trovarmi, ma tutto il resto era come un sogno; vedevo me stesso e avevo la sensazione di avere un'altra età, di essere bambino, e avevo molto freddo. Mi pareva di essere da qualche parte nell'estremo nord. Avevo anche la strana sensazione di essere stato da poco in contatto con qualcuno morto tanto tempo fa, con mia madre. Poi le cose cominciarono lentamente a migliorare. Non si sapeva se avrei potuto recuperare i movimenti e se avrei potuto parlare normalmente; è stato piuttosto difficile recuperare la parola e la memoria, ci sono voluti tre mesi.

W. — *Come è cambiato il Suo atteggiamento verso la vita?*

S. — Prima di tutto avevo una sensazione del tempo completamente diversa, come se avessi iniziato un nuovo ciclo vitale. Il ciclo precedente aveva continuamente accumulato velocità raggiungendo una grande accelerazione. Gli anni volavano allora, ma dopo il 1985, l'anno dell'ictus, cominciò un ciclo molto lento, come ai tempi dell'infanzia. Gli anni che sono trascorsi da quel momento mi sembrano un periodo di tempo enorme di cui ricordo ogni dettaglio, e ogni giorno mi resta nella memoria come qualcosa di significativo. Da molto tempo avevo dimenticato questa sensazione del tempo non livellato che ora è ritornata. Anche il mio modo di lavorare, di percepire la vita e gli eventi, e di concepire delle aspirazioni è cambiato. Una volta partivo dall'ipotesi che il mio lavoro di compositore fosse qualcosa che esisteva indipendentemente da me e che il mio compito fosse soltanto quello di sistemare il tutto, come se fossi un interprete. Anche adesso conservo questa convinzione, ma è l'immagine del mondo del mio lavoro che è mutata; prima era come entrare in un mondo di norme prefabbricate, un mondo di immagini rigide, già cristallizzate, dove i cristalli hanno una forma invariabile: io aspiravo a impossessarmi proprio di quei cristalli. Ora è tutto diverso; da cristallizzato il mondo si è fatto fluido e subisce continue modifiche, sicché io devo mettermi in ascolto lungamente per riuscire ad afferrare un momento che è vivo e palpitante. [...]

W. — *Quando ha cominciato a conoscere la musica contemporanea dell'Occidente?*

S. — I contatti con quella musica cominciarono con le registrazioni e i dischi che riuscivano ad arrivare fino a noi negli anni del Conservatorio. Questi ascolti aumentarono a poco a poco e negli anni Sessanta Denisov, che si recava spesso al festival "Autunno di Varsavia", riusciva a tornare ogni volta con molte registrazioni. Nel 1964 ci fu l'avvenimento più importante con la venuta di Luigi Nono. Potei vedere finalmente un famoso esponente dell'avanguardia e ne fui profondamente impressionato: era un uomo di grande fascino, pieno di vitalità, impulsivo e assolutamente imprevedibile.

W. — *Potrebbe rievocare quel famoso incontro all'Unione dei Compositori?*

S. — Ricordo benissimo quei giorni tanto importanti per me e per tanti altri colleghi. Nono fu molto colpito dalle opere di Karamanov, ma esaminò tante altre partiture che gli venivano mostrate. Con me fu molto critico, e anche in seguito mantenne questo atteggiamento. Nonostante ciò considero ancora oggi molto fruttuoso il mio incontro con lui. Ci fece ascoltare i suoi *Canti di vita e d'amore*, che produssero un grandissimo effetto.

W. — *È vero che Lei fu mandato fuori dalla sala?*

S. — Sì e con me furono mandati fuori anche Denisov e Karamanov. [...]

W. — *Vuole parlarci del Suo* Quintetto *con il pianoforte?*

S. — L'ho terminato nel 1976 e ci volle molto tempo per scriverlo. È dedicato alla memoria di mia madre, Maria Vogel. Lo iniziai nel 1972 e ricordo di aver scritto il primo movimento molto rapidamente, poi però per tre anni non riuscii a proseguire. Feci tanti tentativi che non mi soddisfacevano e tutti quei materiali accumulati andavano a finire in altre opere — pensi che il mio *Requiem* è costruito con materiali tematici provenienti dal *Quintetto*. Soltanto alla fine del 1976 trovai quello che cercavo, ovvero la continuazione del secondo movimento in forma di valzer. Non il solito valzer, magari poetico o tragico, ma un valzer tetro e stanco, capace di esprimere il rapporto con quell'evento dal quale era partita l'idea dell'intera composizione. A questo punto continuare fu più facile. Il movimento più importante doveva essere per me quello finale, a cui diedi la forma di una Passacaglia. Il tema della Passacaglia viene suonato nel registro acuto del pianoforte mentre tutti gli altri temi inferiori sono come un'ombra. Nel 1978 me ne è stata commissionata una versione per orchestra dal direttore Gennadij Roždestvenskij, intitolata poi *In memoriam*. [...]

W. — *Possiamo parlare ora di* Peer Gynt. *Perché sentì la necessità di scrivere l'epilogo in questo lavoro?*

S. — Quando scrivevo *Peer Gynt* si presentò una situazione analoga a quella del *Quintetto*. L'argomento è caratterizzato dall'essere strutturato in tre cerchi di sviluppo. Il primo si svolge in Norvegia prima della partenza di Peer Gynt per il mondo esterno. Poi viene il secondo cerchio, l'ingannevole mondo esterno. Il terzo è dato dal ritorno a una stanca realtà, che è molto mutata a causa dell'età e del logorio delle sensazioni dell'eroe. Nel suo libretto Neumayer scrisse solo due parole a proposito del quarto cerchio: "Adagio eterno". A questo punto io scrissi un epilogo che riassume tutta la musica del balletto e in cui si sente il passaggio attraverso i vari cerchi come un passaggio dalla sfera della realtà a quella della riflessione. A questo scopo dovevo trovare un punto di vista unificatore dal quale poter percepire ogni cosa. Per trovare questo punto di vista ho dovuto creare un nuovo tipo di interazione tra tutti i temi, come se si trattasse di nuvole fluttuanti che si fondono l'una nell'altra. Altrettanto importante era per me trovare qualcosa di appena percepibile, in grado però di unificare tutto il lavoro. Lo trovai nell'apparizione del coro, che si sente appena alla fine. La funzione del coro potrei definirla "nuvolosa"; essa non è tangibile, però da questa nuova posizione vediamo la vita attraverso le nuvole, il che naturalmente è un punto di vista alquanto particolare.

W. — *Perché i personaggi di Peer Gynt e Faust sono così importanti per Lei?*

S. — Nonostante vivano in luoghi e tempi diversi e le loro vite seguano percorsi molto differenti, queste due figure risultano collegate in un modo che è difficile spiegare. La soluzione geniale e grandiosa proposta da Goethe nell'interpretazione di Faust non esaurisce le potenzialità del personaggio che restano praticamente infinite. In Peer Gynt c'è qualcosa di simile, poiché è un personaggio suscettibile anche lui di molteplici interpretazioni. È questa inesauribilità delle interpretazioni che accomuna i due personaggi.

W. — *Come è arrivato all'idea di scrivere un oratorio dedicato a Faust?*

S. — Probabilmente ho cominciato a pensare a un progetto legato al personaggio Faust quando Jurij Petrovič Ljubimov me ne parlò. Aveva in mente di utilizzare la seconda parte del *Faust* di Goethe, non in un'opera ma in un nuovo tipo di forma musicale, per la quale intendeva impiegare anche l'*Amleto* di Pasternak. Ljubimov aveva delle idee molto interessanti, sulle quali avemmo lunghe conversazioni, ma alla fine giunsi alla conclusione che quel testo smisurato non poteva rientrare in un'opera sola, dove la musica inevitabilmente avrebbe finito con l'illuminare una parte soltanto del testo. Avevo ormai rinunciato a quel progetto quando ricevetti, nel 1982 dal festival di Vienna, l'invito a scrivere un lavoro per coro, orchestra e organo. Proprio a quell'epoca mi ero imbattuto nel primo testo scritto su Faust più di quattrocento anni fa, quello di Johann Spiess. Mi fu subito chiaro che l'ultimo capitolo di questo libro su Faust costituiva un formidabile punto di partenza per quella musica che mi era stata commissionata, così scrissi con grande rapidità l'oratorio che fu eseguito poco dopo a Vienna. Fui molto sorpreso quando venni a sapere poco dopo dal direttore del festival che il tema che la rassegna intendeva sviluppare quell'anno era proprio Faust. Solo più tardi mi è venuta l'idea di scrivere un'intera opera su Faust.

W. — *Lei ritiene che il personaggio di Faust conservi una certa attualità agli occhi di un artista contemporaneo?*

S. — Mi riesce difficile parlare dell'importanza che il tema di Faust può avere per un artista oggi; per farlo dovrei compiere un'autoanalisi del mio processo di lavoro e si tratta di una cosa difficilissima, che addirittura mi spaventa. Sento tuttavia che quella di Faust è una figura inesauribile, e per quanto valida possa esserne la mia comprensione questo non sbarrerà la via a un altro Faust. Prevedo anzi l'apparizione di molte altre interpretazioni e di molte altre opere su questo tema. [...]

W. — *Lei ha detto che nella surrealtà quello che si sente è più reale di quello che si vede.*

S. — Il fatto è che l'uomo percepisce il mondo in modi diversi; quando se ne parla sembra una cosa, un'altra quando lo si pensa, e poi c'è il giudizio istantaneo che più precisamente esprime l'essenza del pensiero senza addentrarsi in tentativi di definizioni. È come se avessimo a che fare con una caverna platonica a molti strati, che riflette con gradi variabili di esattezza la verità e le realtà. In questo caso chiamo verità e realtà non il mondo tangibile ma qualcosa di diverso, e questa che io ritengo una realtà più vera si può esprimerla meglio attraverso la musica. La vera funzione della musica mi sembra che sia qualcosa di molto speciale e indipendente. La musica non può quindi essere raccontata con le parole, poiché parla una verità diversa, una verità che non è soggetta al potere delle parole, ma forse non è saggio da parte mia parlare della superiorità della musica sulle parole, forse la parola ha altri vantaggi.

Mosca, settembre 1989

Conversazione tra Enzo Restagno e Alfred Schnittke

R. — *Vorrei cominciare questa conversazione da un tempo molto vicino a noi, da un'opera che Lei ha scritto nel 1990, cioè dal* Secondo Concerto per violoncello e orchestra. *Nel quinto movimento, che Lei ha definito il più importante, c'è una Passacaglia il cui tema deriva dalla musica che tanto tempo prima Lei aveva scritto per il film* Agonya *di Eljem Klimov. Si tratta di un tema molto lineare fatto di intervalli di semitono e di tono che viene esposto con tragica solennità dai tromboni, dopodiché il violoncello inizia con molta intensità le sue variazioni, mentre il tema entra in contrappunto con sé stesso nelle parti dell'orchestra. Nelle ultime battute si produce un effetto sensazionale con il violoncello che tiene fermo un do grave eseguendo al tempo stesso un'ultima ripetizione del tema nel registro più acuto. Tra il do tenuto al grave e la ripetizione del tema all'acuto si viene a spalancare un enorme spazio di quattro ottave e su, in alto, quel tema risuona con voce esilissima come sospeso su un abisso profondo e oscuro. Come vede Maestro il campo delle interpretazioni può essere molto esteso, ma vorrei limitarmi ora a quel concetto di agonia che deriva dal film e che la musica esprime a mio avviso benissimo. Nel film l'agonia era quella della Russia che entrava nella fase storica del comunismo: un'agonia di più di settant'anni. Nel 1990 l'agonia, almeno ufficialmente, doveva essere finita, ma il concetto di agonia e tutte le sofferenze della storia che ci stanno dietro le spalle sono più presenti che mai in questo concerto.*

S. — Il concetto è un po' più complicato. Parlerei non solo della storia e del destino, ma anche di problemi strettamente musicali. Il fatto di aver dovuto combinare due lavori, quello di compositore di musica "seria" e di musica per film, ha avuto lati positivi e negativi, e nella vita sia le cose positive che quelle negative hanno importanza. Una parte di quel film era già pronta nel 1972, ma poi il film ha dovuto aspettare a lungo, arrivando a vedere la luce solo nel 1980, in una forma già un po' diversa da quella originale poiché alcune cose erano state cambiate nel montaggio. Ho preso dunque un tema da una musica scritta per un film tanti anni fa e l'ho inserito nel concerto per violoncello, ma si tratta di una musica che aveva acquistato ormai un'importanza diversa. Questa non è la prima volta che l'origine di una musica "seria" sta in una musica che ho scritto per un film. È già successo con il mio *Primo Concerto grosso*, i cui temi derivano da musiche che avevo scritto per il cinema. I temi sono gli stessi ma non si tratta della stessa musica.

R. — *Naturalmente non è la stessa musica, ma trovo particolarmente interessante quel concetto di agonia che c'era allora e che in qualche modo sembra gettare un'ombra sulla musica che Lei ha scritto ora.*

S. — Sì, è vero che esiste quest'ombra. Riguardo al tema di cui Lei parlava un aspetto molto importante è quello di essere costruito su intervalli di seconda: un tema diatonico dunque. Deve sapere che quando compongo molto raramente metto gli accidenti in chiave, perché mi pare che la musica contenga ogni cosa, sia le scale diatoniche che quelle cromatiche. Quando parliamo quindi di sviluppo diatonico o cromatico parliamo di qualcosa di temporaneo, non costante.

R. — *Sì, ma ci sono anche inflessioni micro-cromatiche nella Sua musica.*

S. — Sì, i quarti di tono. Uso qualche volta questi intervalli, ma è sempre una cosa problematica. Ligeti mi ha raccontato di aver avuto in una sua composizione problemi tali con i microtoni da essere costretto a riscriverla.

R. — *A me sembra però che nella Sua musica l'uso dei microtoni nasca da un'esigenza diversa e sia quindi meno problematico. Noto infatti talvolta delle oscillazioni microtonali nell'intonazione degli strumenti, che mi fanno pensare a quelle tipiche oscillazioni della voce quando attacca il suono nella musica popolare. Questo non è un uso strutturale dei microtoni ma un uso espressivo.*

S. — Per me la musica popolare è una *summa* di tutto quello che c'è nella musica. La musica colta non è derivata da quella popolare: si tratta di due realtà diverse.

R. — *Il riferimento alla musica popolare, vorrei dire addirittura alla musica di strada, con i suoi strumenti poveri, capaci di produrre sonorità logore e stanche, mi sembra molto importante per Lei; pochi compositori sono attenti come Lei a quel tipo di musicalità.*

S. — Senz'altro. La musica popolare è strettamente legata con la vita, non solo per me ma anche per altri compositori che negano di attingere a quella fonte.

R. — *Mi piacerebbe che parlassimo di un lavoro ancora più recente, intendo dire l'opera La vita con un idiota, che Lei ha scritto nel 1991.*

S. — La prima parte dell'opera l'ho scritta prima dell'ictus, la seconda dopo. Qualcuno dice che ci siano delle differenze tra la prima e la seconda parte, ma se questo è vero dipende secondo me dal soggetto, che richiede per le due parti due stili diversi, e non da quali fossero le mie condizioni di salute. La seconda parte, a differenza della prima, è molto cameristica.

R. — *La scena in cui "Io" va al manicomio a scegliere il matto con il quale dovrà convivere, musicalmente e teatralmente potrebbe sembrare l'Inferno.*

S. — Sì, è proprio quello che volevo.

R. — *E il personaggio di Vova, che assomiglia a Lenin, che cosa rappresenta nella drammaturgia dell'opera?*

S. — Vova è un'immagine molto più completa di quella di Lenin. La seconda regia che sta preparando Prokovskij dovrà puntare su un personaggio più completo di quello di Lenin.

R. — *Questo significa che si tratta di una specie di "tipo" eterno?*

S. — Sì, sfortunatamente sì.

R. — *Quindi Vova è non solo l'immagine del tiranno e della violenza, ma l'immagine del male.*

S. — Sì, senz'altro. Questo è un fenomeno eterno. Si potrebbe parlare di due altri dittatori del nostro secolo: Mao Tse Tung e Hitler. È un'immagine che c'è stata nella storia e che ci sarà sempre.

R. — *Perché Vova, che è tutte queste cose — il dittatore, la violenza, l'oppressione, il male — non parla, ma si limita a emettere un unico suono inarticolato?*

S. — Non lo so neanch'io.

R. — *C'è un uso molto frequente del grottesco ne* La vita con un'idiota; *un impiego dei falsetti nelle parti dei cantanti e una quantità di effetti grotteschi nella strumentazione, bellissimi e molto teatrali. Tutto ciò si colloca in una tradizione dell'opera russa moderna, che ha i suoi massimi esempi in Šostakovič.*

S. — Non so se esista questa tradizione nell'opera russa, ma sono sicuro che se non ci fosse stato *Il naso* di Šostakovič quest'opera non sarebbe mai stata scritta.

R. — *Infatti. Quando ascoltavo e leggevo* La vita con un'idiota *per la prima volta, il mio entusiasmo aumentava ad ogni pagina, e mi dicevo: «Ma quest'opera è figlia de* Il naso *di Šostakovič!».*

S. — Ne sono felice. Quando la scrivevo, avevo interiormente questa percezione; guardavo al modello de *Il Naso* e pensavo di sviluppare qualcosa di diverso seguendo linee più semplici. Ho la sensazione di non sapere ancora che piega prenderanno le cose, ma è in ogni caso essenziale per me che si tratti di uno sviluppo e non di una ripetizione.

R. — La vita con un'idiota *come rappresentazione dell'Inferno. Lei mostra di avere musicalmente e drammaturgicamente un'idea molto precisa dell'Inferno, come Gogol', Kafka o Sartre, che in una pièce oggi un po' dimenticata diceva: «L'Enfer c'est nous».*

S. — Ho l'impressione che esistano molti inferni; ogni persona ha una propria idea di inferno. Ho quindi descritto quella che è la mia idea di inferno sulla terra.

R. — *Lei sa, Maestro, che in Russia circola un detto secondo cui tutti gli scrittori sarebbero usciti da* Il cappotto *di Gogol'?*

S. — Sono d'accordo sì e no con questa affermazione. Conoscendo quell'opera letteraria si sarebbe tentati di credere che sia vero, ma la Russia è in fondo molto più ricca.

R. — La vita con un'idiota *è il Suo primo esperimento teatrale e si è risolto in un successo di cui sono prova le numerose riprese in vari teatri. So però che Lei sta coltivando altri due progetti per il palcoscenico, dedicati l'uno alla vita avventurosa del compositore Gesualdo da Venosa, l'altro a Faust. Come è arrivato a Gesualdo da Venosa come soggetto di un'opera?*

S. — Per un verso si è trattato di una decisione inattesa: quando mi sono imbattuto nel soggetto di Gesualdo mi sono accorto che era come se lo avessi aspettato tutta la vita. Ci sono molti modi di realizzare teatralmente un progetto del genere, ma particolarmente interessante è per me la combinazione di elementi seri e faceti. Penso a *Re Lear,* dove la serietà delle situazioni convive con la capacità di prendersi in giro, oppure alla scena del becchino in *Amleto.*

R. — *Le opere scritte su Faust, da Berlioz a Gounod, costituiscono modelli lontani che rivelano ogni volta un rapporto alquanto diverso col testo dal quale derivano. Nel Suo caso come si configura il rapporto con il testo letterario?*

S. — All'origine del mio lavoro non c'è, come Lei sa, il *Faust* di Goethe, ma l'antico libro di Johann Spiess.

R. — *Come mai si sente più attratto da questa versione arcaica di Faust che da quella più moderna e letterariamente raffinata di Goethe?*

S. — Ci sono tante ragioni, una delle quali è che confido maggiormente nei testi originali. In passato avevo ricevuto molte proposte di scrivere qualcosa sul testo di Goethe, ma non mi pento di non averlo fatto.

R. — *Personalmente trovo molto interessante il fatto che Lei si senta attratto da quella prima e antica redazione della leggenda di Faust, perché c'è in essa un orizzonte drammatico molto diverso, più primitivo e più originale; in una parola c'è più natura che cultura.*

S. — Sono felice di sentire considerazioni del genere, poiché di solito si parte da un'idea "progressista" della storia, ma non è affatto detto che lo scorrere della storia sia sempre un progresso. Pensiamo all'epoca di Johann Spiess e a qual era allora il ruolo dello scrittore; forse il fatto di scrivere non era fonte di prestigio, per cui spesso era addirittura meglio celarsi dietro un falso nome.

R. — *Certo; e più in generale, nei secoli passati gli artisti compivano grandi opere senza firmarle. Eppure erano ugualmente grandi.*

S. — Certamente! Potremmo fare riferimento a Omero, oppure alla Bibbia: nessuno sa chi l'abbia scritta e in quanti anni.

R. — *Mi pare che la Sua simpatia vada spesso verso quelle epoche della storia in cui gli uomini creavano grandi opere senza la presunzione un po' romantica dell'"io".*

S. — La ringrazio per quanto ha detto. Ho per il passato un sentimento di particolare riguardo. In particolare mi capita spesso di avere quasi la sensazione di aver vissuto in un'altra epoca, in quella medioevale ad esempio.

R. — *L'epoca gotica, della quale stavamo parlando, riguarda molto di più la Germania; Lei ha invece rievocato in modo mirabile il clima del medioevo e dell'antica musica russa negli* Inni, *che definirei senz'altro una delle Sue opere più ispirate.*

S. — Gli *Inni* nascono in parte da un processo di stilizzazione e in qualche caso da autentiche citazioni di quell'antica musica. Il primo degli *Inni* ad essere stato scritto è il terzo; era nato come una pagina di musica destinata al cinema.

R. — *La capacità di rievocare un'atmosfera liturgica e una fede antica sono, in questo lavoro, fuori del comune.*

S. — Sfortunatamente sono molte le cose che non so riguardo all'antica musica religiosa russa. Ho cercato di creare qualcosa di simile, che non è però la stessa cosa. Si tratta in fondo di una stilizzazione attraverso la quale cercavo di dare l'idea di una musica arcaica che forse non è mai esistita. Nel primo Inno, quello che contiene la citazione di un corale a tre voci, la difficoltà consisteva nel distribuire le tre voci fra tre strumenti forniti di caratteri quanto mai diversi: i timpani, il violoncello e l'arpa.

R. — *Tutti i compositori fanno i conti con la storia; nel Suo caso la musica sembra però nutrirsi di una meditazione profonda sulla storia.*

S. — Ho dovuto scrivere tanta musica nella mia vita, anche per il cinema, e per farlo ho dovuto spesso dimenticare me stesso. Tutto ciò potrebbe apparire negativo, ma ha finito invece col rivelare un carattere positivo.

R. — *Abbiamo parlato prima del* Secondo Concerto *per violoncello; un anno dopo Lei ha scritto il* Quinto Concerto grosso *per violino, pianoforte invisibile e orchestra. Le due opere sono fra di loro diversissime. Il* Concerto per violoncello *ha una scrittura chiara, diatonica, con dinamiche marcate e precise: la musica è lì e la si afferra bene. Nel* Concerto grosso *sembra piuttosto di aver a che fare con una musica di fantasmi.*

S. — Anche in questa composizione c'è un programma nascosto: le quattro stagioni dell'anno, a cominciare dall'inverno. Le interrelazioni tra queste diverse condizioni musicali sono realizzate con l'intervento del solista. Di questa musica ho l'impressione che non sia stata scritta da me, ma attraverso di me, divenendo qualcosa che non era previsto.

R. — *Spesso in questo* Concerto *la musica sembra inafferrabile, leggerissima, con dinamiche estremamente delicate.*

S. — Sulla percezione di questa musica ha avuto sicuramente una grande influenza l'interpretazione del solista Gidon Kremer. Sono ansioso di ascoltare altre interpretazioni altrettanto riuscite e diverse.

R. — *Mi sembra di vedere nelle Sue opere più recenti una evoluzione del Suo stile.*

S. — Sarebbe importante per me che ogni passo fatto rappresentasse una evoluzione, ma non ne ho piena coscienza. È difficile pianificare il futuro.

R. — *La mia impressione di evoluzione è legata a uno stile sempre più essenziale e preciso, capace di dire di più con meno. Per esempio nel* Secondo Concerto *per violoncello le imitazioni dei contrappunti sono molto sintetiche; a una frase del violoncello può seguire una risposta appena accennata, di una o due note soltanto, nel clavicembalo o nello xilofono.*

S. — Posso essere d'accordo se parliamo della Passacaglia, non dell'intero *Concerto*.

R. — *So che sta lavorando a una sesta sinfonia.*

S. — L'ho appena terminata e sarà eseguita a Washington con Rostropovič. Per parlarne vorrei prima averla ascoltata. È una composizione per grande orchestra sinfonica che prevede una interazione fra gli strumenti senza spazi solistici autonomi. Se vi si leggerà un programma, sarà una interpretazione a posteriori, del tutto imprevista.

R. — *La Sua* Quinta Sinfonia *si chiama anche* Quarto Concerto grosso. *Possiamo considerarla una sintesi fra i due generi?*

S. — Sì ma è con la *Sesta* che sono riuscito per la prima volta a trattare autonomamente il genere sinfonico: concerto grosso e sinfonia sono ora per me due generi nettamente separati.

R. — *Nel* Quinto Concerto grosso *il pianoforte è definito "invisibile", viene infatti collocato dietro le quinte e i suoi interventi sono limitati.*

S. — In effetti suona solo alla fine di ogni movimento, ma il suo ruolo cresce in importanza da un movimento all'altro, fino a imporsi con la massima evidenza nel dialogo finale con il violino.

R. — *Questo pianoforte diventa quindi una sorta di personaggio che non si vede?*

S. — Sì, e la cosa ha creato non pochi contrasti con esecutori e ascoltatori che invece desideravano che fosse visibile, ma in questo caso la sua funzione sarebbe cambiata.

R. — *Vorrei parlare un momento dell'orizzonte che circondava musicalmente gli anni della Sua formazione. So che tra i compositori che maggiormente attiravano la Sua attenzione c'erano Mahler, Bartók, Stravinsky, Honegger e quelli della Scuola di Vienna.*

S. — Sì, ma a questi musicisti dovrei aggiungere Carl Orff, che conobbi nel 1958 al Festival della Gioventù a Mosca, dove furono eseguiti i *Carmina Burana*. Insieme a molti altri musicisti sovietici, fui colpito dalla tendenza al "primitivo" che animava quella musica. A quell'epoca i giovani compositori si rivolgevano a molte tendenze: qualcuno suggestionato dalla Scuola di Vienna puntava sull'avanguardia, altri sviluppavano prevalentemente il filone della musica nazionale. Quest'ultima è un'attività che ancora oggi mi trova d'accordo, ma che può degenerare in nazionalismo; penso ad esempio a un compositore come Vladimir Martinov. All'inizio lo trovavo molto interessante, adesso mi interessa molto meno.

R. — *Potrebbe appartenere a questa categoria un compositore come Sviridov?*

S. — Sì. Pur essendo una persona di grande talento ha sbagliato a voler fare anche il musicista "ufficiale" e il funzionario, perché questo è avvenuto a scapito della sua riuscita come compositore.

R. — *A me sembra di potergli attribuire un grande talento melodico.*

S. — Non solo un grande talento melodico, ma anche la capacità di concepire progetti intellettualmente molto elevati. Tra tutti i musicisti che hanno scritto liriche su versi di Pasternak, Sviridov è l'unico che sia riuscito a individuare il senso della sua poesia. Tra quanti hanno commesso degli errori nel musicare Pasternak includo me stesso. L'immagine sbagliata è quella di un Pasternak elegante, in giacca e cravatta, mentre le immagini degli ultimi anni, quelli in cui scriveva *Il dottor Živago*, lo ritraggono diversamente. Penso a una fotografia in cui compare vestito da contadino, nella quale si nota una profonda identificazione con quella condizione. Coloro che, seguendo l'immagine più sofisticata, avevano con lui un approccio tutto intellettuale non sono riusciti a coglierne la natura più intima e più vera che traspare da quella fotografia.

Come le ho già detto, negli anni Sessanta c'era anche un gruppo che s'interessava attivamente alla Scuola di Vienna e che un po' alla volta veniva a conoscere le musiche di Boulez, Nono, Pousseur, Stockhausen, Ligeti, Berio. Era un gruppo abbastanza isolato del quale anch'io facevo parte.

R. — *Chi altri ne faceva parte?*

S. — Il primo in assoluto era Denisov, ma c'erano anche Karetnikov, Nikolaj Sidel'nikov e Slonimskij. Potrei aggiungere Galina Ustvolskaja, sulla quale ho sentito giudizi molto lusinghieri anche se non conosco molto bene la sua musica, e naturalmente, Sofija Gubajdulina. A questo primo nucleo si aggiunsero poi musicisti più giovani come Martinov, Smirnov, Elena Firsova, Aleksandr Knaifel', Grabovskij, Kanceli, Karajev, Avet Terterian e Tigran Mansurian, ma l'elenco dovrebbe essere molto più lungo.

R. — *Ha conosciuto bene Karetnikov? Ha pubblicato a Parigi un bel libro di ricordi e mi è sembrato una figura un po' aristocratica.*

S. — Si l'ho conosciuto e ho anche letto qualche parte di quel libro. Non so nulla delle sue origini aristocratiche, che probabilmente non esistono, ma aveva certamente molti contatti con esponenti della vecchia intellighenzia russa come Heinrich Neuhaus e Gabricevskij, persone veramente stupende. Si cercava di costruire un legame con questi esponenti della vecchia intellighenzia e i contatti con loro erano ancora più importanti di quelli che potevamo avere con Philipp Herşcovici la cui importanza viene oggi un poco esagerata. A tutti quelli che lo frequentavano, me compreso, sembrava di conoscerlo bene mentre è sempre rimasto un mistero.

R. — *Essendo stato allievo di Webern ha potuto svolgere una funzione formativa sui compositori della sua generazione.*

S. — Non c'è dubbio, ma una grande influenza si ebbe anche con la pubblicazione del libro *Verso la nuova musica* di Anton Webern, che fu tradotto in russo da mio fratello.

R. — *Questo libro non tratta però di tecniche della composizione, offre una prospettiva sul nuovo.*

S. — Un libro del genere può essere oggetto di discussioni e di liti, ma è impossibile non conoscerlo. Contemporaneamente si voleva pubblicare anche il volume con le lettere di Schönberg, ma in Russia lo si aspetta inutilmente da trent'anni.

R. — *Quando Le è capitato di ascoltare per la prima volta la musica di Anton Webern?*

S. — La prima volta fu con un disco, nell'interpretazione di Kraft. Nonostante tutti i difetti della registrazione, l'impressione che provai fu di grande effetto, ma a quella prima impressione dovrei aggiungere quella che provai nel 1962 per la visita a Mosca di Stravinsky e Kraft e, più tardi, nel 1967, per la visita di Boulez. L'interesse per quella musica sembrava destinato a diffondersi rapidamente da noi e ricordo un concerto diretto da Svetlanov in cui era possibile ascoltare il *Concerto per violino* di Berg, l'Adagio della *Decima Sinfonia* di Mahler e *Il sopravvissuto di Varsavia* di Schönberg. L'interesse di Svetlanov per quella musica è stato fugace ma allora era così, e in qualche momento si poteva credere che quella musica stesse per acquistare grande importanza.

R. — *Parlando di Karetnikov, Neuhaus e Gabricevskij Lei ha detto che quei rapporti erano molto utili per stabilire un contatto con la vecchia intellighenzia che negli anni precedenti era stata cancellata per decisioni politiche. Trovare quel legame significava forse anche riscoprire le vecchie avanguardie degli anni Venti, riscoprire compositori come Roslavec, Popov, Obukov, Lourié, Mossolov, Višnegradskij.*

S. — I compositori che Lei ha nominato lavoravano in direzioni molto diverse. Personalmente ho conosciuto la loro musica molto più tardi, attraverso il libro di Detlev Goyovy. Fra di loro il più importante era Roslavec, o forse sarebbe giusto dire che oggi possiamo considerarlo importante. Ho avuto modo di ascoltare qualcuna delle composizioni per due pianoforti accordati per quarti di tono di Višnegradskij scritte a Parigi; di Obukov non ho mai ascoltato una nota e le mie conoscenze della musica di Lourié passano attraverso quello che ho potuto ascoltare nelle interpretazioni di Gidon Kremer. Mossolov l'ho visto una volta sola negli anni Sessanta, poco prima della sua morte. Su di lui e sulle sue battute circolava una divertente aneddotica. Ricordo di aver ascoltato *La fabbrica* e il *Concerto per pianoforte e orchestra* che mi paiono opere di grande talento, un altro brano molto interesssante sono per me *Gli annunci di giornale*: è un lavoro che può ricordare quello di Šostakovič, col pregio di essere stato fatto prima.

R. — *Infatti ne* Il naso *di Šostakovič c'è la famosa scena delle inserzioni sul giornale.*

S. — Sì, e di Šostakovič possiamo ricordare anche le romanze sui testi del «Krokodil».

R. — *Lei ha detto prima che proprio in questo periodo si svilupparono i contatti con Boulez, Nono, Berio, Ligeti, Pousseur e Stockhausen. Potrebbe rievocare qualcuno di quegli incontri?*

S. — Fra i personaggi che Lei ha nominato i contatti più stretti li ho avuti con Luigi Nono, malgrado le contraddizioni non piccole del personaggio. Naturalmente quando parliamo di contatti dell'inizio degli anni Sessanta intendiamo essenzialmente contatti epistolari, ai quali ciascuno di noi si dedicava secondo lo sviluppo dei propri interessi. Per Denisov era Boulez ad avere un'importanza particolare; io mi sentivo invece molto attratto dalle idee di Pousseur. Stockhausen l'ho incontrato una volta sola, tre o quattro volte ho incontrato Ligeti e con Berio ci siamo visti tre o quattro volte, ma non posso parlare di veri e propri contatti.

R. — *Se non sbaglio Lei ha dichiarato che la* Sinfonia *di Berio ha esercitato qualche suggestione sulla Sua* Prima Sinfonia.

S. — Sì, è vero. Fui molto interessato dalla *Sinfonia* di Berio. A quell'epoca il mio interesse per le citazioni era grandissimo e rivolgevo quindi la mia attenzione anche alle opere di Pousseur, Bernd Alois Zimmermann e Charles Ives. Mi affascinava la possibilità di combinare tra loro in una stessa opera citazioni provenienti da fonti diverse e nella *Sinfonia* di Berio ero attratto dal fatto che le citazioni conservassero la tonalità degli orginali da cui derivavano.

R. — *Tutto questo mi pare che abbia notevole importanza non solo riguardo alla Sua* Prima Sinfonia, *ma in genere per la definizione di quel "polistilismo" del quale tanto si parla a proposito della Sua musica.*

S. — Sono generalmente un po' scettico sull'uso delle parole-categorie e quindi anche sul termine "polistilismo", che può essere usato per me ma anche per altri compositori.

R. — *Questa è purtroppo la disgrazia delle definizioni, ma ora vorrei provare ad approfondire questo tema superando lo schematismo implicito nella definizione. Parlando della sua* Telemusik, *Stockhausen ha detto, a proposito della citazione, che nell'estetica moderna essa non deve limitarsi a essere un collage, ma deve diventare una vera e propria fusione di elementi diversi. Ora è possibile arrivare a una concezione più profonda del termine "polistilismo"?*

S. — Dare una definizione di questo termine mi pare impossibile, poiché tutti quelli che ne fanno uso possono avere un diverso punto di vista; anche l'integrazione del materiale di cui parlava Stockhausen è una cosa che ognuno vede a modo suo. Per quanto mi riguarda posso dire che la soluzione del problema è arrivata per caso. Le necessità della vita facevano sì che dovessi scrivere al tempo stesso musiche per film e musica seria, quindi il problema dell'integrazione io dovevo affrontarlo ogni giorno. Dopo dieci anni di lavoro per il cinema ho capito che bisogna avere nei confronti della citazione un certo atteggiamento; bisognava trovare una certa distanza dal modello ed evitare di essere proprio letterali, limitarsi magari ad accennare, e tutto questo per riuscire a essere lontani e vicini al tempo stesso.

R. — *Come viveva materialmente negli anni Sessanta?*

S. — Non posso dire che il mio modo di vivere sia cambiato sensibilmente tra il 1962 e il 1982. Avevo una doppia vita: una legata al cinema, per sopravvivere, e un'altra dedicata alla musica di avanguardia. Sembra strano che in un arco di vent'anni i cambiamenti siano stati così pochi! Non andavo quasi mai all'estero, allora, e l'unica evoluzione sta probabilmente nel fatto che nel 1982 c'era qualcuno in più che si interessava alla mia musica.

R. — *Con la deposizione di Chruščëv nel 1964 e l'avvento di Brežnev ha avuto inizio la cosiddetta "normalizzazione". Gli anni vissuti sotto Chruščëv come sono stati rispetto al periodo successivo?*

S. — Non ho notato alcuna differenza.

R. — *Non c'è stato qualche elemento che possiamo considerare un'anticipazione degli anni della* perestrojka? *La vita era uguale in quei due periodi?*

S. — Vorrei aver visto questi elementi, ma non è stato così. Ci fu, è vero, qualche cambiamento superficiale, qualche scandalo, ma nulla che toccasse in profondità la sostanza della vita.

R. — *Sono stati anni molto difficili per la Sua carriera di compositore?*

S. — Pur considerando che non devo più scrivere musica per il cinema, la mia vita attuale non è poi così diversa da quella degli anni Sessanta: scrivevo allora come oggi.

R. — *Infatti Lei ha sempre lavorato tantissimo e continua a produrre molto, ma mi dica, per Lei il lavoro è una benedizione o una condanna?*

S. — L'una e l'altra cosa, poiché a volte attraverso il lavoro mi sono realizzato, altre no.

R. — *Questo duplice significato del lavoro, pesante ma benefico, alla fine, è ricorrente nella civiltà russa. Nelle battute conclusive della pièce teatrale, Zio Vanja dice a Sonja: «Lavoriamo, lavoriamo»; Brodskij scrive che lavare i piatti fa bene e distende lo spirito.*

S. — Sì, e certamente possiamo trovare molti esempi del genere prima di *Zio Vanja* e dopo Brodskij.

R. — *Lei ha ragione, Maestro; credo anzi che massime del genere si possano ascoltare ovunque nel mondo, ma io le ho riferite perché nel modo di pronunciarle dei personaggi russi di ieri e di oggi, mi pare di cogliere un accento rivelatore di una pazienza antichissima, qualcosa che potremmo definire uno speciale sentimento della rassegnazione. È vero, secondo Lei, che il popolo russo ha dovuto più di tutti gli altri imparare la sopportazione a causa della propria storia?*

S. — Forse la pazienza dei Russi non è sufficiente, ma ho sempre qualche riserva nel dare consigli a un popolo. Oggi più che in passato possiamo ascoltare i desideri del popolo e bisogna valutare se è meglio che taccia oppure che pensi e agisca.

R. — *Negli ultimi anni Lei ha avuto un grande successo internazionale, la Sua musica viene eseguita dovunque e una gran parte è stata incisa. Quali sono state per Lei le conseguenze?*

S. — Non bisogna mai vivere nella sicurezza: tutto può cambiare domani. Anche se sono grato per quello che mi si offre oggi, non posso mai dimenticare la lettera di un certo Franz Schubert — non il grande compositore ma un suo omonimo, musicista anche lui — che scriveva al suo editore pregandolo di non confonderlo con quel disgraziato che portava il suo nome. E poi mi dica: secondo lei Spontini, che in vita ebbe molto successo e ora è quasi dimenticato, scriveva della buona musica o no?

R. — *Ho ammirazione per il professionista che era, ma la sua musica non mi piace molto.*

S. — Potremmo allora continuare il discorso parlando di J.S. Bach, che era piuttosto sconosciuto in vita e viene ora considerato il più grande, oppure potremmo parlare di Gesualdo. Non possiamo pronunciarci né per il passato né per il futuro.

R. — *Ma la parte più importante del successo che riscuote la Sua musica consiste in una notevole capacità di coinvolgere il pubblico, attraverso un linguaggio che può arrivare a molte persone.*

S. — Ne sono felice, ma nonostante tutto non vedo in questo una garanzia. Nel mondo ci sono state e continueranno ad accadere molte cose inattese. Anche se una cosa continua, non per questo essa diviene eterna. Lo stesso successo di Bach non è detto che debba continuare, e se un giorno verrà meno saranno in molti a dire: «Infatti a me non piaceva».

R. — *Vedo emergere dalla nostra conversazione una filosofia della vita intrisa di pessimismo, equilibrata però dalla fiducia nel lavoro.*

S. — Le cose possono andare bene per chiunque, ma alla fine del giorno tutti muoiono, e queste non sono tanto definizioni di ottimismo o di pessimismo. Entrambe le cose esistono: la gente cerca oggi di dire qualcosa di buono ma domani tutti cadranno nel silenzio.

R. — *Vorrei parlare ora del Suo* Terzo Quartetto per archi.

S. — Il *Terzo* lo amo di meno rispetto al *Primo*, al *Secondo* e al *Quarto* poiché è risultato essere, alla fine, un'opera inconsciamente più tradizionale. È vero che ci sono le citazioni da Orlando di Lasso, Beethoven e Šostakovič, ma questo non cambia l'essenziale. Il mio *Primo Quartetto*, pur con qualche difetto, è scritto utilizzando il sistema seriale, il *Secondo* utilizza il materiale arcaico della liturgia russa, il *Quarto* è invece tutto diverso, un'opera inattesa anche per me. Quello che sento più vicino è il *Secondo*, che mi è caro anche per il fatto di essere dedicato alla memoria della regista cinematografica Larissa Šepitko, morta in un incidente stradale all'inizio degli anni Settanta. In quel periodo stava lavorando alla regia del film *Addio a Matiora*, che fu poi terminato da suo marito, il regista Eljem Klimov.

R. — *Qual è stato il Suo rapporto con Eljem Klimov, con il quale ha spesso lavorato?*

S. — Il nostro legame non era di vera e propria amicizia, rappresentava qualcosa di molto complesso, spesso era più stimolante dei rapporti che avevo con persone che conoscevo meglio. Le discussioni con lui erano intellettualmente stimolanti, ma con la Šepitko ho finito col fare discorsi più profondi e interessanti. Una volta mentre suonavo al pianoforte la musica per un suo film lei si mise a seguirmi cantando. Non ci siamo scambiati neppure una parola, ma ho subito capito che cosa nella mia partitura non andava e addirittura quali colori dell'orchestra non erano necessari.

R. — *Ha scritto Lei la musica per il film* Addio a Matiora?

S. — No, la mia funzione in quell'occasione fu quella di coordinare il lavoro di alcuni colleghi e si usò la musica prodotta dall'Ensemble Astreja, quello formato da Gubajdulina, Artëmov e Suslin.

R. — *È vero che ha scritto la musica per ottanta film?*

S. — Non sono stati così tanti, ma sessantadue. Per i registi cinematografici i compositori sono tutti uguali: possono chiamarsi Khrennikov, Khačaturian, Sviridov, oppure essere l'ultimo degli sconosciuti — o un qualche Schnittke — ma per loro la cosa non ha nessuna importanza. Non posso neppure ricordare il lavoro che io e altri compositori abbiamo fatto, il numero enorme di marce militari, di fanfare, di scene di fuga che ho dovuto scrivere!

R. — *Lei ha anche scritto musiche di scena per il teatro di prosa, per il* Don Carlos *di Schiller, dalle quali ha derivato il suo* Requiem.

S. — Sì, ma quella è stata un'esperienza limitata in rapporto ai trent'anni che ho passato scrivendo musica per il cinema, trent'anni che pure mi sembrano occupare lo spazio di un solo giorno.

R. — *Sono molti i limiti per chi lavora scrivendo musica per film?*

S. — Le difficoltà non sono poche, e paradossalmente quando si trova un regista che ha una buona conoscenza della musica non è un vantaggio ma un impiccio.

R. — *Il compositore ideale di musica per film dovrebbe probabilmente essere un abile e mediocre professionista, ma nell'Unione Sovietica esisteva una grande tradizione di musicisti celebri che si sono dedicati a questo genere di composizioni. È appena il caso di ricordare gli esempi celebri di Prokof'ev e di Šostakovič, magari proprio per far risaltare la differenza con l'Occidente, dove questo fatto è molto raro.*

S. — Sono d'accordo; è così anche se non ne conosco le ragioni. Una ragione fondamentale di quel disagio io la vedo nella differenza che passa tra lo scrivere e i risultati che scaturiscono dalla registrazione. Io ho scritto la musica per più di sessanta film eppure le assicuro che non sono mai riuscito a prevedere l'esito di quello che veniva registrato. C'è anche un'altra cosa alla quale non mi sono mai abituato; accadeva che lavorando con un regista ti accorgessi a un certo momento che lui aveva preso accordi anche con un altro musicista che non aveva niente a che vedere con te, semplicemente per avere un'alternativa al termine della lavorazione.

R. — *La musica per il cinema era ben pagata?*

S. — Era un modo per sopravvivere e si guadagnava relativamente bene. Io non ci badavo molto, altrimenti avrei potuto guadagnare anche di più, come altri.

R. — *Niente di paragonabile ai guadagni dell'industria cinematografica occidentale, comunque.*

S. — Ho sentito parlare di quei guadagni, ma sfortunatamente per noi non era così.

R. — *Questa è infatti la ragione per cui in Occidente se un compositore dotato comincia a scrivere musica per film viene assorbito da quel meccanismo di grande guadagno e finisce per non scrivere altro.*

S. — Questo, a dire il vero, succedeva anche da noi: pochi sono riusciti a uscire da quel meccanismo. Per quanto mi riguarda, era il mio sogno.

R. — *Adesso vorrei parlare delle Sue opere cosiddette seriali, scritte negli anni Sessanta, e vorrei citare una Sua affermazione al riguardo: «Per un certo periodo il serialismo fu per me un principio molto dogmatico, una specie di atteggiamento stoico da parte mia».*

S. — Potrei sottoscrivere questa frase anche oggi, anche se per me la scuola dodecafonica non era una scuola dogmatica, ma pur sempre una scuola.

R. — *Come vede oggi le opere che ha scritto in quegli anni?*

S. — In vari modi; qualcosa mi piace ancora molto, qualcos'altro per niente.

R. — *Come vede oggi il* Secondo Concerto *per violino e orchestra?*

S. — Ho ancora un grande interesse per questo lavoro. È una delle poche mie composizioni ad avere un programma nascosto, insieme a *Pianissimo* per orchestra, all'ultima parte della *Prima Sinfonia* e alla *Quarta Sinfonia*. Tutte le altre mie opere ne sono prive.

R. — *Lei parla di programmi segreti che naturalmente non vuole raccontare...*

S. — Non è che voglia tenerli nascosti ad ogni costo, ma d'altra parte se l'ascoltatore ne fosse a conoscenza finirebbe con il concentrare la sua attenzione sul programma invece che sulla musica; perciò preferisco rivelarli solo in un secondo tempo.

R. — *Sono d'accordo con Lei e non insisto, anche perché la Sua musica è talmente eloquente da permettere, ascoltandola, di immaginare non uno ma mille programmi. Paul Valéry ha detto una volta: «I miei versi hanno il significato che gli viene dato dai lettori».*

S. — "Alzo la mano" per questo.

R. — *Quando l'opera è scritta si stacca dal compositore e diventa del pubblico, di coloro che la interpretano e la pensano.*

S. — Con questo Lei va oltre l'affermazione di Valéry ma mi trova d'accordo lo stesso. Posso aggiungere comunque che sono più interessato alle opere che sto scrivendo, a quelle incompiute, che a quelle già concluse.

R. — *Maestro, adesso farò una considerazione che potrà forse sembrarle strana: nella Sua musica le campane sono quasi sempre presenti.*

S. — Forse c'è una ragione, ma non me lo sono mai chiesto, come non sarei in grado del resto di spiegare la ricorrente citazione del nome Bach in quasi tutte le mie composizioni.

R. — *Sono campane a volte tristi, altre solenni, sacre o profane, che toccano vari aspetti della vita. Sono uno strumento speciale, di grande comunicazione, la loro voce va lontano, serve come segnale per sentimenti primordiali che riguardano la vita e la morte, la fede. Sono uno strumento rivolto alla collettività.*

S. — Sì, senz'altro. Ci sono però altri strumenti che usavo ricorrentemente in altri periodi e che in seguito ho abbandonato; per esempio lo xilofono e il vibrafono.

R. — *Vorrei citare una Sua affermazione: «Il compositore arriva inevitabilmente a pensare che è assolutamente impossibile realizzare pienamente l'idea. Davanti al suo occhio spirituale l'opera se ne sta con una forma completamente diversa. Egli crede di ascoltarla, per quanto non concretamente, come se fosse finita e quello che viene raggiunto, in confronto all'idea che l'ha preceduta, ha lo stesso rapporto di una traduzione nei confronti del suo modello originale. Verosimilmente ogni musica è come un errore, in rapporto al suono originale».*

S. — È vero, ma d'altra parte correggendo questo errore la musica non è più la stessa.

R. — *Quando Lei parla di "suono originario" il concetto assomiglia all'idea di Platone. Quindi tutte le musiche che vengono realizzate sono come copie di questa idea del "suono originario".*

S. — Ogni musica non è altro che un avvicinamento all'ideale, ed è un avvicinamento che non sarà mai completo.

R. — *Ogni pezzo che Lei scrive è come un passo di questo infinito avvicinamento all'ideale?*

S. — Forse, ma quando scrivo qualcosa di nuovo è come se con gli occhi chiusi guardassi all'infinito, verso un obiettivo irraggiungibile.

R. — *Questo è un punto di vista che coinvolge tutta la musica...*

S. — Quando parliamo della grande musica non ci dobbiamo porre dei limiti. Tutta la musica è necessaria, quella che ha preceduto Bach come quella che verrà dopo di noi o quella di Guillaume de Machault.

R. — *A proposito di Machault, Lei sa che la sua* Messa di Notre Dame *ha influenzato moltissimo Stravinsky nello scrivere la sua?*

S. — Non lo sapevo ma ho molta fiducia nel gusto di Stravinsky, sia per quanto riguarda la sua predilezione per Bach, sia per quanto riguarda il suo rapporto con i musicisti venuti prima di lui.

R. — *Penso che si possa pensare a Stravinsky come a un compositore il cui orecchio sapeva andare verso la storia.*

S. — Questo discorso mi fa venire in mente la questione dell'orecchio assoluto. Alcuni compositori lo posseggono, altri hanno un orecchio mediocre: entrambe le condizioni presentano vantaggi e svantaggi. Stravinsky aveva un orecchio mediocre, come Wagner e Prokof'ev; Šostakovič aveva invece l'orecchio assoluto.

R. — *Ma come Lei parlava precedentemente di un "occhio dello spirito" io mi riferivo a un "orecchio dello spirito".*

S. — C'è un orecchio che percepisce con precisione le note e un altro che riesce a cogliere qualcosa di indefinibile, forse più importante ancora.

R. — *Nelle Sue composizioni si ritrovano alcuni suoni continuamente ripetuti: il sol nel* Secondo Concerto per violino, *il la nel terzo movimento del* Concerto per viola. *Questa continua ripetizione di un suono finisce con l'aumentarne il significato?*

S. — È vero, ma io lo sento in qualche modo come un difetto, che cerco di superare cercando altri mezzi.

R. — *Per rimuovere il difetto implicito in questo nascono tante ansiose ripetizioni. Allora posso interpretare questa ricerca di rimozione come la causa delle precipitazioni ritmiche che si abbattono sulla stessa nota?*

S. — Potrebbe essere così.

R. — *Un altro procedimento che Lei usa spesso è quello dei contrappunti costruiti sull'unisono, per esempio nel* Canone in memoria di Stravinsky *o nel* Primo Quartetto. *È come se quel suono diventasse l'unico; un labirinto dal quale cercare di uscire come da una ossessione.*

S. — È molto che mi interesso all'idea della variazioni sull'unisono, poiché questo può avere molte facce e molte possibilità direzionali. Ancor più che nei brani che ha citato Lei ho fatto ricorso alle variazioni sull'unisono nel mio *Pianissimo*.

R. — *Questa ossessione dell'unisono non è rara nella musica del nostro secolo: Edgar Varèse e Giacinto Scelsi ci avevano costruito sopra dei veri e propri progetti compositivi.*

S. — E altri ancora, incluso Stockhausen, specialmente nei lavori giovanili come *Kreuzspiel*.

R. — *Secondo me i compositori che sono ossessionati dall'unisono hanno del suono una concezione alquanto diversa. Cosa pensa delle esperienze condotte da compositori americani come Steve Reich sulla dimensione del tempo attraverso una ripetizione quasi ipnotica?*

S. — Si potrebbero citare altri nomi, quelli di Terry Riley e di Philip Glass, ad esempio; per me si tratta di una ricerca poco riuscita di un nuovo sistema, quello minimalista. Penso che si cercheranno altre strade.

R. — *Cosa pensa dell'eternità?*

S. — Non posso dirlo. Come tutti ne ho la sensazione ma non so definirla. Cercare di misurarla ci porta già fuori strada: l'eternità è insieme statica e dinamica.

R. — *La musica ci può dare la sensazione di sfiorarla, di uscire dai limiti dell'umano?*

S. — Con il secondo dei *Tre pezzi per violoncello* di Webern, anche se è di breve durata, abbiamo la sensazione di essere stati in quello spazio per migliaia di anni.

R. — *Quindi la musica può dare l'illusione dell'eternità. È un'idea molto antica, già presente nei miti classici. Ne è un esempio il viaggio di Orfeo, che arriva a superare i limiti stessi della vita vincendo la morte.*

S. — Sono stati molti i tentativi di fermare il tempo e di uscirne e ogni volta abbiamo avuto dei risultati illustri ma non definitivi, come una fermata lungo la strada. Non bisogna smettere di cercare, ma con la consapevolezza che questa illusione ci dà la possibilità di capire che quel concetto esiste.

R. — *Lei è religioso?*

S. — Spero di esserlo, ma non sono certo di niente fino in fondo. Vorrei avere più fede.

R. — *Ha fede nell'aldilà?*

S. — Spero che sia così, ma non posso saperlo con sicurezza.

R. — *Le chiedo questo perché Lei ha scritto dei Requiem a volte dichiarati e a volte nascosti, il più commovente dei quali è il* Quintetto *con il* pianoforte *scritto alla memoria di Sua madre. Anche Brahms scrisse alla memoria di sua madre il* Deutsche Requiem *sperando nella sopravvivenza.*

S. — Anch'io ho la stessa speranza, ma nessuno può esserne certo.

Amburgo, gennaio 1993

PARTE SECONDA

Le opere

N.d.A. - L'autore ha utilizzato il materiale delle conversazioni avute con Alfred Schnittke tra il 1985 e il 1993. Al catalogo delle opere del compositore e alla discografia ha
collaborato direttamente lo stesso Schnittke.

Aleksandr Ivaškin

Alfred Schnittke: la musica e "l'armonia del mondo"

La ricerca di un linguaggio universale

Ricordando la terminologia introdotta da Ferdinand de Saussure, possiamo evidenziare nelle opere di Alfred Schnittke un carattere "linguistico" nitidamente espresso. La sua musica raggiunge la piena realizzazione nell'avverarsi del suono, spesso subisce cambiamenti legati alle differenti esecuzioni e, in generale, non viene mai percepita come un testo cristallizzato, dato una volta per tutte. Talora è il compositore stesso che, dopo le prime prove, apporta notevoli correzioni. Per Schnittke la musica è sostanza elastica e scorrevole, dotata di vita propria nel mondo della natura o nell'Universo, nelle cui viscere è nata per poi essere semplicemente afferrata, con maggior o minor successo, dal compositore. Per Schnittke la musica è parte di quella "armonia del mondo" che il compositore è chiamato ad ascoltare e a trasmettere. In tal modo, tutte le leggi della musica, gli elementi della composizione, le forme del suo sviluppo e i tipi di linguaggio costituiscono regole oggettivamente esistenti nel mondo e soggette ai suoi mutamenti, legate alle nuove forme spazio-temporali e ai nuovi tipi di conoscenza umana. In nessun caso, però, esse costituiscono il semplice frutto di una florida quanto stravagante fantasia creativa.

È forse per questo che la musica di Schnittke, divenendo parte integrante dei nostri vicendevoli rapporti con il mondo circostante, sa rendersi così necessaria a molti ascoltatori. In Russia essa è oggetto di particolare attenzione e da tempo è divenuta parte della cultura nazionale, soprattutto per le generazioni dagli anni Sessanta agli anni Ottanta. Allo stesso tempo, Schnittke, come nessun altro compositore russo dopo Šostakovič e Prokof'ev, è conosciuto e amato in molti paesi del mondo. La sua musica riempie incessantemente le sale da concerto, risuona nei festival, nei teatri, cantata e danzata, e nelle sale cinematografiche. Nel corso di quarant'anni (ricordiamo che Schnittke è "apparso" come compositore verso la metà degli anni Cinquanta) questa musica si è trasformata da avanguardia sperimentale in autentico patrimonio classico del XX secolo; ai generi cameristici (tipici delle ricerche sperimentali degli anni Sessanta) si sono sostituiti i concerti, poi le sinfonie, i monumentali cicli per coro e, infine, le opere e i balletti. La musica di Schnittke, similmente a una creatura viva, è legata indissolubilmente all'ambiente che la circonda, alla storia e alla cultura. Essa trova le sue origini proprio nell'irrequieto fluire della vita e pertanto, risuonando da un palcoscenico, non si esaurisce nella propria durata fisica, ma genera una serie infinita di associazioni che conducono all'esperienza reale della vita stessa. Le immagini delle opere di Schnittke oltrepassano i confini puramente musicali: per molti ascoltatori la sua musica, così come quella di Šostakovič, diviene cronaca annalistica degli avvenimenti del XX secolo, confessione dell'uomo che appartiene all'Era Moderna e che racchiude in sé alcuni secoli di pensiero, dal razionalismo cartesiano, dalla filosofia tedesca fino al simbolismo irrazionale del nostro secolo. La musica di Schnittke, nei suoi diversi indirizzi stilistici, incarna un unico flusso temporale, non più diviso in *ieri* e *oggi*; essa diviene il processo di "ascolto della vita" in tutta la sua complessa unità, agisce secondo il funzionamento di un organismo vivo, ugualmente sensibile agli umori contemporanei e ai segni del passato.

Non è possibile immaginare la musica di Schnittke chiusa nel cassetto del compositore, essa trae vita dall'energia stessa che le viene infusa nell'impegno di eseguirla e ascoltarla, dall'energia della sofferenza e della prova. Non vi è lavoro di Schnittke che non venga eseguito, anzi, oggi egli è senza dubbio uno dei compositori del XX secolo più ascoltati. La discografia delle sue opere conta alcune decine di dischi ed è in continuo aumento. Il fatto più importante, tuttavia, è che i lavori di Schnittke hanno occupato solidamente un posto nella vita musicale, divenendo così parte della vera storia della musica. Le sue opere vengono eseguite, alla pari con quelle classiche, in programmi di ogni genere nelle grandi sale da concerto e risuonano nell'interpretazione delle maggiori orchestre del mondo. Anche sotto tale aspetto, se pensiamo che la musica di molti altri autori viene eseguita soltanto a piccole dosi e in particolari serate dedicate alla musica contemporanea, le opere di Schnittke occupano una posizione unica e straordinaria.

La musica di Schnittke non è un semplice dato puramente sonoro, essa è piuttosto un linguaggio universale *sui generis*, comprensibile su un piano sia squisitamente musicale sia simbolico, che riflette molte peculiarità della vita spirituale contemporanea[1]. Nelle opere di Schnittke avvertiamo molti degli elementi costitutivi dell'atmosfera spirituale della nostra epoca, in esse vengono a fondersi e a riflettersi problemi di diversa natura percepiti dal compositore in ogni dove. Per Schnittke non esistono il proprio e l'altrui, il vecchio e il nuovo, l'alto e il basso, così come tali semplificazioni concettuali non esistevano per Joyce, Einstein, Eliot, Stravinsky, che ampliarono la nostra concezione sull'unità del mondo e sul carattere universale della cultura umana. Schnittke attinge ovunque al materiale per la propria musica, egli unisce non soltanto elementi culturali stilisticamente diversi e di diversa portata: il suo impavido atteggiamento nei confronti delle banalità e dell'uso del cliché, inteso come simbolo polimetrico, è unico nella musica del XX secolo. Allorché Schnittke introduce nella sua musica una citazione, sia essa esplicita o nascosta, un perfetto inserto oppure una vaga allusione, egli non si rivolge a un materiale estraneo ma a un materiale preesistito, al pari di quanto fecero Joyce, Eliot o, ancor prima, il filosofo e scrittore americano Ralph Waldo Emerson, secondo il quale «la citazione è portatrice di verità». L'uso della citazione eclettica, così tipica di Schnittke, è uno sguardo rivolto all'esperienza culturale delle generazioni passate, è un contatto istantaneo e illuminante con il passato, l'assimilazione di una memoria culturale. Nella sua musica, pertanto, riceviamo subito e direttamente ciò a cui potremmo giungere soltanto dopo aver percorso un lungo cammino e dopo aver compiuto innumerevoli passi logici. Schnittke è uno dei rarissimi compositori a cui è riuscito di utilizzare come materiale per la propria arte il *condensato* dell'esperienza umana estrapolata. Proprio tale esperienza nasconde il significato profondo della sua musica.

La musica di Schnittke incarna in sé non soltanto quegli elementi del nostro tempo che definiremmo unici ma anche i tratti tipici di un'epoca. In fondo, la cultura del XX secolo, al passo con la teoria della relatività di Einstein, si rivolge alle correlazioni, agli scontri tra tradizioni ed elementi differenti, al loro contesto, anziché rivolgersi a singoli fenomeni in quanto tali. Nasce così una "metacultura" in cui si articolano non le particolarità morfologiche interne bensì i legami sintattici di tradizioni e stili. Differisce cioè il tipo di pensiero musicale, come differisce il tipo e il senso della creatività stessa. Intrecciando tradizioni sia musicali sia non strettamente musicali, abbinando fatti appartenenti all'arte ad altri appartenenti al reale, unendo tra loro segni di diverse culture, Schnittke introduce organicamente questo materiale nell'unico contesto della sua musica o, più esattamente, della "metamusica".

Nuova, e nel contempo tipica della coscienza contemporanea, è la comprensione della musica e dell'opera musicale come di un processo in perenne evoluzione, aperto come la vita stessa; si ha cioè un allontanamento dall'idea che un tempo vedeva l'entità artistica come oggetto a sé bastante, con un inizio, un centro e una fine. Basterà ricordare il finale di molte opere di Schnittke che, dopo la *Prima Sinfonia*, di regola si chiudono con puntini di sospensione oppure si allontanano nell'infinito con volute spiraliformi. Non potremo mai trovare un *punto* formale, un completamento nettamente definito. Ascoltando le sinfonie o i concerti di Schnittke, noi "entriamo" in essi, ci muoviamo, cambiamo angolazione. La nostra posizione viene a rivelarsi instabile e insicura, mentre la forma risulta costantemente aperta. L'elemento fondamentale, inoltre, diventa non l'aspetto esteriore dei momenti musicali bensì il carattere delle loro interrelazioni.

Un'altra particolarità della musica di Schnittke è la libera combinazione di passato e presente in un unico contesto sincronico, il libero movimento avanti e indietro lungo gli assi temporali, senza un andamento lineare degli eventi. Ogni istante unisce lungo la verticale molti punti della scala temporale, portandoli repentinamente a vivere in più di una dimensione. Il carattere paradossale di tale processo creativo è ravvisabile nelle sinfonie, nei concerti, nelle opere da camera, nelle sonate per violino, pianoforte, violoncello e, in diversa misura, in ogni lavoro di Schnittke, nelle sue stesse modalità espressive, nel dipanarsi progressivo del materiale musicale.

Infine, la peculiarità più evidente della creazione di Schnittke è senz'altro l'arte di unire materiali eterogenei e di diverso respiro in un unico organismo. Nelle opere del compositore (con il chiaro influsso della sua enorme esperienza nel campo cinematografico) vengono a unirsi la cronaca, i fatti della cultura e della vita di ogni giorno — il caos della quotidianità, elementi reali, fotografici — ed elementi irreali, di pura astrazione. Più di una volta il compositore è stato accusato dai critici di utilizzare un materiale non sufficientemente sterile, di raccogliere e rielaborare nella propria musica «scarti da immondezzaio»[2]. Ricordiamo che Claude Lévi-Strauss trova un'analogia al processo mitopoietico nel bricolage, nella raccolta di quanto ci capita a portata di mano, sia esso un prodotto semilavorato o uno scarto: nel processo mitopoietico tutti questi elementi casuali vengono passati al setaccio, interagiscono tra di loro arricchendosi via via e finalmente, da semplice materia offerta dalla quotidianità, si trasformano in archetipi mitologici universali[3]. Intrecciando talora particelle della storia musicale quasi rudimentali e infinitesimali, Schnittke non le abbandona a tale livello elementare, ma condiscende all'estrema semplicità del linguaggio, giunge al suo atomo indivisibile dopodiché, infondendogli forza e spessore, lo trasforma in un segno, in un simbolo che racchiude in sé la luce della storia. È per questo che le opere di Schnittke non possono esaurirsi nel mero ascolto reale; esse lasciano a lungo una traccia nella memoria, inducono alla riflessione, generando una lunga serie di associazioni.

Le fonti della creatività di Schnittke non sono ravvisabili in una tradizione a sé stante. L'ambivalenza delle sue immagini musicali e il nerbo della sua nuda espressività ci riportano a Mahler; l'osservanza libera e virtuosistica dei più disparati indirizzi stilistici fa pensare a Stravinsky; l'intensità d'intonazione della vita interiore e l'estrema concentrazione nella disciplina dello spirito risalgono a Berg; le forme aperte, le angolazioni alla deriva, la naturale unione di elementi di stridente eterogeneità, gli effetti spaziali e i momenti di dichiarata teatralità richiamano Ives. Ma la simbolica profondità dell'enunciato, paragonata dall'illustre filosofo georgiano Merab Mamardašvili alla «superficie del velluto», la tempra particolare e il pathos di una tensione nascosta sono senza dubbio eredità dell'arte e della cultura russa, cui lo stesso Schnittke dichiara di riferirsi. Si tratta innanzitutto dell'eredità di Šostakovič, di cui frequentemente Schnittke viene oggi considerato un discepolo.

Molti sono i parallelismi che si possono tracciare tra Schnittke e Šostakovič. Uno dei più evidenti poggia sul mondo del grottesco, dell'ironia e della parodia. È palese in questo senso l'affinità tra gli *Eskizy* (*Schizzi*) di Schnittke e *Bolt* (*Il bullone*) di Šostakovič, come pure sono straordinarie le somiglianze tra il ridicolo mondo dell'opera lirica *Žizn' s idiotom* di Schnittke (*La vita con un idiota*) e *Nos* (*Il naso*) di Šostakovič. Di maggior entità, tuttavia, è il legame di Schnittke con la simbologia del tardo Šostakovič, con l'intonazione cupa ed elegiaca delle sue opere della fine anni Sessanta e dell'inizio degli anni Settanta. Non si tratta soltanto dell'uso della citazione, come accade nella *Quindicesima Sinfonia* o nella *Sonata per viola*, ma soprattutto del ferreo desiderio di condurre la musica al di là delle sue cornici convenzionali, di comunicarle cioè una particolare apertura e un ampliamento semantico. Tutti i finali e le code degli ultimi lavori di Šostakovič sono collocati, nella sostanza, al di là di tali cornici, al di là della parentesi che racchiude l'opera, trasportando così la percezione su di un piano diverso, dalla simbologia assai più complessa. Ricordiamo la folgorante coda della *Tredicesima Sinfonia*, l'ultimo quartetto per archi o il ciclo per basso e pianoforte sui *Sonetti* di Michelangelo. Ovunque il finale "s'invola" al di sopra dell'opera e apre un inaspettato varco verso l'esterno. In Schnittke la presenza di un piano simbolico diviene costante. In ogni sua opera ciò che è manifesto possiede altresì una parte sommersa. E non si tratta semplicemente di musica ma di un'assorta riflessione su di essa, mediante l'attento montaggio di musiche diverse. Una sinfonia, un concerto o una sonata si dipanano non tanto come costruzioni quanto come catene di eventi correlati e conflittuali.

Oggi, dopo la caduta della dittatura comunista, si vorrebbe sempre più spesso che nella nuova Russia l'arte e in particolare la musica fossero di tipo nuovo, puro, senza legami di sorta con alcunché di simbolico o con un sotto-testo extramusicale. L'accusa rivolta a Schnittke è quasi di voler speculare sulle idee extramusicali. Sulle pagine del «New York Times» Richard Taruskin definisce profondamente sovietica l'essenza stessa della musica di Schnittke, descrivendola come una sorta di «realismo socialista senza il socialismo»[4], mentre J. McDonald, studioso dell'arte di Šostakovič, scrive in tono apertamente denigratorio: «Alfred Schnittke è oggi il compositore maggiormente sopravvalutato. Se fosse nato sulle rive del Reno e non sul Volga, dubito che qualcuno oggi ascolterebbe la sua musica»[5].

La musica russa e l'arte russa nel suo complesso non sono mai state sterili eventi estetici. L'arte, la letteratura, la musica hanno sempre racchiuso in sé una potente carica di filosofia nascosta o di energia sociale. Così è sempre stato e credo che così resterà in futuro, indipendentemente dai mutamenti avvenuti in ambito sociale. Ovviamente, nessuno può considerare un fatto normale che negli anni del regime totalitario comunista l'arte abbia subito una trasformazione, assumendosi di fatto la funzione vicaria di una vita qualitativamente degna. Proprio nell'arte i russi hanno trovato talvolta un significato nascosto, cifrato, o un simbolo che rimandava a importanti concetti metafisici. Ancor più rilevante, tuttavia, fu che la musica e la pittura degli anni della "stagnazione" riuscivano a incarnare una sorta di modello ideale di sviluppo, di vita colta nel suo fluire denso di conflitti, di gioco dello spirito umano, un modello la cui realizzazione nella vita reale era impossibile. Il simbolismo non fu mai letteralmente o volgarmente sociologico, come molti oggi intendono far credere per propri scopi precisi. La musica di Schnittke, al pari della musica di Šostakovič o di quella, ad esempio, di Olivier Messiaen, contiene un profondo strato simbolico non perché segua ciecamente questa o quella situazione della vita reale, ma perché in qualsivoglia delle situazioni essa saprà generare riflessione e associazioni in grado di condurre l'ascoltatore ben oltre i confini del testo in sé. La musica di questi compositori è legata al simbolismo originario del linguaggio musicale stesso e non a qualche sotto-testo cifrato di epoca comunista.

È ovvio che muterà la percezione di questa musica. Basti ricordare quanto poco interessante fosse Šostakovič negli ultimi anni della sua vita, allorché pareva ripetersi in un ingenuo simbolismo. Oggi, dopo quasi due decenni, la situazione è mutata radicalmente; sia in Russia sia in Occidente la sua musica viene ascoltata proprio come pura *musica*, il contesto politico non ha più alcuna parte e, in compenso, diventano assai più comprensibili tutti gli idiomi di Šostakovič, dotati di un carattere nettamente simbolico ed espressivo comune anche a molte intonazioni della musica barocca o romantica. La sintassi della sua musica, il tipo di sviluppo e l'aspetto paradossale di molti suoi temi sono una chiara metafora delle categorie universali del pensiero contemporaneo e non certo una traccia lasciata sull'arte del compositore dall'influenza di un regime totalitario.

Diverso è il fatto che mutino la posizione dell'ascoltatore e la composizione dell'uditorio stesso. Nella Russia del post-comunismo è possibile che le nuove generazioni non intendano più rivolgersi alla musica o alla letteratura come a un tormentato e doloroso documento umano. Eccessiva e troppo recente è stata la sofferenza subita nella vita reale. Tuttavia, si tratta di una situazione storica puramente soggettiva dettata dal momento. La musica di Schnittke non ha bisogno di riprodurre un preciso contesto sociale illiberale (quello in cui essa fu creata) al fine di essere comprensibile e di manifestare pienamente le proprie qualità intrinseche[6]. Questo innanzitutto perché il linguaggio di Schnittke, a mio giudizio, anziché essere semplicemente russo è piuttosto (in senso geografico e cronologico) universale. L'enorme significato storico della musica di Schnittke è racchiuso nella capacità del compositore (per ragioni sia oggettive — legate al periodo storico — sia soggettive — legate all'identità nazionale e all'educazione) di aprire alla musica russa un nuovo spazio organico, connesso sia alle tradizioni musicali puramente russe, espressive e percettive, sia a qualsivoglia tradizione occidentale. Ne è nata, come risultato, una lega oltremodo resistente, fatta di razionalità e irrazionalità, simbologia e logica, che da un lato costituisce una solida base percettiva per l'uditorio più disparato e dall'altro risulta sufficientemente flessibile per sostenere i carichi più diversi, legati ai mutamenti di una concreta situazione sociale o mentale. Le opere di Schnittke, pertanto, non sono il documento locale di una data epoca, bensì la testimonianza tangibile di quelle che sono le leggi dell'armonia universale nella coscienza dell'uomo contemporaneo.

«Non sono io a scrivere la musica, io colgo soltanto ciò che giunge al mio orecchio [...] la scrittura si realizza *grazie a me*» ha ammesso più di una volta il compositore[7]. Fino a quando la musica e l'arte in generale verranno percepite come pura sostanza, in grado di riflettere le leggi e i paradossi del mondo, le opere di Schnittke saranno suonate e risveglieranno il pensiero e la coscienza, riproducendo quel legame originario tra suono e senso, legame naturale ma misterioso e difficilmente afferrabile.

Gli esordi

L'elenco "ufficiale" delle opere di Schnittke inizia dalla metà degli anni Cinquanta. Tutto quanto scritto in precedenza viene considerato dal compositore un'esercitazione scolastica che non merita attenzioni. In realtà, già tra i lavori scritti durante gli studi al conservatorio troviamo composizioni estremamente curiose (v. Appendice in questo stesso volume). Oltre alle miniature per voce e per pianoforte, a esempio, comuni ad ogni compositore esordiente, troviamo anche una Sinfonia in quattro movimenti (1955-56). In una recente conversazione avvenuta nel 1992, Schnittke ricordava benevolmente questa sua Sinfonia che, di fatto, rappresentò la sua prima esperienza nel campo della politonalità (in chiave vi erano diesis e bemolli!)

Riconoscendo tutti i meriti al suo insegnante di conservatorio, Evgenij Kirillovič Golubev, Schnittke ritiene che la sua individualità creativa non ebbe a subire alcun condizionamento da parte di questo docente, e che la musica di Schnittke avesse un carattere spiccatamente individuale fin dagli inizi lo testimoniano i tre cori scritti nel 1957. Uno di questi, *Kuda b ni šël, ni echal ty* (*Ovunque tu vada*), su versi di M. Isakovskij, si è conservato a tutt'oggi su di un vecchio disco relativo a una registrazione d'archivio. Benché nelle intonazioni e nelle armonie del coro non vi sia nulla di particolarmente estraneo alla tradizione (ricordiamo che l'incisione fu eseguita da uno dei gruppi più "ortodossi" e conservatori, il coro diretto da Aleksandr Svešnikov, personalità ben nota tra i rettori del Conservatorio di Mosca più "a destra"), vi si ravvisa già tuttavia un carattere meditativo e contemplativo più insistito del solito, insieme a certi passaggi melodici non standardizzati, tipici dello Schnittke successivo.

La composizione di maggior respiro realizzata da Schnittke negli anni studenteschi fu l'oratorio *Nagasaki* (1957-58), presentato come tesi di laurea al Conservatorio di Mosca. *Nagasaki* fu di fatto il primo esperimento di Schnittke nel genere della cantata-oratorio, destinato più tardi a ritornare nella sua arte con il tema di Faust agli inizi del 1980. Oggi, con lo sguardo al passato, appare chiaro che *Nagasaki* e l'assai più tarda *Istorija doktora Ioganna Fausta* (*Storia del dottor Johann Faust*) furono per Schnittke prototipi di un genere scenico, e non certo statiche composizioni da concerto. Una certa teatralità di pensiero comparve nella musica di Schnittke assai presto. *Nagasaki*, infatti, è costituito da una serie di scene dedicate al tragico giorno del 1945 allorché sulla città giapponese venne sganciata la bomba atomica. Nella successione di tali scene ritroviamo sia l'azione vera e propria, come nella seconda e terza parte, *Utro* (*Il mattino*) e *V etot tjagostnyj den'* (*In questo penoso giorno*), che non hanno soluzione di continuità, sia il momento riflessivo dell'epilogo *Na pepelišče* (*Sulle ceneri rimaste*), con il solo del mezzosoprano, sia il paesaggio estraniato e malvagio. La catastrofe, quindi, viene vista dal compositore come da più punti di osservazione e da diverse posizioni temporali. Sotto questo aspetto, è interessante anche la scelta dei testi che sono alla base dell'oratorio: testi russi e giapponesi (uno degli autori fu E. Ejsaku, un abitante di Hiroshima). Lo spazio sonoro dell'oratorio pare diventare polimetrico, pluralistico, il che caratterizzerà le opere più tarde di Schnittke. Tale effetto viene rafforzato dall'impiego di materiale musicale assai vario: la scala pentatonica orientale, le stratificazioni sonore e il boato del momento culminante di *In questo penoso giorno* (dove il compositore ha cercato di riprodurre nei suoni l'esplosione atomica). La forza elementare, e quasi esclusivamente orchestrale, scatenata nel momento culminante cede alla melodia funebre del mezzosoprano «Ja ticho idu po zemle opalennoj» («Avanzo silente sulla terra bruciata»), la cui funzione ricorda espressamente il famoso solo del mezzosoprano nell'*Aleksandr Nevskij* di Sergej Prokof'ev.

I quaranta minuti dell'oratorio di Schnittke, eseguito nel 1959 a Mosca con un'audizione preliminare presso l'Unione dei Compositori, vennero brutalmente tacciati di "modernismo" e di essere una scimmiottatura dimentica dei dettami del realismo. Schnittke si vide costretto, anche su consiglio del suo insegnante Golubev, a riscrivere il finale, la cui prima versione era apparsa eccessivamente lugubre, tanto da spaventare i rappresentanti ufficiali dell'Unione dei Compositori. Apparve così una nuova coda, che doveva concludere l'oratorio con una nota ottimistica. «Mostrai *Nagasaki* a Šostakovič — ricorda Schnittke — e fu uno dei rari incontri avuti con lui. La reazione di Šostakovič fu breve e chiara, come tutto ciò che egli faceva. Il lavoro in sé gli era piaciuto, ma aveva compreso che la versione originaria terminava in modo diverso e la nuova chiusa non lo soddisfaceva affatto: disse che bisognava lasciarlo così com'era prima».

Del resto era ormai tardi per cambiare l'epilogo. *Nagasaki*, dopo un'unica esecuzione, ricevette le aspre reprimende della critica, che inveì contro l'oratorio di Schnittke e contro diversi altri lavori di giovani compositori, tra cui l'oratorio *Postup' mira* (*L'incedere della pace*) di Arvo Pärt.

Di per sé, l'attenzione alle tematiche del mondo contemporaneo o della storia recente era piuttosto diffusa in quegli anni, poiché i giovani compositori consideravano con assoluta sincerità l'importanza dei problemi sociali e politici (in seguito, negli anni Settanta e Ottanta, si trattò per molti di una scelta costretta). «Si trattava di un'opera immatura — ricorda Schnittke a proposito di *Nagasaki* — ma allo stesso tempo la sua onestà era assoluta ed è per questo che essa resta un momento importante per me». È interessante notare che, subito dopo *Nagasaki*, nei piani di

Schnittke rientrava un lavoro ispirato al *Doktor Faustus* di Thomas Mann, il romanzo più amato dal compositore e una delle incarnazioni del tema di Faust che tanta importanza ha nell'arte di Schnittke. L'idea del *Doktor Faustus* ci dà modo di pensare che già a quel tempo, verso la fine degli anni Cinquanta, il male satanico e la sua furia rappresentassero per Schnittke un problema di dimensioni assai più globali rispetto al concreto esempio storico di Nagasaki.

Negli anni successivi il compositore scrisse soltanto due opere legate direttamente ad avvenimenti della storia contemporanea: il pezzo orchestrale *Ritual* (*Rituale*) del 1985, dedicato alla memoria dei caduti nella seconda guerra mondiale, e la breve composizione per orchestra da camera *Sutartines* (1991), una risposta ai tragici scontri avvenuti in Lituania alla vigilia dell'indipendenza. *Nagasaki*, quindi, rappresenta l'inizio preciso nella trattazione di un tema importantissimo nell'arte di Schnittke, quello del male, considerato nel suo aspetto eterno, e dell'opposizione ad esso, un tema che riecheggerà nelle idee e nelle opere successive degli anni Ottanta e Novanta, libere oramai da diretti legami con i fatti concreti della storia contemporanea.

Non meraviglia che l'oratorio *Nagasaki*, dagli evidenti tratti scenici, abbia avuto come diretta continuazione la prima opera lirica di Schnittke *Odinadcataja zapoved'* (*Undicesimo comandamento*), imperniata sulla vita e sulle sofferenze del pilota che aveva sganciato la bomba atomica sulla città giapponese (un anno prima Schnittke aveva iniziato l'opera *Afrikanskaja ballada* [*Una ballata africana*], su libretto di S. Cenin, rimasta tuttavia incompiuta). L'opera parve quindi voler pienamente concretizzare le potenzialità sceniche espresse dall'oratorio. È interessante notare che il libretto fu proposto a Schnittke su suggerimento di Šostakovič, che a quel tempo già conosceva *Nagasaki*. Schnittke, come egli stesso ebbe più volte ad ammettere, utilizzò per la prima volta nell'opera quei procedimenti che si sarebbero via via sviluppati nei suoi lavori successivi: l'accostamento di stili diversi e il collage di stratificazioni sonore multiple. In *Undicesimo comandamento*, inoltre, venne per la prima volta adottata coerentemente la tecnica dodecafonica. «Il maggior difetto di questo lavoro — ricorda Schnittke — fu l'impiego della tecnica dodecafonica per creare la musica "negativa", un tentativo cioè di distinguere il negativo e il positivo in base a un elemento formale nel materiale utilizzato».

Nel complesso, comunque, *Undicesimo comandamento* rappresentò per Schnittke un passo in avanti, sia per la qualità del materiale musicale stesso, sia per gli arditi accostamenti tra molteplici stili contrastanti. L'opera fu il primo tentativo di utilizzare la tecnica seriale e di razionalizzare la scrittura; il compositore avvertì in quel caso il bisogno pressante di "disciplinare" il proprio lavoro, il che trovò una continuazione in numerosi esperimenti degli anni Sessanta, intrapresi però all'interno di generi cameristici. Ancor più feconde per la futura creatività di Schnittke, tuttavia, furono l'ardita stratificazione di materiali diversi e l'intemerata infrazione della consueta e tradizionale "sterilità" stilistica (destinate entrambe a germinare nelle opere eclettiche degli anni Settanta e Ottanta). «Si trattava certamente di un aperto eclettismo — afferma Schnittke ricordando la sua prima opera — di un mescolamento di stili. Eppure, proprio per tali caratteristiche *Undicesimo comandamento* resta per me un lavoro interessante, come un esperimento sfortunato ma in ogni caso di grande utilità». La musica dell'opera (circa due ore di esecuzione) rimase sullo spartito, in quanto Schnittke non intraprese mai la redazione definitiva della partitura. A tale proposito nel corso di un'intervista egli disse: «Nell'idea originaria doveva trattarsi di uno spettacolo di sintesi, che avrebbe riunito i tratti dell'opera lirica, del balletto e della pantomima, uno spettacolo con i diversi elementi della tecnica scenica, compresi il cinema, la radio e la stereofonia. In un'opera del genere la musica non poteva esistere al di fuori di un preciso legame con la soluzione scenica, il carattere sperimentale di quanto ideato richiedeva una verifica sulla scena, lo spettacolo doveva nascere quasi passo a passo in una comune ricerca con gli attori e lo scenografo. Purtroppo tutto ciò non si è realizzato ed è per questo che il lavoro è rimasto limitato allo spartito e alla prima versione del libretto»[8].

Tra i lavori composti da Schnittke nei suoi primi anni di attività vi è ancora un'opera di ampio respiro che vale la pena menzionare: *Pesni vojny i mira* (*Canti di guerra e di pace*). Si trattò della prima creazione ufficialmente commissionata a Schnittke e del primo lavoro pubblicato (in realtà fu pubblicato lo spartito ma non la partitura completa). Il compositore si rivolse per la prima volta a un materiale "estraneo", procedimento caratteristico dei lavori a venire.

La partitura infatti riporta: «Alla base della cantata vi sono moderni canti popolari russi». Il ministero della cultura, commissionando l'opera, aveva posto come condizione l'impiego di materiale tratto dal patrimonio folcloristico, pensando forse in tal modo di dirottare un compositore "di sinistra" nel tradizionale alveo delle rielaborazioni di tipo peseudo-popolare (negli anni Sessanta e Settanta composizioni del genere venivano create ed eseguite a centinaia e, trasmesse quotidianamente alla radio, costituivano una parte del "lavoro ideologico" del partito comunista).

La cantata in quattro parti di Alfred Schnittke rappresenta un lavoro di tutt'altro genere. Da un punto di vista strutturale essa è formata da due metà (la prima e la seconda parte, come pure la terza e la quarta, si susseguono senza interruzione). Le parti dispari, più lente e meditative, rappresentano, per così dire, un prologo alle parti pari, più vivaci e di maggior azione. Il testo delle parti pari narra della recente guerra, mentre il carattere della musica e le parole della prima e terza parte, *Zolotjatsja travami drevnie kurgany* (*S'indorano di erba gli antichi kurgan*) e *Oj da serdce gor'ko serdce stonet* (*Ahimé il cuore, il cuore amaramente geme*), hanno accenti più astratti e universali. I temi melodici delle canzoni, scelti dal compositore nella collezione del Laboratorio di arte popolare presso il Conservatorio di Mosca (la maggior parte dei canti era stata raccolta e trascritta da S. Puškina verso la fine degli anni Cinquanta), sono ben lontani dagli stereotipi delle canzoni popolari russe di ampio smercio in quel periodo. Le melodie dei *Canti di guerra e di pace* sono ricolme di tristezza, per lo più di intonazione cupa e dal disegno alquanto insolito. «Mi piaceva particolarmente — ricorda Schnittke — il lungo tema cromatico del pianto nella terza parte. Se è vero che i canti riflettono in qualche modo il paesaggio circostante, doveva trattarsi di un luogo estremamente cupo».

L'idea di Schnittke era oltremodo interessante e usciva dai canoni fissati non soltanto per la scelta delle canzoni: inizialmente, infatti, il compositore scrisse una suite per orchestra basata sul materiale dei canti popolari, cercando così di concretizzare la loro linea melodica e le immagini da loro suggerite con mezzi puramente strumentali. In tal modo, Schnittke intendeva infondere vita alle melodie insolite di questi canti in modo adeguato e lontano dai comuni stereotipi. Schnittke dovette tuttavia giungere a un compromesso, in quanto l'Unione dei Compositori propose di aggiungere una parte corale alla partitura orchestrale, al fine di rendere l'opera «maggiormente adatta al carattere delle canzoni popolari». Schnittke trovò una soluzione paradossale e a mio giudizio leggermente grottesca: senza nulla mutare della partitura orchestrale egli "allegò" a questa una parte corale appositamente scritta su testi nuovi, che non avevano alcun rapporto con il testo originale delle canzoni e appartenevano ad A. Leont'ev e A. Pokrovskij. I *Canti di guerra e di pace* vennero eseguiti nella Sala grande del Conservatorio e recarono all'autore il primo successo ufficiale.

Già i primi grandi lavori di Schnittke (scritti tra gli anni Cinquanta e Sessanta) attirarono l'attenzione per l'assoluta individualità dell'intento creativo e per la tendenza a soluzioni insolite, non standardizzate, derivanti sì — almeno in parte — da tradizioni diverse ma mai racchiuse in una sola di esse. In quegli anni, tuttavia, l'impegno del compositore era rivolto a elaborare un linguaggio musicale nitido, razionale e preciso, e a studiare i capolavori dei compositori occidentali contemporanei. «Dominare la tecnica ed elaborare un linguaggio musicale individuale; in ciò — disse Schnittke nel 1966 — è racchiuso quasi interamente il compito del compositore, il frutto dei suoi sforzi coscienti. Non è un segreto che sovente la pretesa di una certa importanza di contenuto cela una grande debolezza della forma musicale, un vero e proprio "inestetismo" della musica e una diretta dipendenza da cliché puramente tecnici»[9].

In quegli anni, il desiderio di imporre la massima disciplina allo sviluppo della composizione e di elaborare un nuovo linguaggio di portata universale, basato sulla razionalità della tecnica seriale, era per Schnittke una sentita esigenza etica e non soltanto professionale. Per il compositore pare iniziare una seconda fase, quella di uno studio ormai pienamente autonomo. Si trattò di un periodo relativamente breve ma oltremodo intenso, tra l'inizio e la metà degli anni Sessanta. In tale momento creativo Schnittke si allontana dalle grandi forme e si concentra sulla musica da camera, analizzando scrupolosamente, e poi realizzando, il microcosmo e il microlivello della propria musica; le leggi che regolano l'intonazione, il ritmo e la fattura stessa dell'opera emergono dunque in primo piano. «Ho compreso che non mi occupo a sufficienza di concretizzare esattamente il mio pensiero e mi ritengo talvolta soddisfatto di una soluzione *in generale* che la tecnica mi suggerisce. E poiché la limitatezza dei mezzi costringe all'inventiva, io mi sono rivolto alla musica da camera»[10].

Il laboratorio strumentale - Verso l'eclettismo

Come abbiamo visto, gli anni Sessanta furono per Schnittke, come per altri compositori di questa generazione, un periodo dedicato alla ricerca di un proprio linguaggio e di un proprio stile, un periodo cioè di sperimentazione. Le principali composizioni di quegli anni sono esclusivamente strumentali e di preferenza cameristiche. Anche quando Schnittke si rivolge a un'orchestra, si tratta comunque di un complesso strumentale di piccole dimensioni (come per il *Secondo Concerto per violino*) o di un insieme piuttosto ampio ma trattato dal compositore come fosse un singolare insieme di solisti (come in *Pianissimo*). Sotto tale aspetto egli segue l'esempio di Stravinsky, il cui laboratorio di ricerca di un nuovo stile strumentale, negli anni Venti, fu proprio rappresentato dai generi cameristici; così fu anche per Ives con le canzoni o per Hauer e Skrjabin con la musica per pianoforte. L'unica eccezione vocale all'interno di questi lavori di Schnittke furono *Tri stichotvorenija Mariny Cvetaevoj* (*Tre poesie di Marina Cvetaeva*) del 1965. All'interno di questo ciclo vocale, tuttavia, la parte del mezzosoprano presenta un caratteristico quanto evidente tratteggio strumentale (le ampie intonazioni spezzate, il grido, i *glissando, parlando* e così via). Schnittke reperisce così felicemente nella stessa parte vocale procedimenti strumentali di origine nuova, mentre la parte del pianoforte si configura in pratica come il testo di uno strumento a percussione o ad arco. L'autografo di questo ciclo riporta due pagine intere di annotazioni sull'insolito modo di suonare il pianoforte (sui tasti, sulle corde, o con effetti di percussione tipo la «chiusura del pianoforte con un colpo secco» oppure il «suono generato dalla caduta di una matita sulle corde»). Questo spartito per pianoforte può essere letto in chiave sostanzialmente seriale, mentre la parte vocale non ha nulla di dodecafonico. A detta dello stesso Schnittke «la dodecafonia male si adatta alla parola in quanto è essa stessa (la dodecafonia) a determinare tutto il resto»[11]. Si trattò, in sintesi, di una forma di "eresia" nei confronti della musica seriale e allo stesso tempo dell'unica digressione dai generi puramente strumentali nel corso di un intero decennio.

Tra le maggiori opere degli anni Sessanta abbiamo la *Musica per pianoforte e orchestra da camera*, la seconda redazione del *Primo Concerto per violino*, la *Prima Sonata per violino*, la *Seconda Sonata per violino*, il *Secondo Concerto per violino*, il *Primo Quartetto per archi*, il lavoro orchestrale *Pianissimo* e infine il *Concerto doppio per oboe, arpa e archi*, scritto agli inizi degli anni Settanta e affine al gruppo di opere razionali, "calcolate", come le definisce lo stesso compositore. In quasi tutti questi lavori si nota il particolare coinvolgimento nei nuovi procedimenti tecnici: Schnittke entra in confidenza con le partiture di Schönberg, Webern, Berg e con i lavori dei compositori polacchi, studia a fondo le opere di Stockhausen, Boulez, Pousseur e Nono, la cui visita a Mosca negli anni Sessanta rappresentò per Schnittke un avvenimento di eccezionale importanza: «Nono ha dimostrato che la musica contemporanea non può essere soltanto e puramente razionale»[12].

È ovvio che le opere di Schnittke degli anni Sessanta non sono semplicemente inserite a viva forza nell'asettico ambiente estetico del serialismo. E benché lo stesso compositore ritenga di aver cercato di capire e di "afferrare" la tecnica di Boulez, Stockhausen, Pousseur, di «pensare nel loro stesso modo»; ciò non gli impedì tuttavia di allontanarsi sempre più dal puro razionalismo della serialità e di introdurre in misura sempre maggiore elementi individuali propri nell'impiego di tale tecnica. Questo, in ultima analisi, portò al brusco conflitto e alla successiva rottura con la serialità agli inizi degli anni Settanta.

Il peso maggiore nelle opere di Schnittke degli anni Sessanta ricade sul violino: concerti, sonate e, più tardi, la *Suite in stile antico*. Lo stretto rapporto artistico con violinisti di eccezionale levatura, come Mark Lubockij e successivamente Gidon Kremer, divenne un autentico catalizzatore nell'attività del compositore. Da questo momento in poi, fino alla metà degli anni Ottanta, le maggiori idee maturarono proprio nell'alveo delle opere per violino, o di lavori legati alla presenza di uno o più violini. Le scoperte del compositore inoltre — fatto di importanza non irrilevante — venivano testé verificate al vivo suono dello strumento e spesso l'idea o la scrittura nascevano già con l'esatta conoscenza del risultato finale. Nell'esperienza di Schnittke la ricerca di fondamenti razionali nel linguaggio musicale si unì felicemente alla possibilità di un contatto concreto e costante con elementi totalmente diversi e talora assolutamente irrazionali, quali le particolarità presenti nello sviluppo della viva esecuzione. Tale fortunata combinazione determinò largamente l'indirizzo nelle ricerche del compositore, accostandole innanzitutto alla realtà dell'esecuzione.

La linea creativa degli anni Sessanta, quindi, passa dal *Primo Concerto per violino* e dalla *Prima Sonata per violino* al *Secondo Concerto per violino* e alla *Seconda Sonata per violino*. Il *Primo Concerto* fu scritto ancora negli anni del conservatorio, mentre la seconda redazione risale al 1962-63 (il secondo movimento, come propone lo stesso compositore, può anche non essere eseguito). Ascoltando oggi questa musica scintillante, si può avvertire con quale fermezza Schnittke abbia cercato di aprire una breccia nel muro di consolidate tradizioni di intonazione, fattura e drammaturgia. È naturale, e ovvio, che questo concerto ricordi sia Mjaskovskij sia Prokof'ev e, in misura minore, Šostakovič e Stravinsky (benché sia lo stesso Schnittke a ricordare che durante la stesura del lavoro fu proprio il *Primo Concerto per violino* di Šostakovič a esercitare su di lui una grande influenza). L'autorità di Šostakovič è soprattutto evidente nei principi stessi della composizione: il grande ciclo in quattro movimenti, il culmine che viene raggiunto nei momenti più importanti della ripresa e le brillanti cadenze del violino che divengono nodi essenziali dell'intero lavoro.

Nello stesso tempo, per quanto concerne l'intonazione, il linguaggio musicale e il tematismo, Schnittke è più vicino a Prokof'ev e a Mjaskovskij. Forse proprio nel *Primo Concerto per violino* appare originariamente quella linea di lirica pacata, soppesata interiormente con grande scrupolosità, che di lì a molti anni, dopo gli altorilievi "spezzati" dei lavori scritti tra gli anni Sessanta e l'inizio degli anni Settanta, germoglierà nel *Trio per archi* del 1985, nei *Tre madrigali* del 1980, nel *Requiem* del 1975 e nel *Quintetto* del 1976. A rigore di termini, per quanto riguarda il materiale musicale e la morfologia, il *Primo Concerto* si colloca ancora al di fuori delle ricerche di nuovi fondamenti razionali per il lessico della composizione. Ma da un punto di vista sintattico, Schnittke si allontana di molto dalle immagini tradizionali, indicando le future concezioni drammaturgiche dei propri concerti e sinfonie. Morfologia e sintassi, inoltre, risultano, come sempre, intimamente correlate. Esaminiamo ad esempio la parte conclusiva del finale. Dopo il culmine, in cui risuona deformato uno dei temi del primo movimento — secondo il tipico desiderio di Schnittke di riunire l'intero ciclo in un tutt'uno — tutto pare disperdersi. Mentre si odono i canonici *pizzicato* in preda allo smarrimento, l'eroe e il suo doppio (il tema) cercano invano di ritrovare il materiale perduto e di ritrovare sé stessi. Pur completando in un cerchio formale l'intera costruzione ciclica del concerto, Schnittke ci offre di fatto una forma aperta; dinnanzi a noi abbiamo il quadro mascherato di una rovina, di un crollo, l'impossibilità e il poco convincimento di creare una forma razionale e chiusa. Già in questo caso, quindi, avvertiamo l'atteggiamento dualistico di Schnittke verso ricette razionalistiche applicate alla struttura della composizione. Pur non avendo neppur ancora iniziato l'impiego di procedimenti tecnici razionali, in pratica già li ripudia interiormente.

La *Prima Sonata per violino*, a differenza del *Primo Concerto*, è basata su materiale seriale. L'aspetto stesso dei temi di tutti e quattro i movimenti, tuttavia, e il carattere della musica nel suo complesso sono piuttosto lontani dalla tipica immagine "spezzata" di molti lavori seriali. Ciò è dovuto sotto molti aspetti all'accurato lavoro che ha preceduto la composizione. Schnittke costruisce la serie procedendo per terze in maniera particolare — rifacendosi all'idea del *Concerto per violino* di Alban Berg — ammorbidendo gli angoli e rendendo possibile la modificazione delle triadi della serie (come nel movimento lento della sonata). D'altro lato però, per ognuno dei quattro movimenti, Schnittke ha in riserva la propria variante della serie, in cui gli intervalli si fanno sempre più ampi via via che si procede dal primo movimento verso il finale, il che offre la possibilità di celare le basi razionali, seriali, e di offrire alla musica di ogni movimento un volto diverso e contrastante.

Es. 1. *Prima Sonata per violino*, schema della serie (dal volume *Al'fred Šnitke*, di V. Cholopova e E. Čigareva)

Rivolgendosi alla serie dodecafonica, quindi, Schnittke la pone alla base di temi in rilievo e contrasto particolari. Il primo movimento si dipana come un monologo del violino solo in spirito pienamente berghiano. Nel secondo movimento, che si presenta come una sorta di scherzo, compaiono inaspettatamente motivetti vicini al valzer e persino al genere jazzistico, precursori del futuro eclettismo ma abbastanza insoliti nella musica seriale. Il terzo movimento, lento, inizia con un accordo di do maggiore (le prime tre note della serie). Qui, rifacendosi ancora al finale del *Concerto per violino* di Berg, Schnittke incontra per la prima volta l'Adagio lirico, una scelta musicale che ritroveremo spesso nelle sue opere: nei finali della *Sonata per violoncello*, del *Primo Concerto per violoncello* e della *Terza Sinfonia*. La combinazione di una triade smagliante, talora di un accordo tonale, con gli "armonici" seriali che l'avviluppano, dissonando morbidamente con l'accordo di base, diverrà per molti anni nella musica di Schnittke il simbolo dell'instabile carattere dualistico del mondo e dell'ambivalenza della psiche umana. I brillanti e potenti accordi maggiori e minori, da cui scivolano sommesse armonie dissonanti di sottofondo, rappresentano un'ennesima trasformazione della serie e dell'idea schnittkiana del dualismo, un mutamento che ritroviamo esattamente ripreso nel *Collage sul tema B.A.C.H.*, un'opera degli anni Sessanta di Arvo Pärt.

Se la *Sonata per violoncello* fosse stata composta alla fine degli anni Settanta, Schnittke non avrebbe scritto il finale e il lavoro si sarebbe concluso, molto probabilmente, con il terzo movimento. In quegli anni tuttavia egli seguiva ancora l'idea tradizionale della forma chiusa e concluse pertanto la sonata con un finale in tempo veloce in cui si riassumono i temi di tutti i movimenti, dimostrando così ancora una volta la sua tendenza al "mono-ciclo", cioè a parti diverse riunite dal materiale impiegato e da un'unica logica. Sarà proprio tale principio del ciclo a riproporsi come una caratteristica di numerose sinfonie, concerti e sonate. Nella *Prima Sonata* restiamo colpiti dalla capacità del compositore di "spremere" tale pensiero unitario dalla serie stessa, grazie alle sue diverse modificazioni già meditate in precedenza. Nuovamente, dunque, il micro-mondo del linguaggio musicale e delle intonazioni e quello della costruzione e della forma appaiono fortemente correlati: la sonata termina perché vengono ad esaurirsi tutte le modificazioni della serie originaria. Con tutto ciò, quanto dista questa idea dalla tipica costruzione seriale, che pure è legata al progressivo esaurimento di tutte le varianti possibili! In sostanza, nell'ascoltare la *Sonata* non ne notiamo l'intima struttura seriale e assume un'importanza maggiore un diverso livello: il volto stilistico dei singoli movimenti in equilibrio ai margini dell'eclettismo. Che dire del tema del finale, costruito sì su una serie ma vicino melodicamente a una canzone della malavita del tipo di *Kupite bubliki* (*Comprate le ciambelle*), indimenticabile nel *Secondo Concerto per violoncello* di Šostakovič? Risolvendo il compito "elevato" di realizzare strutturalmente il finale, attenendosi al principio razionale della serialità, Schnittke introduce allo stesso tempo intonazioni "basse", quasi da strada. Tra l'altro, ben riconoscendo il dualismo esistente tra il finale in sé e la sua funzione nel ciclo della sonata, Schnittke praticamente non lo conclude. Dopo le reminiscenze dei movimenti precedenti, il flusso degli avvenimenti pare arrestarsi, passando da un piano reale a uno irreale, e finalmente, sul sorgere dell'accordo di do maggiore, risuona in uno spettrale tempo lento il motivo del finale in *pizzicato*. La *Sonata* non finisce, essa pare quasi restare senza fiato, fermandosi come si ferma il meccanismo di una bambola meccanica. Forse avvertendo il grande potenziale concertistico della *Sonata*, Schnittke ne elaborò nel 1968 una versione orchestrale (per orchestra da camera, archi e clavicembalo) che, a mio giudizio, si avvicina per lucentezza e dinamismo ai concerti per violino.

Tra i tentativi di impadronirsi della tecnica razionale ricordiamo la *Musica per pianoforte e orchestra da camera*, scritta nel 1964 ed eseguita con successo al festival "Autunno di Varsavia" del 1965 (una delle prime esecuzioni all'estero della musica di Schnittke). Il contenuto musicale di questo lavoro dei primi anni richiama in modo stupefacente le opere più recenti del compositore, create tra gli anni Ottanta e Novanta; vi sorge infatti la medesima sensazione di espressività portata agli estremi, ci si sente introdotti in strati di materia sonora primordiali e incontaminati, si hanno ardite rotture di superfici e sgomentevoli accostamenti tra mondi polarmente opposti, e dovunque dominano elementi scatenati, duri e "senza vita". In alcuni punti la musica può anche ricordare le opere di Xenakis, con l'unica differenza che in quest'ultimo avvertiamo sempre la densità della massa, siamo coscienti di un piano puramente fisico e assolutamente oggettivo, mentre in Schnittke lo scontro avviene con la tensione del pensiero, con la forza dell'espressione, con eventi di carattere assai più soggettivo. Nella *Musica per pianoforte e orchestra da camera* l'idea seriale è costretta a passare attraverso gli specchi dei diversi tipi storici delle forme variate: Variazioni nel primo movimento; Cantus firmus nel secondo; Cadenza nel terzo (di fatto, anche la cadenza è una variazione improvvisata in varia misura); e in fine Basso ostinato. In ogni movimento si diversifica notevolmente anche il tipo di fattura. Nel primo si

tratta di sprazzi, frammenti di materia priva di vita, in cui la serie, dispersa in tutta la partitura, si indovina soltanto nelle brevi repliche degli strumenti (ricordiamo che l'orchestra è formata da un insieme di solisti, ognuno
dei quali rappresenta un determinato gruppo della compagine orchestralè).
Nel secondo movimento prevale l'andamento solistico del pianoforte, benché
la sostanza sonora talora trapeli anche nei timbri degli altri strumenti. La
serie come cantus firmus vi progredisce sotto un aspetto ritmicamente amorfo e senza una scansione nettamente definita. Talora si ha l'impressione
di un rilievo puramente grafico, pittorico, simile a quelli che traccia Sofija
Gubajdulina prima di dare vita alla creazione vera e propria della partitura. La sfera spazio-temporale vi appare friabile, il che può in parte essere
legato alla linea particolare del cantus firmus. Resta il fatto, tuttavia, che
questo strano movimento lento riesce comunque a rafforzare nel ciclo la
sensazione di una massa sonora tanto possente quanto extra-personale, che
pare riversarsi da un serbatoio strumentale all'altro. La Cadenza è costituita da un intenso monologo del solista che, crescendo via via, prorompe finalmente nella forza scatenata e rigorosamente ritmata del finale che, in
un primo momento, presenta addirittura una sfumatura lievemente jazzistica.

Ben presto, tuttavia, questa finta energia viene meno e, in tal modo,
quanto era appena riuscito ad assumere una forma ritmica e ad acquistare
un volto "umano" ritorna a stratificarsi circolarmente, mentre compaiono reminiscenze del primo movimento e successivamente del secondo. La
corrente musicale rallenta, ciò che si era animato diviene nuovamente inerte
e amorfo, il vivo ritorna ad essere privo di vita, il solido ridiventa friabile
(i concetti di "solidità" e "friabilità" appartengono a Philipp Herşcovici,
allievo di Anton Webern che visse a Mosca e influenzò notevolmente l'e-
voluzione di molti musicisti). Ancora una volta, dunque, pur utilizzando
la tecnica seriale, Schnittke non copia modelli altrui ma concretizza la serie in modo del tutto nuovo, cercando di raggiungere un'accettabile coesistenza tra il razionale e l'irrazionale, trovando un accordo tra la tecnica,
che presuppone il carattere "chiuso" della forma musicale, e la propria
percezione "aperta" dello spazio e delle sue dimensioni.

Nello stesso alveo creativo possiamo anche considerare *Dialogo*, per violoncello e sette strumenti, composto nel 1965, con la differenza però che
l'impiego del violoncello come strumento solista conferisce alla musica un
carattere più vivo ed emozionalmente più accalorato. *Dialogo* inizia e finisce con monologhi-cadenza dello strumento solista. La composizione ricorda complessivamente, in un ambito quasi compresso, la forma ciclica
del concerto, un'ancor più palese realizzazione del "mono-ciclo" che sarà
in seguito tanto amato da Schnittke: una forma monopartita che racchiu-
da in sé gli indizi delle parti principali formanti il ciclo. Per quanto riguarda il carattere generale dell'intonazione, esso appare assai meno "rigido"
che nella *Musica per pianoforte e orchestra da camera* e questo, in particolare, è dovuto al fatto che il principio seriale non vi è mantenuto in modo
consequenziale, in quanto tutte le note appartenenti alla serie compaiono
sì nella parte solistica ma non determinano l'evolversi degli intervalli.

Il *Primo Quartetto per archi* del 1966 rappresenta un singolare interludio sul percorso che dalle forme aggressive e rigide della *Musica per pianoforte* e di *Dialogo* conduce al *Secondo Concerto per violino*. Il lavoro, inoltre, costituisce il tentativo di reperire un'ennesima ipostasi della serialità, questa volta in unione con la particolare fattura del tessuto musicale. In quest'opera i quattro strumenti paiono fondersi in uno solo, la fattura diviene isomorfa al massimo grado e i contrasti vengono ridotti al minimo. Riesce talora difficile comprendere dove e quale strumento stia suonando, gli archi sono fusi tra loro, l'uno continua la linea dell'altro e l'insieme viene alla fin fine percepito come un violino elevato alla quarta potenza o, in certi tratti, come un surreale strumento ad arco. Costruito su una serie simmetrica (costituita da due esacordi), il *Quartetto* viene ad essere un insieme di variazioni della serie, di fattura e di tempo, presentate ciclicamente.

Le tre parti in cui il *Quartetto* è diviso (Sonata, Canone e Cadenza), non hanno soluzione di continuità e di fatto confluiscono impercettibilmente l'una nell'altra, conferiscono al lavoro i contorni del ciclo, mentre dal punto di vista degli intervalli, basati sulla serie, si tratta ovviamente di variazioni vere e proprie. La Sonata, in tal modo, diviene una "quasi-Sonata", che preannuncia l'idea della *Seconda Sonata per violino*. La Sonata, inoltre, viene soltanto accennata e rimane incompiuta, - proprio come nei concerti di Schnittke del periodo successivo, - una parvenza di ripresa emerge soltanto in chiusura della parte conclusiva (Cadenza), dopo il "dissolvimento" generale, come un momento anamnestico ormai non pienamente reale né vitale.

Il *Primo Quartetto per archi* è stato forse il lavoro seriale più produttivo di Schnittke. Vi si possono reperire modelli diversi di intonazione inseriti in un contesto limpido, non drammaturgico, modelli che nel complesso ampliarono il glossario, il *thesaurus* del compositore. Tutto ciò, a sua volta, contribuì anche alla comparsa di nuovi metri di giudizio del materiale, nuove tipologie formali che saranno i presupposti del futuro eclettismo.

Le ricerche degli anni Sessanta raggiungono il loro apice nel *Secondo Concerto per violino* del 1966, lavoro in cui tali ricerche giungono a concretizzarsi armonicamente. Ho avuto modo di osservare gli schizzi delle opere di quegli anni, fitti di schemi di ogni tipo, di piani di lavoro, di correlazioni e di calcoli. A quel tempo, come pure assai più tardi — ormai verso la metà degli anni Ottanta — il momento pre-compositivo in Schnittke avveniva a un altissimo livello. Egli tendeva a trovare un fondamento razionale per ogni tipo di materiale e di correlazione tra le diverse sezioni dell'opera, cercando di definire la sfera d'influenza che ritmo e intervalli seriali avrebbero esercitato sui diversi momenti formali. È sempre più evidente, tuttavia, che il livello seriale acquista per il compositore un'importanza essenzialmente psicologica, come momento di puro controllo razionale, esattamente come era avvenuto per l'ultimo periodo creativo di Schönberg (basti ricordare il suo *Trio per archi*). Il senso generale e il rilievo della musica hanno in sostanza ben poco in comune con la serialità, che viene piuttosto utilizzata come una componente del lessico musicale. Proprio negli anni Sessanta Schnittke analizza in gran numero le partiture di compositori del XX secolo. Sotto tale aspetto, ad esempio, è di estremo interesse la sua analisi di *The Flood* di Stravinsky dal punto di vista della consequenzialità seriale (conservo nel mio archivio una copia della partitura con le annotazioni del compositore). Schnittke vi individua una moltitudine di unisoni, raddoppi e duplicazioni, evidentemente introdotti inconsciamente da Stravinsky nella struttura seriale della cantata. «Nel periodo in cui scrivevo musica seriale — afferma il compositore — ho sempre cercato tali momenti "centrali", ad esempio nelle variazioni per pianoforte di Webern, dove persino il tritono che fa da perno è, solitamente, fisso. La stessa idea possiamo ritrovarla nel *Kreuzspiel* di Stockhausen. Il mio *Secondo Concerto per violino*, a questo proposito, include musica sia seriale, sia aleatoria, sia tonale; vi è presente infatti una nota centrale, il sol».

Nel *Secondo Concerto*, in effetti, si ha l'interazione tra diversi tipi di tecnica ed è evidente inoltre la proiezione sui principi morfopoietici delle leggi che governano gli intervalli. Le sezioni in cui avvengono l'esposizione e la conclusione hanno una tonalità più marcata e ruotano attorno a un elemento centrale, il sol. Le sezioni di sviluppo rientrano in una libera sfera atonale, mentre i momenti culminanti sono aleatori (ad esempio il n. 31 dell'edizione russa). Le leggi seriali compaiono invece negli episodi del concerto maggiormente lirici, quasi "rappresi", statici, nei quali viene ad unirsi, tra l'altro, anche la serie ritmica estrapolata da quella degli intervalli. Talvolta tipi diversi di organizzazione del materiale, tipi diversi di tecnica, confluiscono in una simultanea risonanza verticale (come ad esempio nella coda, in cui si ha la parte tonale del violino e gli "sprazzi" degli archi orchestrali sostenuti dal pianoforte). Unendo tra loro elementi tonali, seriali, atonali e aleatori, Schnittke ottiene una sorprendente lucentezza e un'estrema densità del volume sonoro. Talvolta, mediante procedimenti di vario tipo, Schnittke introduce in una stessa sfera semantica e di intonazione una certa ambivalenza, come nel canone del solista con i violini dell'orchestra al n. 8 e successivi: alla dura consistenza della materia solistica si contrappone la piena fragilità ritmica e metrica dell'orchestra.

L'enorme importanza del *Secondo Concerto per violino* sta nel pieno raggiungimento di un micro e macro-spazio musicale, nell'evidenziazione di una diretta dipendenza della costruzione globale dalle leggi che regolano gli intervalli, nel tratteggio sintattico inteso come proseguimento delle regole morfologiche. La struttura del *Concerto* è assai insolita, poiché si tratta ancora una volta — come per *Dialogo* e per il *Primo Quartetto per archi* — di un ciclo "compresso", senza una divisione precisa in parti diverse. Anche qui, tuttavia, come negli altri "mono-cicli", possiamo trovare i rudimenti delle tipiche parti che compongono un ciclo, in cui il *divisi* degli archi (episodio seriale) si fa simulacro di un movimento lento. La diversità di tecniche assume di fatto una funzione sintattica, intesa a regolamentare il flusso formale. E in ciò è stata la grande scoperta di Schnittke. Totalmente nuovo, in linea di principio, è stato altresì l'impiego simultaneo di condizioni di stabilità e di mobilità (aleatoria) del materiale, quasi fossero tipi diversi di fonazione, di dizione. Più in generale, nella creazione di una integrità formale, dei fattori puramente drammaturgici hanno avuto nel *Secondo Concerto* un ruolo ancora maggiore che nelle opere precedenti. L'integrità viene a intendersi non tanto come forma accademica, quanto come un campo d'azione e di correlazione tra diversi personaggi e caratteri. Ovviamente, il genere stesso del concerto ha contribuito a tale impostazione. Eppure, senza il mescolamento di diverse tecniche sonore, tale principio drammaturgico si sarebbe potuto difficilmente realizzare. Non si tratta ancora dell'unione di *musiche* diverse, come nei lavori successivi di Schnittke, non è ancora la sovrapposizione di *stili* diversi (come nelle opere eclettiche all'inizio degli anni Settanta), ma certo è qualcosa di assai simile. È curioso notare che il ciclo del concerto risulta ancora una volta non del tutto chiuso; dopo la ripresa strutturale ha inizio, e piuttosto inaspettatamente, un momento che per il suo carattere viene inteso come un finale (n. 48, *fortissimo* del violino solista) ma che in realtà costituisce una grande coda trasportata al di là della cornice del ciclo "compresso". Il rafforzamento semantico, simbolico ed extrastrutturale della coda diverrà una caratteristica dei cicli composti da Schnittke successivamente. Nel *Secondo Concerto per violino* abbiamo addirittura una coda nella coda; infatti, come nella *Prima Sonata per violino*, si ha nuovamente una brusca caduta di tensione, il meccanismo esaurisce la propria carica, espira, la musica si interrompe, si ha il dissolvimento nell'infinito, ma in nessun caso, tuttavia, si può ravvisare nella struttura un punto conclusivo ben definito.

Parlando delle innovazioni apparse negli anni Sessanta, Schnittke ebbe a dire un giorno che la musica «aveva cessato di essere poesia ed era divenuta prosa». Questo può ampiamente riferirsi anche allo stile personale del compositore, in cui diminuirono le ripetizioni formali e tradizionali, le costruzioni "in rima" e le corrispondenze simmetriche. Pur restando ancora stilisticamente omogeneo, il lessico di Schnittke pare subire una precisa evoluzione, attua una crescita interiore, analizza attentamente il proprio micromondo arricchendosi di nuovi elementi. Schnittke, come molti altri compositori suoi coetanei in attività nella seconda metà del XX secolo, è alla ricerca di un *proprio* materiale, di una sostanza fisica non costituita soltanto da puri suoni, ma da un'essenza originariamente densa di significati simbolici e in grado di rappresentare un preciso parallelismo con le categorie universali di ordine, conoscenza e memoria.

Eppure, all'interno del nuovo lessico scoperto, non tutto risulta soddisfacente per il compositore. Parlando di *Dialogo* per violoncello e insieme strumentale, egli noterà in un secondo tempo: «Quei ritmi sbrindellati mi sembrano ora quanto mai incoerenti con la più profonda natura dell'uomo e della vita in generale, giacché alla base della vita è posta la *periodicità*, puranche legata a una certa asimmetria». Riflettendo sul significato simbolico degli elementi musicali, già agli inizi degli anni Ottanta Schnittke scriverà nell'articolo *Na puti k voploščeniju novoj idei* (Verso la realizzazione di una nuova idea): «Il metodo esteriormente usato per esporre il pensiero è una pura costruzione, una rete che ci è d'ausilio soltanto per afferrare l'intento artistico originario, ma essa stessa non è la portatrice dell'intento in sé. Ognuno cerca di prorompere nella diretta espressione di una qualche pre-musica da lui udita e che ancora non è stata colta»[13]. Dopo i primi e multiformi lavori, la musica di Schnittke, a partire dalla fine degli anni Sessanta, sembra sempre più voler offrire l'immagine di un'unica opera incompiuta, in divenire, in cui ogni singola partitura rappresenta la successiva voluta di una spirale tesa a raggiungere quanto a suo tempo è stato "udito". Il suono e il simbolo si fanno sempre più inscindibili, poiché il suono non è più il mezzo attraverso cui si realizza la rappresentazione ma è la fonte, la *radice* della realtà, pregna di significati accumulati nel corso di secoli e secoli.

Prima di giungere a una tale profondità simbolica, tuttavia, Schnittke intraprende l'ultimo ed estremo tentativo di comporre un'opera muovendo dalla chiarezza, dalla razionalità, da una legge introdotta "dall'esterno", da una posizione cioè di premeditazione artistica. Possiamo dire che due lavori, creati subito dopo la comparsa dell'eclettismo nella musica di Schnittke, rappresentino i limiti della *ratio* raggiunti nella sua creatività e una singolare esuberanza di calcolo — destinata presto a trasformarsi nel suo opposto — nella polifonia di stili. Si tratta del pezzo orchestrale *Pianissimo*, del 1968, e del *Concerto per oboe, arpa e archi* del 1971.

Valutando la propria esperienza degli anni Sessanta, e non soltanto la propria, Schnittke scrive tra il 1970 e il 1971 una serie di articoli teorici dedicati a svariati problemi della tecnica compositiva. Questi articoli, i cui titoli sono riportati per il lettore in appendice a questo libro, furono scritti per una raccolta di saggi a cui contribuirono numerosi musicisti e musicologi russi: *O jazyke sovremennoj musyki i kompozitorskoj technike XX veka* (Sul linguaggio della musica contemporanea e le tecniche di composizione del XX secolo). La raccolta per problemi di censura non fu mai pubblicata. In uno di questi articoli, *Novoe v metodike sočinenija — statističeskij metod* (Un'innovazione nella metodologia di scrittura: il metodo statistico), Schnittke parla di due approcci particolari alla composizione musicale: «Secondo la logica tematico-tonale (o persino dodecafonica) l'opera inizia da un'immagine musicale di tipo individuale (motivo, tema, armonia corrispondente) che successivamente intraprende un preciso cammino nello spazio e nel tempo del mondo musicale, pur non avendo alcun obbligo di misurare tutte le distanze possibili e di concretizzarsi in tutte le possibilità esistenti. Gli eventi musicali vengono percepiti come l'apparizione di forze naturali, liberamente scatenate nel dinamismo dello scontro tra ciò che è legge e ciò che invece è pura casualità. Nell'evolversi della creazione musicale, il compositore si identifica interiormente con le immagini sonore che ha generato e condotto attraverso il mondo dei suoni; egli prende determinate decisioni in casi concreti, dominando sì una data situazione o il piano generale ma non *la totalità* delle varianti statisticamente possibili. Nello strutturalismo il lavoro inizia con la misurazione dello spazio musicale all'interno di possibilità e di confini definiti da una legge strutturale (ad esempio una serie o una progressione matematica) e soltanto successivamente esso si popola di immagini musicali, la cui esistenza dipende astrologicamente dalla struttura globale matematicamente calcolata. In tale processo creativo il compositore non si identifica interiormente con le immagini musicali; realizzandole, egli precisa e concretizza varianti predefinite, scelte nella totalità statistica delle probabilità. Il punto di partenza nella realizzazione dell'opera è in questo caso il panorama del materiale con cui viene costruito uno spazio musicale o, piuttosto, un edificio»[14].

Nell'arte di Schnittke, *Pianissimo* è l'esempio più smagliante di questo secondo approccio, che il compositore definisce "statistico". Effettivamente, in un tessuto sonoro apparentemente amorfo (il ritmo è scritto secondo il cosiddetto "sistema cronometrico" in cui ogni battuta convenzionale è pari a quattro secondi) è calcolato assolutamente tutto. Gli intervalli e il ritmo (tempo) sono correlati a una medesima serie e ciò viene realizzato seguendo un metodo oltremodo ingegnoso e persino casistico. Grazie a una scala cromatica supplementare vengono dedotte dalla serie fondamentale due scale di numeri, una per gli intervalli e una per il ritmo. Successivamente, entrambe le scale numeriche vengono inserite in particolari quadrati, secondo il principio della progressione crescente e decrescente, e soltanto in un secondo tempo, con un'ulteriore scala ausiliaria (inverso della prima scala cromatica) vengono dedotte le scale per ciascuna voce della partitura, definendone sia gli intervalli sia la durata temporale[15].

A dire il vero, come sempre accade in Schnittke, il metodo "statistico" non viene seguito al suo stato puro e, in parte, non costituisce un procedimento fine a sé stesso bensì un mezzo per concretizzare un intento programmato. Il canovaccio narrativo utilizzato da Schnittke era il racconto di Franz Kafka *Nella colonia penale*, la descrizione di un meccanismo di torture eternamente in azione che rappresenta una sorta di codice cifrato di regole morali schematicamente esposte e, allo stesso tempo, uno strumento di coercizione fisica. La decodificazione dello schema avviene nel momento culminante della sofferenza umana.

Tale idea viene perfettamente a incarnarsi nella composizione del pezzo orchestrale. Il titolo *Pianissimo* corrisponde non tanto al carattere dell'atmosfera sonora, quanto al "meccanismo" che regola lo sviluppo globale: una nuova qualità emerge lentamente e impercettibilmente nelle stratificazioni di timbri strumentali sommessi e imperturbabili. Anche qui, come nella maggior parte delle opere di Schnittke, nonostante un organico orchestrale piuttosto grande, l'orchestra viene intesa come un insieme di solisti, dove ogni strumento ha una propria voce, una propria linea, e dove queste voci non si sovrappongono nella massa priva di volto tipica dell'orchestra tradizionale. Ogni nuova sezione di *Pianissimo* trasporta l'azione delle leggi seriali su una scala più ampia: seconde, terze, quinte e oltre, fino all'ottava. Nel momento dell'"illuminazione" culminante, l'orizzonte si apre al massimo e si rasserena; l'ascoltatore ode un'unica nota, il do, dispersa nei vari registri orchestrali. La tortura raggiunge qui il suo risultato e la "verità" (incarnata nella struttura seriale) viene offerta sotto un aspetto schematizzato al massimo e nel contempo totalmente assurdo (v. es. 2, pp. 104-5).

È ovvio che l'intento del compositore era assai più vasto della semplice illustrazione musicale del racconto di Kafka. Addentrandoci nell'ascolto della scorrevole sostanza sonora di *Pianissimo*, siamo portati a riflettere sull'impossibilità di stabilire un margine qualitativo che separi lo schema dall'idea, il bene dal male, il senso dall'insensatezza. Ritroviamo nuovamente quella sensazione onnipresente in Schnittke di dualismo e di esistenza impossibile per alcunché di puro e incontaminato. Lavorando a una composizione "statistica" e a una tavolozza sonora assolutamente omogenea, il compositore crea un profondo contesto semantico e simbolico, unendo organicamente quanto vi è di musicale, cioè puramente sonoro, con quanto è simbolicamente filosofico.

Sotto molti aspetti, il *Concerto doppio per oboe, arpa e archi* ripete *Pianissimo*. Anche qui vengono utilizzate scale diverse per costruire serie di intervalli e di ritmo (più frequentemente si tratta di una scala di numeri primi). Identica è anche l'idea generale della composizione, vale a dire la consequenziale dilatazione degli intervalli, ma con una differenza: l'impiego dei quarti di tono e di scale microtonali. Il *Concerto* non appare così statico come *Pianissimo* benché in entrambi i lavori il compositore abbia coscientemente cercato di avvicinarsi a una nuova percezione del tempo da lui descritta nell'articolo *Statičeskaja forma* (La forma statica): «È come se si superasse l'irreversibilità del tempo e comparisse la possibilità di viaggiare nel futuro e nel passato nonché di essere contemporaneamente presente in *tutti* i tempi. Sotto l'esteriore staticità della forma aperta si celano i campi magnetici di forze opposte che si intersecano in ogni punto della forma, infondendole la forza deflagrante di un dinamismo condensato»[16].

Schnittke ha chiamato le composizioni statiche di Ligeti la «musica del micromondo». Per molti aspetti, anche *Pianissimo* e il *Concerto doppio* rappresentano una musica di questo tipo, portando al loro apogeo le ricerche personali del compositore nel micromondo del suono, del lessico sonoro, della morfologia. Entrambe le opere completano un grande periodo della creatività di Schnittke, dedicato essenzialmente ai problemi morfologici. E benché già nei lavori successivi (la *Seconda Sonata per violino* e la *Suite in stile antico*) egli si dedichi a problemi di ordine diverso — sintattici, legati al "taglio" del tessuto sonoro e ai conflitti stilistici — in Schnittke si conserverà sempre una scrupolosa elaborazione della fattura musicale, che distinguerà ogni suo lavoro da molte altre opere, ad esempio da quelle dei compositori polacchi. Infatti, confrontando Schnittke e Penderecki e parafrasando un critico polacco, possiamo affermare che là dove Penderecki batte con un martello, Schnittke lavora di scalpello, benché il livello generale di energia e di carica della sua musica sia anche superiore. A Schnittke appartiene un unico tentativo di simile realizzazione "grafica" del micro-mondo; ci riferiamo al lavoro elettronico *Potok* (*Flusso*), com-

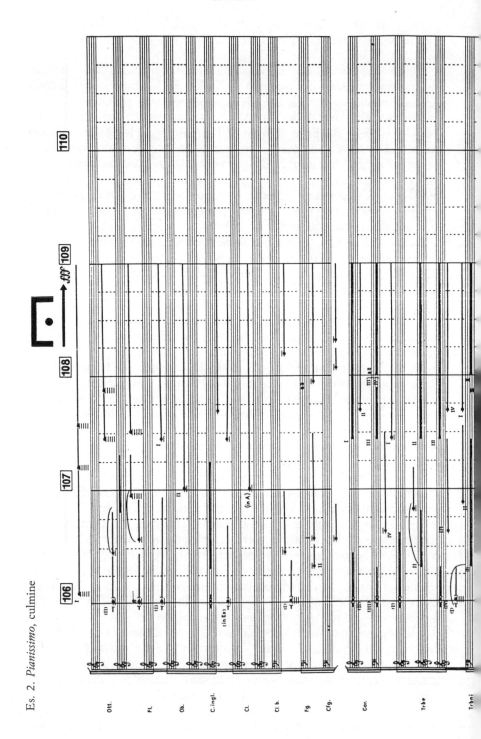

Es. 2. *Pianissimo*, culmine

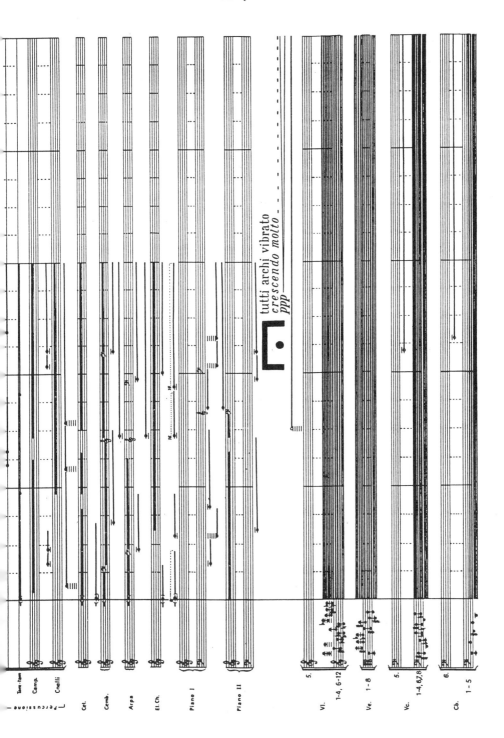

tutti archi vibrato
crescendo molto - - - - - - - -
ppp

posto nel 1969. In esso, come già in *Pianissimo*, protagonista è la nota do e l'intero pezzo è dedicato a un'attenta penetrazione delle sue profondità, all'individuazione delle sue diverse sfaccettature e dei suoi armonici. Lavorando a un sintetizzatore fotoelettronico in uno studio di Mosca, il compositore si trovò a dover realizzare le proprie idee creative su particolari disegni grafici. Eppure, anche in una simile situazione, in cui per la creazione di una composizione di per sé statica non si richiedevano calcoli seriali, Schnittke avverte la necessità di una tensione nascosta: «L'intervallo e non la distanza: questa è la strada» affermò Schnittke in uno dei suoi interventi[17]. Persino in *Flusso*, lavoro dedicato alla natura di un unico suono, Schnittke trova un proprio dramma, il dramma del movimento nel micro-mondo del suono da armonico ad armonico, da grado a grado, fino a riconoscere la realtà sonora come una lunga prova che si è sottomessi ad accettare e a vivere, superando molte resistenze e compiendo molti passi: egli ode il suono come un abisso.

L'eclettismo

Si è soliti considerare Alfred Schnittke un compositore che adotta una molteplicità di stili. Effettivamente, le collisioni stilistiche nelle sue opere possono apparire assai più evidenti che nella musica di altri autori della stessa generazione. Certamente, non spetta a Schnittke l'invenzione dell'eclettismo in musica, benché, stando alle sue stesse parole, negli anni Sessanta egli conoscesse ancora assai poco la musica di Ives o di Bernd Alois Zimmermann, i padri dell'eclettismo del XX secolo. Conosciamo però l'enorme influsso esercitato su Schnittke dall'opera di Henri Pousseur *Votre Faust*, interamente "assemblata" con collage di diversi strati stilistici. «Non fu la musica di quest'opera in sé a suscitare il mio interesse — ricorda Schnittke — ma la sua concezione, l'idea del viaggio nel tempo, l'idea degli ibridi stilistici».

È caratteristico che Schnittke abbia ricevuto l'impulso verso opere eclettiche proprio da un'opera su Faust. L'intera creazione artistica del compositore è attraversata dal filo rosso della problematica faustiana, tutta la sua musica si tinge di un'organica ambivalenza, di dualismo. Lo stesso pensiero di Schnittke (la sua percezione del mondo) è polifonico, stilisticamente eterogeneo e incarna i dubbi dell'uomo moderno, l'uomo appartenente appunto al tipo faustiano. La lotta tra polarità contrapposte, il polso irregolare, la tormentosa autoanalisi, la polivalenza faustiana: questi sono gli elementi costituivi del nerbo creativo di Schnittke. L'irrequieta sensazione di un mondo diviso attraversa tutta la musica del compositore. Dopo essere sorta, qualsiasi immagine, anche la più semplice, sprofonda nel complesso contesto degli eventi circostanti, oppure entra in collisione con il proprio opposto e rimane avvolta dall'ombra (*Quarto Concerto per violino, Concerto per viola, Secondo Concerto grosso*). Ciò che all'apparenza si trova in superficie viene improvvisamente presentato da diverse angolazioni. Gli elementi dell'eclettismo — dalla *Serenata*, ispirata dal *Votre Faust* di Pousseur, alla vera e propria cantata dedicata al Faust — sono condizionati innanzitutto dal desiderio di abbracciare con lo sguardo il mondo intero in un unico istante, senza smembramenti spazio-temporali, l'intero mondo convenuto in un unico punto ideale, dove si raccolgono tutte le epoche e culture. In tal senso, l'eclettismo di Schnittke, percepito talora come dirompente e distruttivo della logica consueta, racchiude in realtà un'enorme forza coesiva che riesce a unificare ciò che risulterebbe impossibile unire in un contesto tradizionale, innalzando nel contempo il significato euristico della musica a un diverso e più elevato livello.

Nella musica di Schnittke, grazie per lo più all'afflusso di stili diversi, alla loro sovrapposizione e ai loro contrasti, noi avvertiamo subito due particolarità: il dualismo e lo sdoppiamento della coscienza e dell'intelletto del singolo individuo e, allo stesso tempo, l'unità e la fermezza della memoria collettiva dell'uomo. Nella citazione di questo o quello stile, o evocandone il ricordo, Schnittke ci rende partecipi delle verità e dei simboli elaborati dalle generazioni passate e radicati nel fondo lessicale della cultura. Questi simboli, tuttavia, accostati l'uno all'altro talora per la prima volta vengono visti e uditi in modo nuovo, si percepiscono diversamente arricchendosi di una lunga scia di associazioni specularmente riflesse (tale è, ad esempio, nella musica di Schnittke la percezione della triade maggiore o minore). Il processo creativo nel suo complesso pare ingrandirsi ed elevarsi a un altro livello: se nelle opere seriali di Schnittke l'elemento primario era rappresentato dalla nota e dall'unità ritmica, nei lavori eclettici assurgono a elementi costitutivi archetipi stilistici, simboli di culture ed epoche diverse. Sotto il profilo puramente spaziale l'interesse all'eclettismo comportò una crescita volumetrica delle opere di Schnittke. Dopo le ricerche nel regno del micro-mondo sonoro agli inizi degli anni Sessanta, il compositore si rivolge ora sempre più spesso a forme e generi di grande portata, la sua musica cioè realizza una propria crescita nello spazio.

Compare quindi un tipo diverso e ampliato di morfopoiesi — già notato nel *Secondo Concerto per violino* — con massicci interventi sul tessuto musicale, simili a un montaggio cinematografico. E ciò non è casuale: proprio negli anni Sessanta Schnittke inizia a lavorare attivamente per il cinema, componendo complessivamente la musica per circa 60 film a soggetto e di animazione! Una delle prime esperienze in questo campo fu il lavoro al film di animazione *Stekljannaja garmonika* (*L'armonica di vetro*) di Andrej Čhržanovskij, interamente costruito con un collage di frammenti pittorici tratti dai capolavori dell'arte figurativa di epoche diverse. Schnittke cercò di creare un parallelismo sonoro all'intento registico, unendo i frammenti lungo un asse musicale basato sulla sigla B-A-C-H. Il risultato fu stupefacente: *L'armonica di vetro* rimane ancora oggi una delle vette raggiunte dal compositore. La colonna sonora del film, tra l'altro, divenne la base della *Seconda Sonata per violino*, ideata come postfazione all'opera cinematografica. L'assoluta densità musicale delle colonne sonore rimarrà per lunghi anni una costante di Schnittke, a differenza della musica "semplificata" scritta per il cinema da altri compositori, le colonne sonore di Schnittke conservano un proprio significato autonomo e spesso costituiscono la base delle sue opere concertistiche.

Il lavoro per il cinema contribuì alla formazione dei tratti simbolici tipici del linguaggio musicale di Schnittke. Ciò che suonava naturale sullo schermo, infatti, acquistava nell'esecuzione in concerto un ulteriore senso di sofferenza, che richiedeva all'ascoltatore un'intimità di emozioni, un'attiva partecipazione e attenzione al flusso delle associazioni evocate. Un risultato ancora maggiore derivato dal lavoro di Schnittke per il cinema, fu tuttavia la libera sovrapposizione nel materiale musicale di elementi bassi ed elevati, di banalità ed esoterismo, cronaca e simbologia; in breve cioè dei diversi livelli della realtà e della coscienza umana. «La coscienza interiore di ogni compositore, non essendo egli sordo, è gerarchica — afferma Schnittke — ma non per tutti i compositori questi strati di coscienza divengono elementi di lavoro; alcuni cacciano gli strati infimi oppure li sublimano in qualche modo, e allora gli stessi elementi entrano nella loro musica indirettamente, come echi risonanti. Prendiamo ad esempio Webern. Noi sentiamo nella sua musica lontani riflessi della vita musicale viennese, ritmi di valzer; altrove si avverte che egli si trovò a dover lavorare come direttore d'orchestra e, in particolare, come direttore di operetta. Tutto ciò, però, è *esiliato* dalla coscienza musicale, è soltanto un'ombra, mentre in Mahler, ad esempio, tutto è portato alla luce del sole: Mahler porta nella propria musica l'intero suo mondo musicale. E, in questo senso, il suo mondo musicale interiore è gerarchico e stratificato assai più di quello di Webern o di Schönberg. Ritengo che il cammino di Webern non sia accettabile per me. Dico questo non con l'intento di sminuire l'importanza di Webern, anzi, al contrario, io posso soltanto restare ammirato da una tale cristallina purezza interiore. Ma per me, per la mia individualità, umana e musicale, un cammino del genere è impossibile; per me è assai più adatto il percorso di Mahler o di Šostakovič, di Berg, di Zimmermann, di Ives, di quei compositori cioè che hanno trasfuso nella propria musica l'intero loro mondo musicale e per i quali esiste una "periferia" stilistica legata a una subcultura musicale, a ciò che chiamiamo comunemente "banale"».

Il periodo "eclettico" di Schnittke fu relativamente breve e comprende pochi lavori, benché idee eclettiche siano ravvisabili, in misura maggiore o minore, in qualsiasi opera successiva. Il periodo "eclettico" si apre con la *Seconda Sonata per violino*, composizione assolutamente inattesa dopo i molteplici lavori seriali degli anni Sessanta che hanno alla loro base principi creativi affatto diversi. Questa composizione, del 1968, rappresenta ancora un ciclo "compresso" dove, all'interno di una composizione monopartita, si indovinano i tratti di parti diverse, fuse però in un tutt'uno, in grado di emergere appena appena nel flusso generale, nella slavina di suoni che riempie lo spazio musicale. La *Sonata* porta come sottotitolo *Quasi una sonata*. Perché questo? Una forma di sfiducia nella forma-sonata? Il significato è altrove; determinante qui non è la logica della sonata, ma piuttosto la lotta tra tipi diversi di materia sonora, tra mondi sonori diversi, tra un principio creativo e uno distruttivo espressi in brevi simboli sonori. Eccoli: una triade minore del pianoforte, intenzionalmente lapidaria, che nel culmine ritorna crudelmente martellante un numero incalcolabile di volte; lo squarcio di una pausa che si apre come un abisso (il silenzio dura infatti vari secondi); una lava tumultuosa di materia sonora (cluster) senza forma, dissonante (ma non seriale!); infine la "citazione", la sigla B-A-C-H che, armonizzata in vario modo, acquista talora un aspetto del tutto inatteso, quasi tardo-romantico. Il conflitto che sorge tra tali indizi, che vengono a sostituire i consueti temi e serie, guida l'intero flusso musicale: una composizione monopartita di venti minuti si consuma velocemente, in un respiro.

Diversamente, invece, si presenta la *Serenata*, una "soluzione" ipersatura di citazioni. Il *Primo Concerto per pianoforte* e il *Concerto per violino* di Čajkovskij, motivi dal *Gallo d'oro* di Rimskij-Korsakov, piccole polke spensierate, ritmi jazzistici nella sezione finale (anche la *Serenata* presenta i contorni sfumati di un ciclo in tre parti), tutto precipita sull'ascoltatore quasi contemporaneamente, subito, come una raffica violentissima, come il caos della strada in cui bisogna orientarsi e guardarsi attorno. Qui, come pure nella futura *Prima Sinfonia*, le citazioni si fondono come i colori di una tavolozza, ma non divengono ancora gli indizi precisi di un particolare stile o di un'epoca (come avverrà nei lavori successivi). Nella *Serenata* le citazioni sottolineano piuttosto un mondo frammentato anziché unito, la pluralità di strati nella coscienza dell'uomo, la sua capacità di accogliere le più diverse sollecitazioni provenienti dall'esterno (v. es. 3, p. 110).

Schnittke ha lavorato alla *Prima Sinfonia* per ben quattro anni. Parallelamente egli componeva in quel periodo le musiche per il documentario di Michail Romm *Mir segodnja* (*Il mondo oggi*), ideato come una cronaca annalistica degli avvenimenti del XX secolo. Durante il lavoro, insieme con la *troupe* cinematografica, il compositore visionò «migliaia di metri di materiale documentaristico». La *Sinfonia* entrò parzialmente nel film, ma il film entrò assai di più nella *Sinfonia*, determinandone sotto molti aspetti il carattere polistilistico e i numerosi strati sonori. La *Prima Sinfonia* è realmente un panorama caleidoscopico del nostro secolo. Vi troviamo tra l'altro citazioni di musica classica e non classica (intrecciate a tal punto da essere irriconoscibili), un episodio di improvvisazione jazzistica, i momenti iniziali e conclusivi del lavoro, in cui l'orchestra, senza una parte scritta, accorda gli strumenti. Troviamo ancora, infine, un quadro di completa disgregazione, allorché gli orchestrali, capeggiati da un flautista, lasciano la scena per poi nuovamente ritornare, intonando una marcia funebre senza alcuna accordatura generale! Dove si cela il senso della *Sinfonia*? Innanzitutto nella ricerca di un perno su cui far ruotare un impensabile intreccio tra quanto di più eterogeneo il XX secolo ci abbia portato. Un certo ordine, apparentemente, viene raggiunto all'inizio dell'opera, ma la trionfale citazione dal finale della *Quinta Sinfonia* di Beethoven fa inaspettatamente "irrancidire" tutto quanto e l'apoteosi crolla ingloriosamente

Es. 3. *Serenata*, collage di alcune citazioni

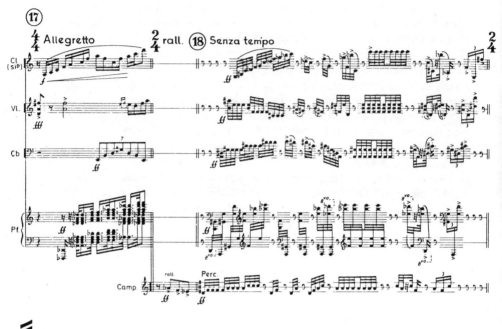

davanti ai nostri occhi. Allo stesso modo anche l'improvvisazione jazzistica, partita con tanta sicurezza di sé, non regge la tensione creatasi. Anche il tentativo di raggiungere un'armonia nel corale degli archi è destinato al fallimento. Come constatazione della catastrofica impossibilità di raggiungere qualche stabilità risuona la grottesca e parodiante marcia funebre, immediatamente sostituita dal valzer *Storielle del bosco viennese*. Con tutto ciò, l'unità del mondo si ricompone, anche se, in verità, soltanto a livello simbolico. Il do all'unisono, benché intenda riportare l'intera sinfonia a un unico denominatore, si libra nell'aria con una domanda irrisolta: «E poi?».

Tuttavia, nonostante l'abbondanza di avvenimenti eterogenei e persino di elementi tipici del teatro strumentale, autentica protagonista della *Sinfonia* resta la musica in sé, la sua vita e le sue trasformazioni nel tempo. Tutti i suoni e le citazioni che si stratificano ed erompono nel corso della *Sinfonia*, infatti, intendono di fatto mostrare aspetti diversi della nostra percezione musicale a seconda dell'ambiente circostante, dell'epoca e delle convenzioni. Gli strati prorompono soltanto attraverso il rumore della vita e della quotidianità, come capita talvolta allorché "cogliamo" una data informazione ascoltando la radio. Accanto a tale musica, alterata dalla quotidianità, ritroviamo anche le limpide citazioni di un certo stile o di una certa opera assai conosciuta, ma esse, ivi compresa la reminiscenza conclusiva tratta dalla *Sinfonia degli addii* di Haydn, non rappresentano più un semplice sguardo al passato. Tutte queste citazioni diventano segni, simboli che recano il sigillo del tempo, il contatto con la vita. La citazione dalla *Sonata* di Chopin (con la Marcia funebre) ad esempio, secondo Inna Barsova «è la musica di Chopin che ha abbandonato il mondo musicale dei professionisti per poi ritornarvi, dopo essersi addentrata nella vita di tutti i giorni, recando con sé un'irripetibile e mostruosa mescolanza tra associazioni tragiche e modi di esecuzione comico-caricaturali»[18]. In tal senso, quindi, la *Sinfonia* non si limita a porre in collisione e correlazione reciproca diversi strati stilistici e semantici, essa entra direttamente nella vita, si fonde con essa per poi tornare nuovamente ad essere musica, ma recando con sé nuovi tratti simbolici. Le ricerche di significato risultano in questo caso inscindibili dalla compartecipazione di esecutore e ascoltatore, dall'attivazione delle loro associazioni e rappresentazioni mentali. Ci pare importante notare che, proprio attraverso l'eclettismo, la musica di Schnittke e il suo linguaggio acquistano una profondità simbolica.

In quegli anni Schnittke ha dedicato ai problemi dell'eclettismo tre lavori teorici. Nel primo di essi, redatto in occasione del congresso internazionale di musica tenutosi a Mosca nell'ottobre 1971, Schnittke evidenzia diversi gradi di interazione stilistica, distinguendo un principio della citazione e un principio dell'allusione. Il compositore, nella propria attività creativa, muoverà per l'appunto dal primo di essi verso il secondo, verso il principio di «sottili accenni e promesse non mantenute, muovendo sempre ai margini della citazione e senza mai oltrepassarli». Schnittke rileva altresì che, benché tendenze eclettiche siano sempre esistite, i presupposti per una loro più vasta intrusione nella musica nacquero con la «crisi del neoaccademismo degli anni Cinquanta e delle tendenze puriste del serialismo, dell'alea e del collage sonoro»[19]. Egli offre nel contempo una spiegazione di quali furono i motivi che indussero lui stesso a rivolgersi all'eclettismo; accanto a fattori oggettivi, legati alle caratteristiche della cultura del XX secolo, tesa a unificare e riassumere ogni epoca "nell'oggi", una parte importante è da attribuirsi a una certa qual delusione per i principi della serialità, per le sue aporie, artificiosità e sterilità.

Il secondo lavoro di Schnittke, *Orkestr i novaja muzyka* (L'orchestra e la nuova musica), originariamente scritto in tedesco e a tutt'oggi mai pubblicato, è dedicato alla trasformazione di un meccanismo formale ormai irrigidito — l'orchestra — in un organismo vivo, mobile e con un'identità individuale ben espressa. Citando dal manoscritto: «L'orchestra non va intesa soltanto come una consocietà che tutto deve appianare o come un'arena per gli scontri tra la massa e i singoli individui; essa deve essere percepita sostanzialmente come l'enorme teatro dell'individualità generale. Poiché l'orchestra rappresenta un modello della comunità umana e dell'universo intero, le sue potenzialità allusive sono oltremodo ricche, se non addirittura infinite. Essa è in grado di rappresentare musicalmente tutti i rapporti pensabili tra il particolare e il generale. Non vi è nulla che possa sostituire questo possente campo di energie che fluiscono continuamente intrecciandosi e moltiplicandosi [...] Ciò [...] esige la trasformazione dell'orchestra non soltanto in un teatro strumentale [...] ma anche in una chiesa strumentale, in un parlamento strumentale, in un mercato strumentale; in poche parole essa potrebbe diventare una vita strumentale!». Schnittke stesso realizza sotto molti aspetti questa idea di una pluri-orchestra nella sua *Prima Sinfonia*: durante la sua esecuzione con l'Orchestra di Boston, diretta nella stessa città da Gennadij Roždestvenskij nel 1988, gli orchestrali non soltanto uscirono dietro le quinte per poi ricomparire, ma simularono la "ribellione" contro il direttore, per non parlare della grande teatralizzazione dei due momenti iniziale e finale del lavoro, quando l'orchestra accorda gli strumenti, o dell'improvvisazione jazzistica, quando i *jazzman* vengono lentamente sopraffatti dall'orchestra delusa. Individuo — massa... Abbiamo un altro importante principio artistico offerto dall'eclettismo: l'interazione e il concatenamento di eventi in luogo di un percorso che segua scrupolosamente la costruzione; la forza di elementi liberi e individualizzati al massimo, mentre la globalità dell'opera nasce dallo scontro di punti di vista diversi e di campi energetici differenti.

Lavorando alla *Prima Sinfonia*, Schnittke analizzò ovviamente la *Sinfonia* di Luciano Berio, divenuta nota al pubblico proprio in quegli anni. Il terzo lavoro teorico di Schnittke, dedicato ancora alla problematica eclettica, è per l'appunto un'analisi del terzo movimento della *Sinfonia* di Berio e del suo "contrappunto stilistico". Le sinfonie di Berio e di Schnittke, nel loro carattere di collage, presentano notevoli affinità, pur essendo diverse sotto molti aspetti. In Berio troviamo la collisione tra tipi diversi di realtà sonora e l'accento è posto proprio sulla loro diversità: registrazioni di conversazioni telefoniche tra amici, il fragore delle dimostrazioni studentesche a Parigi, i testi "mitologici" di Claude Lévi-Strauss, il nome di Martin Luther King e, allineate a tutto ciò, citazioni musicali da Beethoven a Berg. In Schnittke abbiamo invece la vastità e la molteplicità dei componenti della *cultura* stessa, della *musica* stessa, la collisione di stili e di punti di osservazione. Schnittke, a differenza di Berio, è alla ricerca di uno stile e di un linguaggio universali, in cui la multiformità stilistica venga utilizzata come "il tasto di una grande tastiera". Per questo, nel suo lavoro sullo Scherzo della *Sinfonia* di Berio, Schnittke analizza innanzitutto il problema di maggiore importanza per la *propria* creatività: il mutamento del concetto di tematismo con il conseguimento di un nuovo e più alto livello espressivo. «I legami tra le diverse intonazioni — scrive Schnittke — divengono un fattore esterno, accanto a esse agiscono nessi più profondi tra elementi degni di essere analizzati come legami tematici. La funzione tematica, infatti, spetta non soltanto allo strato espositivo del materiale musicale, udibile e "sopracqueo", ma anche alla carica non espositiva, sottintesa e "subacquea", di associazioni, analogie e corrispondenze indirette»[20]. Proprio tale strato "subacqueo" e sottinteso è il maggior elemento lessicale della musica di Schnittke.

La *Prima Sinfonia* rappresenta uno dei massimi lavori del compositore, un indiscusso punto di svolta nel suo destino artistico. Tutti i fili dei precedenti esperimenti, direttamente o indirettamente, si ricongiungono qui e qui si concretizzano molti degli elementi appena sfiorati in precedenza. In un modo o nell'altro, tutte le opere successive sgorgheranno da un'idea concretizzata per la prima volta nella *Sinfonia*. Anche se i contrasti e le collisioni tra stili molteplici e diversi non saranno più così immediati e sferzanti, da questo momento elementi originariamente appartenenti a stili differenti entreranno sempre nell'organismo vivo delle sue opere.

Il periodo "eclettico" termina in sostanza con il *Primo Concerto grosso* del 1977, il lavoro a cui, forse, è stato tributato il maggior successo. È infatti costantemente presente nei programmi concertistici ed è stato inciso da diversi esecutori su CD (ricorderemo che il primato per numero di incisioni spetta alla *Sonata per violoncello*, con 10 incisioni, a cui segue la *Suite in stile antico* con 8, la *Prima Sonata* per violino con 7, il *Quintetto* con 6, la *Seconda Sonata per violino* e il *Primo Concerto grosso* con 5). Stilisticamente il *Concerto grosso* è assai più monolitico della *Prima Sinfonia* (e di ciò parleremo in seguito). Tra la *Prima Sinfonia* e il *Concerto grosso*, tuttavia, vanno ricordate due opere che si possono considerare pure stilizzazioni, fantasie elaborate nell'ambito di uno stile unico ancorché "estraneo": la *Suite in stile antico* del 1972 e *Moz-Art* del 1976.

Nella *Suite in stile antico* Schnittke opera su singoli filoni dello stile barocco, puri e incontaminati, senza alcuna commissione di violenti contrasti teatrali, come ad esempio accade nella *Prima Sinfonia*. Si tratta, cioè, di una sorta di livello primario di lavoro, elementare, con un materiale stilistico che in altre opere di Schnittke suonerebbe affatto diverso. Il secondo movimento della *Suite* ad esempio (il Balletto), entra come perno strutturale nello Scherzo della *Prima Sinfonia* (come il tema dello Scherzo mahleriano nella *Sinfonia* di Berio) e compare altresì in una delle colonne sonore composte da Schnittke. In questi casi, tuttavia, lo "sprazzo" di stile barocco ha una luce assai diversa, come se dovesse farsi strada attraverso il clamore del tempo e della quotidianità. Nella *Suite in stile antico*, invece, Schnittke ci offre un disegno limpido, un profilo chiarissimo, allo stesso modo in cui nelle opere di pittori contemporanei (quali, ad esempio, Salvador Dalì) noi scopriamo pure linee armoniche nascoste nel contesto surrealistico di grandi tele. La *Suite in stile antico* riafferma quanto Schnittke sia vicino a Stravinsky nel trattare l'"idioma" del barocco e del primo classicismo. La *Suite* ricorda distintamente la *Suite italiana* di Stravinsky e, benché non vi siano dirette citazioni, udiamo le medesime e inaspettate digressioni dallo stile "dato", leggere e paradossali, ma che tuttavia non conducono a risultati irreversibili o all'"abbandono" del gioco. La *Suite in stile antico* e il *Kanon pamjati Stravinskogo* (*Canone alla memoria di Stravinsky*), che di poco la precede, rappresentano due opere singolari, due contrastanti lavori commemorativi dedicati al grande compositore.

Moz-Art, a differenza della *Suite*, è interamente basato su materiale autenticamente mozartiano. Schnittke vi ha utilizzato la parte del primo violino della *Pantomima K.416d* scritta da Mozart per il carnevale del 1783. La partitura andò persa ma si conservò la parte del primo violino. Schnittke mescola e unisce polifonicamente i temi dei diversi personaggi, Pierrot, Colombina, Arlecchino... Gli elementi di teatro strumentale sono ancor più rafforzati nella successiva versione *Moz-Art à la Haydn*, in cui gli orchestrali si muovono sulla scena come nella *Prima sinfonia* e i solisti suonano in maschera.

Gli elementi di teatro strumentale tuttavia, legati inizialmente in modo assai stretto all'eclettismo della *Prima Sinfonia*, passano successivamente in secondo piano e compaiono soltanto episodicamente nei lavori successivi (la "cadenza visuale" nel *Quarto Concerto per violino* e le *Tre scene* per canto e strumentisti). La problematica dell'eclettismo pare perdersi nelle profondità della musica e i diversi elementi stilistici vengono assimilati in un linguaggio musicale piuttosto monolitico.

Un esempio tipico di tale stile monolitico in Schnittke, pur ancora legato all'idea dell'eclettismo, è rappresentato appunto dal *Primo Concerto grosso*. In esso manca ormai qualsiasi elemento di teatralità e l'intero lavoro pare evolversi seguendo le regole del concerto grosso barocco. Nel flusso musicale tuttavia compaiono in modo naturale elementi in estremo contrasto, quali il tango e delle melodie tipiche delle canzoni della malavita. Schnittke rimane in equilibrio ai margini del genere musicale, senza mai distruggerlo completamente ma ampliandolo dal suo interno fino a inverosimili orizzonti temporali e stilistici. Il compito principale del compositore è trovare una via per unire e racchiudere nella stessa orbita i più diversi elementi del linguaggio musicale e costruire l'intera drammaturgia dell'opera sul raffinato gioco di questi contrasti (il maggiore contrasto di stili appare nel culmine, al margine che separa la cadenza dei due solisti dall'inizio del Rondò e nelle inattese trasformazioni dello stesso Rondò verso i toni delle canzoni della malavita). Riportiamo quanto scritto dal compositore stesso durante la composizione del *Primo Concerto grosso*: «Fu una folgorazione: il compito della mia vita era il superamento del divario tra "E" e "U"[21], anche se avessi dovuto spezzarmi la schiena per realizzarlo. Vagheggio l'utopia di un unico stile, dove i frammenti di "E" e di "U" non rappresentino screziature semiserie ma elementi di una multiforme realtà musicale, elementi reali nella loro espressione benché sia anche possibile manipolarli, siano essi jazz, pop, rock o la serie... A un artista si offre un'unica possibilità per sfuggire alla manipolazione: innalzarsi nella propria ricerca individuale al di sopra di quei tabú del materiale manipolati dall'esterno, e ricevere il diritto di riflettere una situazione musicale in modo proprio, libero da pregiudizi settari (come, ad esempio, in Mahler e Ives). Per questo all'interno di un Concerto grosso neoclassico ho introdotto alcuni frammenti stilisticamente discordanti (frammenti che in precedenza erano stati utilizzati per colonne sonore): un vivace corale per bambini (all'inizio del primo movimento e al culmine del quinto, nonché come ritornello negli altri movimenti); una nostalgica serenata-trio atonale (nel secondo movimento); un Corelli garantito autentico (made in USSR); il tango preferito da mia nonna, suonato però al clavicembalo *dalla sua bisnonna* (nel quinto movimento). Tutti questi temi, però, sono in piena armonia reciproca (sesta discendente, "sospiri" di seconde) e io li considero con assoluta serietà»[22] (v. es. 4, p. 116).

Verso la metà degli anni Settanta, Schnittke compone un'altra opera che può considerarsi come il manifesto della sua visione dell'eclettismo. Si tratta delle *Cadenze per violino solo, dieci violini e timpani* per il primo e terzo movimento del *Concerto per violino* di Beethoven. L'idea di un particolare sfondo strumentale, quasi un podio, una tribuna per il solista, un mezzo di accentuazione drammaturgica del discorso della cadenza, appartenne già allo stesso Beethoven. Un anno dopo la composizione del *Concerto per violino*, Beethoven ne elaborò una trascrizione per pianoforte e orchestra (1807), scrivendo successivamente due cadenze con timpani che furono pubblicate nel 1864. Nella cadenza del finale, nel movimento conclusivo, al solista si uniscono i timpani e i violini dell'orchestra e, nel movimento ascendente del trillo, la tensione raggiunge il proprio culmine e la voce del solista viene decisamente rinforzata e sostenuta. La particolarità maggiore delle cadenze di Schnittke, tuttavia, non è questa. Aspri dibattiti sulla stampa (vedi la rivista «High Fidelity», n. 12 del 1982) furono innescati dall'introduzione nella cadenza di materiale musicale tratto da altri concerti per violino e dal tentativo operato da Schnittke di presentare la *Cadenza* come un *essai* culturale del solista che, in cinque minuti, percorre alcuni secoli di storia musicale. Alla cadenza tradizionale, in cui il solista presenta il proprio "io" e le proprie possibilità virtuosistiche, Schnittke contrappone una diversa concezione di tale "forma" musicale. La cadenza diviene cioè il punto culminante di uno sviluppo, trasformandosi da «variazione solistica da parata» in una glossa di carat-

Es. 4. *Primo Concerto grosso*, Tango

tere culturale. In questo modo, la cadenza del primo movimento, respingendo il materiale offerto dal concerto di Beethoven, diventa una «retrospettiva» storica del concerto per violino in sé, priva quindi di una diretta relazione con il lavoro per violino di Beethoven. Abbiamo dapprima un "corale" dalla *Settima Sinfonia* di Beethoven, quindi il corale di Bach nell'arrangiamento di Alban Berg (dal suo *Concerto per violino*). Da questo momento la spirale temporale procede in avanti e l'ascoltatore è testimone di un'irruente modulazione stilistica, fino ad arrivare alle citazioni tratte dai due concerti per violino di Bartók, dal *Primo Concerto per violino* di Šostakovič e dal concerto di Berg. Le affinità di intonazione che tutti questi temi "estranei" presentano con i temi beethoveniani sono evidenti: essi infatti sono collegati o dal moto ascendente della parte secondaria o dalla caratteristica configurazione di una triade disgregata. In questo modo, evi-

denziando le affinità di intonazione, Schnittke crea l'effetto di uno scivolamento su piani temporali, quasi affermando l'universalità del principio
violinistico-strumentale quale denominatore comune di un dato sviluppo
culturale. Nella coda della cadenza, allorché entrano i timpani, la corsa
del tempo pare fermarsi per un attimo: risuonano gli accordi del *Concerto
per violino* di Brahms, dopodiché una lunga frase tratta dal *Concerto per
violino* di Berg ci introduce con stupefacente naturalezza nell'atmosfera
della musica beethoveniana.

La fuga in secoli e stili diversi quindi, con l'evidenziazione di nessi di
intonazione nascosti, è un'ennesima variante dell'eclettismo musicale di
Schnittke. Questo modello di modulazioni stilistiche, per così dire vetto-
rialmente indirizzate, a differenza dei modelli della *Prima Sinfonia* (dove
si ha un livello assai maggiore di entropia e di caos) e del *Primo Concerto
grosso* (con la sua natura spiraliforme ben definita), troverà espressione in
alcuni altri lavori del compositore. Ci riferiamo innanzitutto al secondo
movimento della *Terza Sinfonia* nonché al pezzo orchestrale *Ne son v letnjuju noč'* (*Non sogno di una notte di mezza estate*) del 1985, che rappresenta una più complessa variante del *Pozdravitel'noe Rondo* (*Rondò augurale*)
per violino e pianoforte scritto nel 1973. In verità, in tutti questi lavori
mancano citazioni dirette, ma in tutti sono presenti allusioni stilistiche
più o meno marcate. Il fattore di maggiore importanza, tuttavia, è un altro; nella musica di Schnittke si rende possibile il passaggio "accelerato"
di un tempo storico, filogenetico, il rapido superamento di barriere stilistiche e, allo stesso tempo, la cristallizzazione di un nuovo linguaggio ar-
ricchito dalle "code" di tutte le epoche. In sostanza, si tratta di un metalinguaggio, i cui componenti strutturali sono costituiti da sistemi di segni apparentemente inconciliabili per loro stessa natura. Schnittke, invece, riesce a vedere in essi ciò che solitamente è ravvisabile soltanto in una
grande prospettiva storica; egli più esattamente identifica, scorgendoli come da una grande altezza, i loro comuni caratteri nascosti. In questo senso, le eclettiche scorribande "vettoriali" della *Terza Sinfonia* o del *Non
sogno di una notte di mezza estate* realizzano la natura stessa dell'arte di
Schnittke applicata a un materiale stilisticamente diverso. Ricorrendo alle
allusioni, Schnittke compie tale percorso in un attimo, trasferendo fuori
dei confini dell'opera ogni casuale differenza, estrapolando ciò che vi è
di comune e carico di energia accumulata in molti secoli.

Il *Primo Concerto grosso* è il punto conclusivo del periodo eclettico nel-
l'arte di Schnittke e allo stesso tempo il momento iniziale di uno stile più
monolitico, in cui i precedenti contrasti polistilistici si "condensano", trasformandosi in segni brevi e consistenti che, istantaneamente, rimandano
l'ascoltatore a una determinata associazione di idee oppure a un nodo di
associazioni. Lo spazio sonoro pare concentrarsi e quelle collisioni, che
nella *Prima Sinfonia* o nella *Serenata* richiedevano un luogo e un momento
ben definito per l'azione, ora vengono a collocarsi con una certa naturalezza in una forma musicale che, almeno esteriormente, si presenta in modo abbastanza tradizionale. Nel complesso, le stesse allusioni (o le citazioni

e le sigle del tipo B-A-C-H o D-S-C-H) si fanno meno stridenti e si inseriscono naturalmente nell'intonazione generale dell'opera. In questo modo, pur continuando l'utilizzo del contrasto di stili come mezzo morfopoietico in grado di amalgamare l'opera nella sua globalità, Schnittke cerca di riunire i momenti contrastanti a livello di intonazione, di morfologia. Dopo aver oscillato tra il polo della rigorosa razionalità seriale (nei lavori degli anni Sessanta) e quello di forze stilistiche elementari, lasciate libere in un collage ludico, teatrale e irrazionale, Schnittke cerca ora di conciliare entrambi gli estremi nell'ambito di un relativo monostilismo, dopo aver separato le loro sfere di influenza sul micro e sul macro-mondo della propria musica. Egli fa dunque ritorno a quella posizione dualistica a lui tanto cara (che rappresenta indubbiamente il nerbo della sua musica), tenendosi in equilibrio tra la morfologia razionalizzata e la sintassi irrazionale delle sue opere. Tale percezione artistica del compositore corrisponde quant'altre mai a una delle moderne concezioni dell'ordine universale, secondo la quale il mondo, legato e strutturato da regole precise a un livello elementare, nel suo aspetto macro-dimensionale resta aperto, inconoscibile e, per molti aspetti, soggetto alla casualità.

La profondità del velluto
(dai contrasti stilistici alla densità del segno)

Verso la metà degli anni Settanta, come abbiamo visto, lo stile di Schnittke diventa più monolitico e scompaiono citazioni e allusioni apertamente dichiarate. Vengono creati in questo periodo il *Requiem* e il *Quintetto*, lavori segnati da una semplicità e da una limpidezza di linguaggio sinora sconosciute all'arte del compositore. Muta altresì l'approccio stesso alla colorazione stilistica del materiale. Allusioni diverse diventano segni di epoche differenti che intrattengono un dialogo, come i tasti di quell'unica tastiera formata dallo stile e dal linguaggio universali a cui Schnittke tende. Come nella *Seconda Sonata per violino*, assumono una parte di maggior rilievo elementi sonori ampliati, benché semplici e, diremmo, naturali. Talvolta diviene protagonista dell'opera l'intervallo (come nel *Secondo Inno per violoncello e contrabbasso*), oppure la triade (*Tre madrigali*), o il passaggio in stile di fanfara del corno da caccia, comune a molte sinfonie classiche (nel *Terzo Concerto per violino*). Questi simboli risultano stabili, passano di opera in opera, arricchendosi di precisi significati semantici.

La musica di Schnittke acquista una caratteristica che potremmo avvicinare alla superficie del velluto, dà una sensazione di profondità non manifesta, come una sorta di dimensione supplementare dello spazio. Se riprendiamo la suddivisione proposta da Erich Auerbach nel suo libro *Mimesis*, la musica di Schnittke risulterà senz'altro più vicina alla tradizione del primo cristianesimo che non alla tradizione antica. La seconda, infatti, appare semplice, razionale e chiara ed è impossibile trovarvi un senso allegorico o simbolico; la prima invece è assai più complessa, in essa strati diversi vengono a fondersi insieme e da essa si diparte quel ramo della cultura mondiale in cui troviamo «l'impenetrabile tenebra di un piano nascosto... un secondo significato celato»[23]. Effettivamente, se paragoniamo la musica composta da Schnittke negli Settanta e Ottanta con quella di altri compositori della stessa generazione che pure semplificarono il proprio lessico negli anni Settanta, avvertiamo una differenza: persino accordi o temi identici hanno un suono diverso. In Schnittke essi chiamano all'interpretazione e alla compartecipazione interiore, mentre in Edison Denisov, ad esempio, rimangono edifici sonori imperturbabili e sostanzialmente autosufficienti. Nella profondità simbolica e nella densità di linguaggio è racchiusa la peculiarità limpidamente cristiana della musica di Schnittke: tutto è pregno di semplicità ma è irrazionale e non riconducibile a uno strato puramente superficiale, "sopracqueo".

Accanto al momento interpretativo, inseribile nella tradizione paleocristiana, e al legame naturale tra suono e simbolo che vi si concretizza, Schnittke raggiunge nel proprio lessico una notevole densità simbolica riproducendo artisticamente, e in maniera accelerata, il processo storico in cui un elemento extramusicale si trasforma in un puro elemento musicale. Nell'ontogenesi dell'opera di Schnittke traspaiono, come obbedendo a un codice genetico, le leggi filogenetiche della cultura. L'elemento extramusicale, nella storia della musica, è sempre stato motore di quello musicale. In un primo tempo compare un elemento di novità che, in quanto extramusicale, non segue le leggi della musica, apparendo quindi estraneo, volgare. Così fu a suo tempo per Wagner e Šostakovič. Successivamente, per i mutamenti che il contesto subisce, l'elemento extramusicale "espelle" le vecchie leggi musicali e ne crea impercettibilmente delle nuove. Passano cento anni e ciò che inzialmente era extramusicale comincia a essere percepito in modo diverso, conferisce nuove dimensioni alla forma musicale e offre nuove leggi sintattiche. Nell'arte di Schnittke avviene esattamente questo processo, soprattutto nel periodo della sua formazione stilistica, vale a dire tra gli anni Sessanta e Settanta. Gli estremismi della serialità razionalistica e dell'eclettismo "teatrale" (talora extramusicale) trovano un equilibrio in un nuovo "monostile" che tuttavia racchiude in sé molteplici elementi simbolici. «Quanto è avvenuto nella musica degli anni Sessanta, — afferma il compositore — come periodo di razionalizzazione della tecnica, è stato un tentativo di comprendere una legge strutturale generale esistente in natura. Ma su questa strada era impossibile raggiungere qualche successo, poiché alla *ragione* non è concessa l'autentica e piena comprensione. I musicisti seriali hanno utilizzato proporzioni numeriche ma non hanno "incantucciato" nulla nella musica. Se qualcosa di reale è stato veramente "incantucciato" — quell'essenza magica che va al di là di numeri, parole, monogrammi, proporzioni, allusioni e così via — allora la percezione di tale pensiero riuscirà in qualche modo a sopravvivere, una sua traccia resterà comprensibile, indipendentemente dal fatto che questa essenza magica possa leggersi subito e con chiarezza. Un'opera che sia priva di questa parte "subacquea" non è in grado di lasciare un'impressione costante e durevole. In questo senso rinunciando al serialismo non ho rinuciato all'idea di un ordinamento strutturale. Cerco semplicemente di sottometterlo al sentimento. Io, non soltanto per poter comporre musica ma anche per poter fisicamente esistere, devo partire dal fatto che il mondo spirituale ha un suo ordine, che in esso vi sono formule e leggi».

Due opere segnano una svolta precisa nell'arte di Schnittke: il *Requiem* del 1972-74 e il *Quintetto* del 1972-76. Entrambe sono opere di commemorazione, scritte in memoria della madre morta in quegli anni, e forse questo è il motivo del loro carattere limpido e raccolto. Per l'ascoltatore è quasi un'immersione nel suono, nella sua profondità incommensurabile; vi scopre nuovamente la sua originaria natura metaforica. L'elemento commemorativo di questi lavori determinò anche, senza dubbio alcuno, quell'attenzione particolare del compositore verso la profondità genetica della memoria umana e verso la ricerca del carattere genetico stesso che sta alla base di un'espressività sonora pura e incontaminata.

Il *Requiem* è composto da quattordici sezioni, di cui l'ultima, il Requiem appunto, ripete la prima. Schnittke rinuncia in questo lavoro al tradizionale "moto" verso la luce; la sezione Lux aeterna, che tradizionalmente conclude i Requiem, è sostituita invece da un ritorno alla prima sezione, all'incorporeo e spettrale Requiem. In tal modo, il carattere di profonda introspezione dell'opera viene ulteriormente a evidenziarsi, anzi, il rifiuto della "luce perpetua" e il ritorno al punto di partenza indicano la natura aperta, quasi infinita del *Requiem*, portato a ruotare su di un asse temporale che, al graduale svolgimento della messa funebre, che caratterizza un momento temporale concreto e individuale, sostituisce l'eternità oggettiva del Requiem nel tempo universale. Nel *Requiem* di Schnittke nulla resta del dramma e del destino individuale; l'opera è totalmente atemporale e pertanto rivolta a ogni epoca. La sua musica parla di una quiete *eterna* e di una memoria *eterna* che le generazioni conservano nel tempo. Il linguaggio e la struttura del *Requiem* pertanto sono estremamente semplici, universali, tesi a concretizzare nel suono tale memoria *eterna*. Manca in questo lavoro qualsiasi citazione o altro elemento simbolico, eppure ogni frase, ogni suono porta il peso delle fatiche spirituali di molte generazioni. Forse qualcosa di simile possiamo avvertirlo durante l'ascolto di un canto gregoriano in un monastero cattolico oppure di un coro in una chiesa ortodossa di campagna.

La struttura del *Requiem* segue nel suo complesso il testo canonico e la consueta architettura della messa funebre, fatta eccezione per il Credo, che costituisce una parte insolita nelle messe da requiem ed è mutuata dal ciclo liturgico delle messe comuni. Vi compare inoltre di molto ridotto il Recordare il cui testo, privo della sua seconda metà altamente drammatica, diviene uno dei momenti "lirici" centrali dell'opera.

L'accompagnamento strumentale non ha una parte autonoma, essendo limitato o a uno sfondo sonoro che accompagna le principali linee vocali o a un semplice mezzo per variarle. Di per sé nel *Requiem* manca una vera e propria orchestra, vi troviamo infatti un insieme strumentale affatto particolare in cui rientrano percussioni, strumenti a plettro (chitarra e chitarra basso) e a tastiera (commistione di strumenti, tra l'altro, particolarmente cara a Schnittke, che l'adotterà anche per lavori di più grande respiro, e che fu acutamente definita da Gennadij Roždestvenskij «il grande cembalo dei nostri tempi»). Tromba e trombone compaiono soltanto in due momenti culminanti del lavoro, nel *Tuba mirum* e nel *Credo*. Il nucleo strumentale è rappresentato dall'organo, le cui sonorità e funzioni sono soltanto *continuate* dagli altri strumenti. Il ruolo determinante dell'organo è intimamente legato al particolare tessuto musicale del *Requiem*, il cui fulcro fondamentale è costituito da una "verticale" che include sia il libero cromatismo, sia la dodecafonia, sia semplicissimi accordi. Manca nel *Requiem* qualsiasi sviluppo polifonico e restano fondamentali le leggi di un linguaggio armonico-sintetico. Nella musica del *Requiem* Schnittke evita ogni collisione drammatica, ogni sviluppo e scontro tra le immagini che via via sorgono. I temi delle diverse sezioni nascono, subiscono variazioni e scompaiono nuovamente nell'eternità, quasi fossero seguiti con lo sguardo da un punto di osservazione posto a grande altezza. Ne deriva altresì il carattere estremamente conciso delle sezioni (ricordiamo che la versione originaria del *Requiem* portava il nome di *Missa brevis*). Nel flusso dell'intera opera avvertiamo che ogni evento musicale è avvolto da un'atmosfera spettrale e appare come emblematico. Persino il Sanctus risulta privo dei suoi consueti contorni netti e luminosi; esso pare piuttosto colpito da una sorta di sonnambulismo, non appartiene alla realtà (il compositore stesso riferisce che questa sezione gli "apparve" in sogno) e defluisce lungo sonorità smorzate nel lugubre accompagnamento di bassi oscillanti, come in un irreale spazio privo di forza di gravità (v. es. 5, p. 122).

Parallelamente al *Requiem*, Schnittke compose il *Quintetto con pianoforte*, di cui un movimento (che riassume tutte le parti precedenti) era stato inizialmente concepito come un Requiem per soli strumenti. A tale scopo, singoli temi musicali (destinati al tessuto del *Quintetto*) vennero composti facendo riferimento al testo canonico scritto. Questi temi, tuttavia, per la loro stessa conformazione, risultarono più vocali che strumentali e il compositore rinunciò quindi a inserirli nel *Quintetto*.

L'idea di un movimento conclusivo e riassuntivo rimase, come pure la reminiscenza di un tema pastorale che, offrendoci ancora un esempio della ricchezza semantica di Schnittke, riesce a velare la tensione drammatica e a indicare una sorta di rifugio sonoro (v. es. 6, p. 123).

Tutti i cinque movimenti del *Quintetto* sono legati da una comune intonazione tematica: il primo, lento, si apre con un malinconico valzer del pianoforte che funge da monologo introduttivo; nel secondo le intonazioni fondamentali del *Quintetto* paiono cristallizzarsi nella sigla B-A-C-H, quasi espressione "in codice" dell'eternità; il terzo movimento, altamente drammatico, si chiude con una pulsazione del pianoforte che scema poco a poco; segue un corale funebre (il quarto movimento) e finalmente appare la possibilità di uscire dallo spazio del dramma in una vastità extra-

Es. 5. *Requiem*, Sanctus

Es. 6. *Quintetto con pianoforte*, finale

*) Беззвучная игра.
Soundless playing.

temporale, con un finale pastorale le cui ultime frasi muoiono *fisicamente* nello spazio, allorché vengono ripetute dal pianoforte "muto". All'interno dell'insieme strumentale si indovina chiaramente la volontà artistica di conciliare l'universale e l'individuale; il pianoforte è infatti contrapposto come solista agli strumenti ad arco, mentre il quartetto crea una sorta di "coro" impersonale e atemporale.

Tra le opere di carattere commemorativo composte negli anni Settanta possiamo ricordare *Preljudija pamjati D. D. Šostakoviča* (*Preludio in memoria di D. D. Šostakovič*) del 1975. L'intero lavoro è basato unicamente sul materiale fornito dalle due sigle D-S-C-H e B-A-C-H. Inizialmente viene sviluppata soltanto la prima sigla tratteggiata come una vera marcia funebre. Nel momento culminante interviene la sigla B-A-C-H, simbolo dell'eternità, preincisa su nastro o suonata da un secondo esecutore fuori scena. Dopo l'irruzione di questa forza invisibile, il flusso musicale va via via acquietandosi ed entrambe le sigle, avvicinandosi sempre più, si intrecciano in un canone infinito.

Il raggiungimento della piena densità semantica si ha con altre due opere degli anni Settanta, il *Terzo Concerto per violino e orchestra da camera* e la *Sonata per violoncello*. Il loro disegno presenta numerose affinità, benché la maggior analogia sia probabilmente rappresentata dalla comparsa in entrambi i lavori di un importantissimo segno extra-temporale, vale a dire il "passaggio del corno da caccia", utilizzato dal compositore come simbolo che, essendo legato all'imperturbabilità del paesaggio classico, permette la salvezza da ogni tipo di collisione. Nel *Terzo Concerto per violino*, e ancor più nella *Sonata per violoncello*, tale segno è tuttavia spogliato di ogni possibile significato univoco: nel chiaroscuro dell'alternanza maggiore-minore e nell'instabile equilibrio dei due modi musicali penetra l'alito del dubbio, così tipico dell'arte di Schnittke. L'impetuoso flusso musicale tuttavia, nonostante i numerosi momenti culminanti, procede verso un finale lento, verso la lenta apparizione del simbolo più importante, in cui il compositore ci costringe ad immergerci sempre più, come se si stesse evocando un fantasma del passato.

Proprio questa particolare attenzione verso il segno musicale, pur nell'ambito di un contesto stilistico ampio ma omogeneo, diviene uno dei tratti più caratteristici dello stile di Schnittke a partire dalla metà degli anni Settanta. Il segno musicale, inteso come possibile uscita all'esterno, infrange la logica dello sviluppo progressivo e coinvolge l'intero flusso musicale verso un percorso diverso e non del tutto razionale. In questo ambito, le citazioni, le allusioni, le sigle, pur percepite in modo diverso, rispondono a una precisa funzione, immergono cioè la musica in un contesto simbolico e temporale. «In sostanza — afferma Schnittke — rianimare un intero organismo cellula dopo cellula o evocare uno spirito procedendo di sensazione in sensazione è esattamente la stessa cosa. Ne *La montagna incantata* di Thomas Mann vi è l'episodio di una seduta spiritica. Si cerca di evocare il fratello di Hans Castorp, morto da non molto tempo. La seduta, tuttavia, non dà risultati. Il successo di una seduta spiritica non è garantito da una grande tensione generale, bensì da certo rilassamento dei partecipanti e, al fine di ottenerlo, viene fatto suonare il grammofono. E la seduta ha successo allorché risuona la «Preghiera di Valentino» dal *Faust* di Gounod. Soltanto a quel punto appare lo spirito, vestito di una strana uniforme di foggia militare. Il fatto è che il fratello di Hans Castorp, una volta terminate le cure in sanatorio, intendeva arruolarsi, per questo l'aria di Valentino lo evoca (Valentino nell'opera di Gounod è per l'appunto un militare). Allo stesso modo, nella musica, tutte le citazioni e pseudocitazioni assolvono in sostanza la medesima funzione: attraverso un frammento evocano la sensazione di globalità».

L'intonazione della musica di Schnittke vive un'intensa vita interiore; tutti i segni e tutti i simboli maturano nelle viscere del tessuto musicale, vengono preparati da un intimo e intenso lavoro, inondano di luce le particolarità del micro-mondo della stessa musica e non sono mai puri e semplici inserti. Le idee di serialità, di scala musicale, di calcolo matematico, paiono scomparire nel sottosuolo, nel subcosciente, continuando tuttavia a dirigere il lavoro intellettuale manifestandosi ogni volta in modo diverso. Nelle opere di Schnittke, fino alle più recenti, sono sempre presenti gli elementi caratteristici di strutture razionalmente ponderate. Tali elementi non sempre e non necessariamente sono legati alla serie, ma possiedono sempre un sistema costante di unità di partenza, siano esse una sigla, un tema o una pseudo-citazione densa di associazioni di idee ben definite. In tal senso, Schnittke è assolutamente indifferente a quale sia l'esatto elemento in grado di determinare la pluridimensionalità "vellutata" della sua musica; egli ritiene che qualsiasi simbolo, indipendentemente dalle sue specifiche caratteristiche, viene percepito e inteso. «Tutta la tecnica esatta, tutto ciò che rimane "nascosto" nella musica — sigle, simboli, proporzioni, cenni e allusioni — viene comunque percepito. Un'opera priva di tale parte "subacquea" non può lasciare alcuna impressione durevole». Schnittke è uno dei pochi compositori del XX secolo che sia riuscito a fondere in una lega tanto organica (e condizionata dall'essenza stessa della musica) il musicale e l'extramusicale, la tecnica e la simbologia, che abbia saputo difendere la propria musica dalla tentazione del puro strutturalismo, sottomettendola invece all'idea della simbologia cristiana.

Le Sinfonie

Le prime cinque sinfonie di Schnittke (ricordiamo che il compositore ha ultimato di recente la *Sesta Sinfonia*) presentano notevoli differenze. Ognuna di esse pare ricondurci al medesimo problema: come deve essere una sinfonia nel XX secolo? Effettivamente, Schnittke è stato uno dei rari compositori che si sono rivolti costantemente al genere sinfonico e in tal senso la sua concezione di sinfonia differisce da quella di altri autori contemporanei per i quali la sinfonia rappresenta una *summa* ideale, un evento unico e straordinario. Così è stato, ad esempio, nell'arte di Luciano Berio o di Sofija Gubajdulina, di Edison Denisov o di Olivier Messiaen. Schnittke comunque riconosce pienamente alla sinfonia quella rilevanza attribuitale nel corso degli ultimi due secoli; non si tratta cioè di una semplice "sin-fonia", vale a dire di un'immagine musicale densa di massimalismo sonoro, ma di una forma musicale che racchiude immancabilmente premesse logiche ben definite e precisi conflitti, di cui indica e sviluppa un percorso risolutivo; si tratta di una forma legata allo stesso tempo sia allo sviluppo di un'idea principale sia alla collisione tra tesi diverse, interdipendenti pur nei loro contrasti. Per molti contemporanei di Schnittke, la sinfonia pare modulare verso le intonazioni caratteristiche del poema, una composizione monopartita che presenta al suo interno diversi stati della materia sonora, contrasti, azioni e riflessioni. La globalità dell'opera nasce e acquista un profilo preciso grazie alla reciproca attrazione e al diverso grado di interazione di sfere contrastanti, in modo non dissimile a quanto accade nell'opera cinematografica o teatrale. Tali sono ad esempio le sinfonie di Gija Kanceli o di Avet Terterian, ognuno dei quali ha già composto ben sette sinfonie.

Diversa, e assai particolare, è l'attenzione dimostrata verso la sinfonia da Valentin Silvestrov. Anche in questo caso vi è un allontanamento dalla tradizione; il compositore rifiuta il consueto carattere ciclico ma, a differenza delle sinfonie di Kanceli e Terterian, non tende a utilizzare i contrasti, al contrario, egli procede verso le profondità del materiale, cercando di svelarne le riserve interne ancora inutilizzate. Le sinfonie di Silvestrov mancano di conflitti per una posizione di principio assunta dal compositore, che vede il significato di questo genere musicale in fattori diversi, primo fra tutti la ricerca delle radici e delle origini profonde di particolari intonazioni. Il musicista cerca e trova le più affidabili linee del disegno, apre un nuovo significato in ciò che sembra già noto, elimina ogni patina corrosiva dalla pura tavolozza sonora. Per questo Silvestrov chiama le proprie sinfonie "post-sinfonie" (come per la *Quinta*) e i concerti strumentali "meta-musica" (*Concerto per pianoforte e orchestra*). L'ideale del compositore è la pura introspezione, portata al di là dei semplici conflitti di carattere astratto.

Le sinfonie di Lutosławski e Penderecki sono separate da intervalli di tempo relativamente lunghi e sostanzialmente rappresentano concezioni stilistiche e sonore assai diverse tra loro, in cui il genere sinfonico è utilizzato non tanto come dato culturale, dove senso e solidità possono essere discussi nel contesto intellettuale contemporaneo, quanto come serbatoio spazio-temporale.

Proprio quest'ultimo problema è tra quelli che maggiormente interessano Schnittke. A paragone di molti compositori del XX secolo coetanei, Schnittke può persino apparire antiquato data l'attenzione che egli rivolge a quelli che sono gli attributi tradizionali del genere sinfonico. In realtà, tuttavia, le sue sinfonie evidenziano numerosi e diversi percorsi di risoluzione del problema cui abbiamo accennato: in che modo rendere una sinfonia, con il complesso di qualità che la contraddistingue, una forma adeguata, in grado di conservare un proprio significato nelle moderne rappresentazioni concettuali del mondo? Le sinfonie di Schnittke sono la verifica di quanto solidi siano i nostri legami con il passato e la realizzazione sonora delle peculiarità sostanziali di tali legami.

Raramente nell'ambito creativo di un solo autore è possibile reperire approcci tanto diversi nel tratteggio di una sinfonia. Essa diviene la sfera di ricerca di linee generali tra le categorie di "sempre", "ieri", "oggi"; si trasforma in un microcosmo sonoro, in una ricerca culturale, in un saggio logico-filosofico. Il compositore propone all'ascoltatore di addentrarsi nella percezione del mondo da posizioni diverse e talvolta contrapposte.

Le sinfonie di Schnittke offrono diversi percorsi di sintesi tra passato e presente, tra locale e universale, riflettendo le diverse sfaccettature dell'enorme esperienza spirituale dell'uomo. La *Prima* e la *Terza Sinfonia* sono rivolte alla storia della cultura. La *Seconda* e la *Quarta* sono invece maggiormente rivolte ai simboli della fede e della religione, esaminati nel loro più ampio aspetto umanistico. Nella *Prima Sinfonia* irrompono la cronaca della quotidianità, il clangore del mondo reale, le tipologie subculturali e il caleidoscopio dei tempestosi e contraddittori avvenimenti del XX secolo. Ascoltando la *Terza Sinfonia* invece attraversiamo epoche diverse, l'alveo del tradizionale ciclo sinfonico pare diventare smisuratamente vasto, fino a contenere, parrebbe, l'intera storia musicale. Nella *Seconda* e *Quarta Sinfonia* mancano netti collage e collisioni di strati pluristilistici, mentre aumenta considerevolmente il ruolo della simbologia sonora, in grado di ampliare non tanto l'orizzonte quanto la *profondità* del mondo dei suoni. Nella *Seconda Sinfonia* il flusso musicale segue consequenzialmente le diverse parti di una messa, mentre nella *Quarta* il canone strutturale è quello delle Passioni, benché le idee più importanti emergano come al di sopra di tali canoni, negli ampi e chiari "commenti" dell'autore.

È lo stesso Schnittke a considerare la propria costante devozione al genere della sinfonia come un tratto della cultura tedesca presente nella sua arte.

> Nella *Prima* e *Terza Sinfonia*, lo schema quadripartito *esteriore* e il suo relativo svolgimento secondo funzioni tradizionali è ciò che più coincide con il prototipo tedesco. Mi riferisco al primo movimento della *Prima Sinfonia* e al secondo della *Terza*, che sono entrambi un allegro di sonata. Mi riferisco inoltre ai movimenti lenti della *Prima* e al terzo movimento della *Terza*, oppure ai diversi finali delle varie sinfonie, alla funzione del finale drammatico nella *Prima* e a quella funzione epilogica del finale della *Terza*. Pur con tutte le differenze, nell'osservanza del prototipo dei cicli tedeschi vi è qualcosa di comune: la forma è *convenzionale*. È il materiale che mette in questione la forma offrendole la possibilità di realizzarsi attraverso la questione medesima.

Vediamo dunque brevemente quali sono le peculiarità di ogni sinfonia, il cui carattere, per certi versi paradossale, ha dato modo a un critico di definire Schnittke un «compositore di "quasi-sonate" e di "non-sinfonie"»[24]. La costruzione della sinfonia non è forma, bensì un modello di vita vista da angolazioni diverse in sinfonie diverse, nelle quali ogni nuova fase illumina ciò che sta accadendo. La globalità dell'opera non viene a realizzarsi secondo canoni formali ma si dispiega come una catena simbolica di eventi calata dall'alto. Proprio per questo la tradizionale analisi formale, benché sia comunque possibile fino a un certo punto, risulta inadeguata alle sinfonie di Schnittke. La sostanza di tali opere — come potremmo dire anche delle sinfonie di Charles Ives o di Luciano Berio — non sta nella funzione attribuita a un dato momento formale o a un elemento del linguaggio, bensì in ciò che accade tra questi momenti ed elementi, nel *contesto* cioè delle loro interrelazioni.

Il paragone con *Holidays* o con la *Quarta Sinfonia* di Ives, come pure con la *Sinfonia* di Berio, è naturale. Tuttavia, farei subito rilevare una differenza: la sinfonia di Ives (e la sua musica in generale) è assai più aperta al mondo e fusa con fenomeni non musicali — questo vale per il compositore americano come anche per il suo discepolo John Cage — poiché i rumori della grande città o l'assoluto silenzio della natura finiscono per diventare la musica migliore [mi riferisco a una mia conversazione con Cage avvenuta a New York nell'estate del 1989]. Ives cerca di inserire la realtà nell'orbita della cultura, di vedere quanto vi è di spirituale nel fatto quotidiano, seguendo le idee dei filosofi trascendentalisti del XIX secolo quali Emerson e Thoreau.

Nella sua *Sinfonia* Berio è assai più orientato verso prototipi letterari, né va dimenticato l'aiuto che Umberto Eco ha offerto al compositore in qualità di consulente. Berio tende prima di tutto a conferire il massimo volume alle immagini, a muovere gli orizzonti, a evidenziare le affinità semantiche tra materiali di diversa coloratura stilistica. La *Sinfonia* di Berio, in ultima analisi, — grazie anche alla sua coloratura "verbale" (testi di Lévi-Strauss, conversazioni su nastro magnetico, plurilinguismo e persino l'origine "verbale" del tema-fulcro derivato dalla *Seconda Sinfonia* di Mahler, *Des Antonius von Padua Fischpredigt*) — è legata alla realtà assai più della *Sinfonia* di Schnittke. La *Sinfonia* di Berio, più che una sinfonia nella sua accezione classico-musicale, è una "sin-fonia", un microcosmo sonoro.

Le sinfonie di Schnittke, indipendentemente dalla quantità di materiale estraneo in esse contenuto e dall'impiego dell'eclettismo, sono innanzitutto un fenomeno musicale. L'ascolto di Schnittke offre una peculiarità unica nel suo genere, poiché un qualsivoglia materiale musicale, qualunque sia la sua coloratura stilistica ed estetica e la sua portata, diviene mitologico, cioè simbolico per sua natura, e si inserisce organicamente in una struttura di pura musica, così come elementi di situazioni mitologiche entrano organicamente e impercettibilmente nei nostri discorsi quotidiani e nei modi comportamentali. Se nella musica di Ives affiorano le idee di Emerson e Thoreau (che rappresentano lo sviluppo su suolo americano delle idee fondamentali della filosofia classica tedesca), se nella musica di Berio ritroviamo le idee di James Joyce, Umberto Eco e, seppur in modo mediato, di Ezra Pound (cioè lo sviluppo europeo del trascendentalismo americano), nella musica di Schnittke avvertiamo la piena osservanza di un preciso "originale", vale a dire il genio disciplinato e ispirato della filosofia e della cultura tedesca, di cui la musicalità fu sempre parte inscindibile. Nelle proprie sinfonie Schnittke riunisce tradizioni tedesche antiche di tre secoli, che il compositore ha assimilato geneticamente, e concettualità squisitamente russe, da sempre tendenti al superamento dei limiti dell'arte pura (lo stesso Schnittke ritiene che, per un vero e proprio codice genetico, la cultura tedesca di due o anche di tre secoli fa, allorché i suoi avi si trasferirono in Russia, sia assai più vicina al suo animo che non la cultura tedesca contemporanea). Possiamo cioè affermare che Schnittke inizia le proprie sinfonie come tedesco e le conclude come compositore russo, conducendo il loro mondo puramente musicale verso vasti orizzonti extramusicali. Come ho già avuto modo di rilevare, egli riesce in maniera stupefacente a collocare l'elemento extramusicale nel materiale musicale, ampliando i confini di quest'ultimo.

Nella *Prima Sinfonia* di Schnittke, del 1972, si concretizza musicalmente l'idea della paradossale unità di un mondo eterogeneo e intessuto di contraddizioni. Una moltitudine di citazioni e allusioni permea la sinfonia, combinandosi però con un materiale che risulta estraneo a qualsiasi citazione; famosissimi temi classici vengono a combinarsi con numerosi motivi melodici tipici dei bassifondi malavitosi e di cui talvolta risulta difficile stabilire l'origine, essendo essi divenuti il segno precipuo di una certa subcultura. Episodi di grande estensione, «stilizzati alla maniera antica» (inizio del secondo movimento), vengono combinati con "segni" brevi come triadi maggiori e minori, simboli "compressi" del passato. I due episodi di improvvisazione jazzistica coesistono con le cadenze aleatorie dell'orchestra sinfonica. Diversi criteri di osservazione del mondo, diverse concezioni della vita quotidiana e diverse rappresentazioni concettuali del tempo entrano in collisione. Ne nasce la sensazione di uno spazio privo di dimensioni in cui si realizza il dialogo di epoche e di sfere di vita differenti. Sul campo di eventi puramente musicali avviene non soltanto l'incontro tra passato e presente ma anche la lotta, lo scontro di aspetti diversi della realtà, i cui poli talora sono contrapposti a una distanza maggiore di quella che ci separa dalle più lontane epoche storiche.

Il contesto delle sinfonie di Schnittke, in cui prendono corpo i contrasti del mondo contemporaneo, è straordinariamente complesso. La sensazione del carattere non univoco di tutti i fenomeni permea l'intera sinfonia, insieme con la coscienza di una forza coesiva che riavvicina le diverse polarità. All'inizio del finale, ad esempio, il motivo di marcia funebre, che pare eseguito da orchestre diverse ognuna per conto suo, si fonde con le note di un valzer di Strauss o con la musica del *Primo Concerto per pianoforte e orchestra* di Čajkovskij. Questo episodio, che per la propria ricchezza di strati contrastanti ricorda pagine di Charles Ives, acquista tuttavia una drammaticità estranea al compositore americano; gli strati sonori che qui vengono a unirsi sono troppo contrastanti, incompatibili, paurosamente estranei l'uno all'altro, benché coesistano nel medesimo istante! Per Ives e Cage tale istantaneità è positiva, mentre Schnittke la percepisce da posizioni assai più soggettive: essa infatti è inevitabile ma tragica.

Tale tragicità si avverte fin dall'inizio della sinfonia. La prima parte del lavoro rappresenta un mutamento alquanto singolare del principio formale che sta alla base dell'allegro di sonata. Tutti gli orchestrali entrano in scena improvvisando e accordando gli strumenti. Una qualsiasi forma, benché minima, di struttura e unitarietà non si è ancora realizzata. Ma ecco che arriva il direttore e nell'orchestra risuona un do all'unisono, simulacro di inizio della parte principale. Lo sviluppo di questo allegro scorre nella lotta tra l'ordine e il caos, tra l'organizzazione e l'entropia. Come falsa ripresa risuona in do maggiore il tema del finale della *Quinta Sinfonia* di Beethoven, ma si tratta di un fantasma che non fa a tempo a comparire che subito si decompone (insieme con l'intera costruzione dell'allegro di sonata).

Lo "Scherzo" diviene la parte più fantasmagorica, più rumorosa, più inquieta e ricca di contrasti della *Sinfonia* (al pari di quanto accade tra l'altro nelle sinfonie di Ives e di Berio). Lo "Scherzo", con la propria energia, pare voler compensare il catastrofico fallimento strutturale della prima parte, che, solitamente, rappresenta la base stessa di un ciclo sinfonico. Lo "Scherzo" viene di fatto a sostituire il primo movimento di una sonata classica; qui si concentra il nucleo nervoso della sinfonia, il groviglio di tutte le contraddizioni, la giunzione di contrasti estremi (come, ad esempio, tra una gavotta classica e un'improvvisazione jazzistica). Alla fine del secondo movimento, dopo innumerevoli e tumultuosi eventi, ondate sonore e trionfali momenti di unione nel *tutti* che subito avvizziscono, i fiati, alla guida del flauto, abbandonano il palco.

Il movimento lento viene suonato soltanto dagli archi rimasti sulla scena. Si tratta di un momento della sinfonia quasi totalmente lirico, costruito su una cantilena il cui materiale sonoro appare estremamente vario: dalla "sorgente" atonale fino allo smagliante momento culminante, basato sul passaggio di una triade da maggiore a minore (procedimento assai caro a Schnittke). Alla fine del Lento si ha nuovamente una teatralizzazione dell'evento: alla "sincerità" degli archi in primo piano rispondono i fiati, rimasti dietro alle quinte e chiaramente "non intonati" alla serietà del momento. Ancora una volta, come in molti altri lavori di Schnittke, avvertiamo l'impossibilità di affidarsi a un significato univoco, in questo caso a un lirismo puro e incontaminato che, appena nato, si va via via trasformando in un'irriconoscibile maschera grottesca. Alla fine del terzo movimento i fiati, che hanno continuato a rispondere agli archi da dietro le quinte, ritornano finalmente in scena suonando una marcia funebre. Inizia in questo punto il finale della sinfonia (v. es. 7, pp. 132-3).

Ma il dramma non termina qui. Senza raggiungere la completa unità in un radioso e, parrebbe, conclusivo corale in do maggiore (in cui si combinano simultaneamente ben 14 diverse melodie gregoriane del Sanctus!), la musica crolla ancora una volta. Nella sua atmosfera sempre più disorientata (tutto ciò che rimane di un momento di sonata che parrebbe essere risorto) si odono i "resti del passato": frammenti dispersi dei motivi dello Scherzo. Ben presto, tuttavia, anche questi ultimi sono costretti gradualmente a tacere. Nel silenzio creatosi, sulle note delle ultime battute della *Sinfonia degli addii* di Haydn, *tutti* gli orchestrali abbandonano il palco insieme con il direttore. La ripetizione del momento iniziale che chiude la sinfonia — con l'ingresso dei musicisti, del direttore e il do suonato all'unisono — non rappresenta il completamento dell'opera bensì l'inizio di un nuovo ciclo (questa variante fu proposta da Gennadij Roždestvenskij in occasione della prima esecuzione e da allora è rimasta in uso). I puntini di sospensione di Haydn, la forma aperta, confluiscono nella prima voluta di una nuova spirale e, ancora una volta, una vera conclusione rimane estranea a Schnittke. Ciononostante, viene raggiunta una perfetta integrità simbolica: l'unisono pare voler raccogliere in sé tutto ciò che lo ha preceduto, tutti i tumulti della sinfonia, divenendo così un segno altamente concentrato di quanto è stato vissuto.

Scrivendo la *Prima Sinfonia*, Schnittke aveva dapprima pensato di chiamarla "K(eine) Symphonie", successivamente considerò come titolo "Sinfonia-antisinfonia" o "Antisinfonia-sinfonia". Benché in questo lavoro i contrasti pluristilistici siano portati al massimo grado, combinati con i procedimenti del teatro strumentale, la *Prima Sinfonia* appare oggi un'opera puramente musicale, un autentico manifesto e una tipica espressione del contesto di tutte le successive opere di grande respiro di Schnittke, sinfonie e concerti. In essi il compositore rifiuta ogni forma musicale di tipo tradizionale, se ne allontana anzi sempre più, creando nuovi e sconosciuti ibridi di forma-sonata, di variazioni tematiche e stilistiche, di forme polifoniche e di strutture mono-cicliche. In conclusione, diverrà tipica nell'arte di Schnittke una forma particolare, che inizia come un allegro di sonata, prosegue come una catena strutturale di libere variazioni e si conclude come la grande e lenta coda extra-strutturale di un Adagio sinfonico di tipo mahleriano. A questo ibrido, talvolta, si aggiungono i tratti di note forme liturgiche, come avviene, ad esempio, nella *Seconda Sinfonia*.

L'idea della *Seconda Sinfonia* per coro e orchestra, terminata agli inizi del 1980, nacque in Schnittke nel 1977, dopo la visita al monastero di Sankt Florian nei pressi di Linz in Austria, dove visse, lavorò e fu sepolto Anton Bruckner. «Giungemmo a Sankt Florian al crepuscolo, — racconta il compositore — e il sepolcro di Bruckner era già chiuso ai visitatori: la fredda e tetra chiesa barocca traboccava di atmosfera mistica. Al di là di una parete un coro cantava un vespro, una "messa invisibile". Oltre a noi, nella chiesa non vi era nessun altro e tutti, appena entrati nel tempio, ci disperdemmo tra le navate, al fine di non disturbarci a vicenda e poter sentire il vuoto gelido e possente che ci circondava. Passò un anno e l'Orchestra sinfonica della BBC mi commissionò un lavoro per un concerto di Gennadij Roždestvenskij. Pensavo a un concerto per pianoforte. Roždestvenskij, invece, mi propose un'opera dedicata ad Anton Bruckner, ma poiché a me non veniva in mente nulla, egli mi disse: "Forse

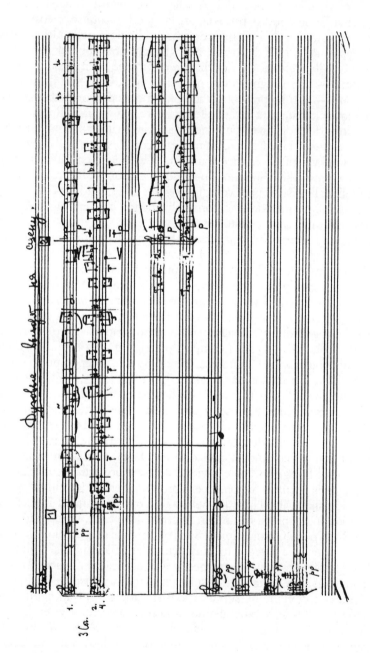

Es. 7. *Prima Sinfonia*, finale, collage di citazioni

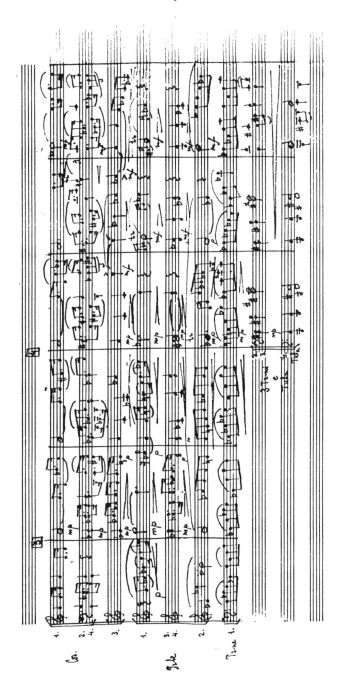

(*Segue*)

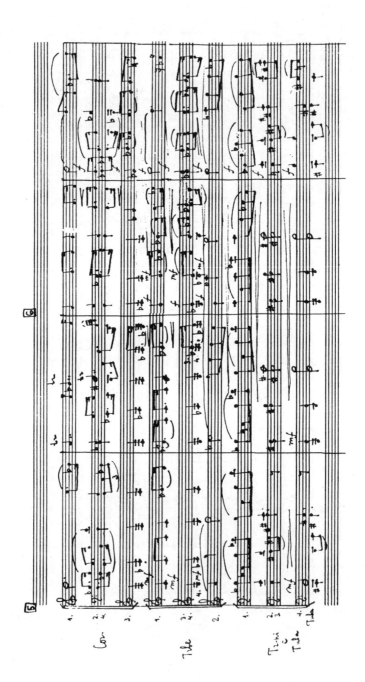

Es. 7 (*continua*)

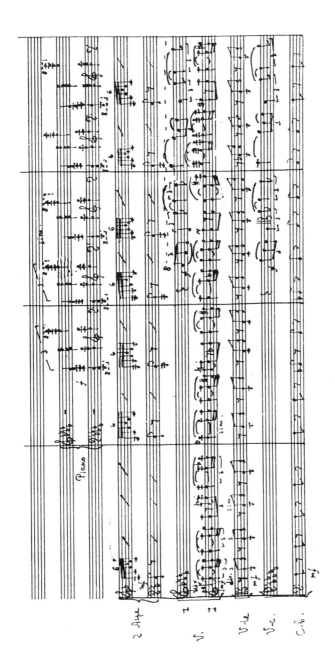

qualcosa legato a Sankt Florian?". Era ciò che cercavo: capii immediatamente che avrei scritto una "messa invisibile", una sinfonia con sottofondo corale. Le sei parti della sinfonia seguono la consueta divisione della messa e nella parte del coro vengono citate melodie liturgiche».

Nella *Seconda Sinfonia*, dunque, Schnittke utilizza il tradizionale testo liturgico della messa e l'intera composizione è pertanto suddivisa in sei parti: I. Kyrie, II. Gloria, III. - Credo, IV. Crucifixus V. Sanctus e Benedictus, VI. Agnus Dei. Sotto l'aspetto musicale, tuttavia, quasi tutte le parti della sinfonia rappresentano un corale per voce (solista o coro) con il seguente "commento" dell'orchestra (il Credo presenta una struttura più complessa). Il compositore ha desunto tutti i corali dal *Graduale* (la raccolta liturgica di tutti i canti della messa), che compaiono però nella loro versione monodica "ortodossa" soltanto all'inizio della prima e dell'ultima parte; la melodia del corale ruota costantemente su se stessa, formando un canone (come nel Kyrie) oppure si intreccia con un diverso corale (come nel Gloria).

Le sezioni strumentali della sinfonia seguono talora le intonazioni del corale (prima parte, inizio della terza e coda della quarta parte), ma più spesso costituiscono dei liberi "commenti" non sottoposti alle melodie del *Graduale*, come ad esempio nella quinta parte con l'assolo di rara bellezza dell'oboe d'amore. Nelle parti strumentali del Kyrie, del Gloria e del Credo troviamo anche leggi di tipo diverso, innanzitutto il principio della simmetria (nel particolare simbolo della croce) che determina sia la verticale (simmetrica rispetto all'"asse" orizzontale degli accordi) sia l'orizzontale (serie dodecafoniche simmetricamente disposte). Quest'ultima particolarità appare nella sezione orchestrale che occupa il centro della sinfonia con un grandioso "commento" al Crucifixus della quarta parte; dodici serie simmetriche di dodici note, pronunciate ogni volta dai primi violini, passano gradualmente, sullo sfondo di un moto regolare di bassi, agli altri strumenti, diffondendosi così all'intera orchestra. Il volume sonoro aumenta nell'intreccio di un numero sempre maggiore di linee musicali differenti. Questa singolare "ascesa al Golgota" ha inizio dopo le parole «Crucifixus etiam pro nobis» e conduce lentamente alla sezione corale di «Et resurrexit», nodo semantico centrale della sinfonia.

Nell'intonazione generale dell'opera vorremmo ancora ricordare un elemento di particolare rilevanza: la serie degli armonici (fino al dodicesimo) che è alla base della sezione strumentale del Gloria. In seguito, il "tema" degli armonici risorge nella conclusione del Credo e dell'Agnus Dei, sia assumendo un corpo melodico sia elevandosi in una linea verticale che illumina brillanti accordi in maggiore con tutte le sfumature dello "spettro" armonico.

Nella *Seconda Sinfonia* quindi, unendo tra loro logiche diverse (quella di forme vocali e strumentali insieme con la logica e le tradizioni di composizioni sinfoniche e liturgiche) Schnittke crea un organismo duttile, sfuggevole e dotato di innumerevoli quanto diverse proprietà. Nel suo complesso, tuttavia, la costruzione sinfonica appare senza peso, priva di ravvisabili forze gravitazionali dirette in una precisa direzione. Risulta allo stesso tempo difficile definire statica questa struttura, innanzitutto per la straordinaria energia sprigionata dall'intonazione globale; la monodia gregoriana, con sorprendente naturalezza e rapidità, si trasforma in una serie dodecafonica e viceversa, cosicché noi non avvertiamo alcun salto qualitativo ma soltanto un progressivo accumulo quantitativo. Tutto avviene in un brevissimo intervallo di tempo. Possiamo dire che quei violenti contrasti, che nella *Prima Sinfonia* scaturivano dalla visione pluristilistica, nella *Seconda Sinfonia* lasciano la superficie sonora per addentrarsi in profondità, conferendo una particolare intensità alle linee verticali e diagonali, disposte in un quieto flusso temporale orizzontale denso di liturgica contemplazione.

La *Terza Sinfonia* fu composta da Schnittke in occasione del centenario dell'Orchestra sinfonica del Gewandhaus di Lipsia e dell'inaugurazione di quella sala da concerti. La prima esecuzione della sinfonia avvenne il 5 novembre 1981 sotto la direzione di Kurt Masur. Si può forse parlare di un calcolo preciso del compositore sulle possibilità della nuova sala del Gewandhaus, con il suo interno ampio, simile a quello della Filarmonica di Berlino. Una simile ampiezza dello spazio concertistico garantisce infatti la massima purezza a tutte le linee orchestrali e ricordiamo che quest'ultime nella *Terza Sinfonia* raggiungono una straordinaria densità, tanto che in alcuni punti ogni strumento dell'orchestra conduce una propria linea solistica.

La *Terza Sinfonia* è la più monumentale e forse la più nota di tutte le sinfonie di Schnittke. In essa si fondono il montaggio pluristilistico della *Prima* e la particolare ricchezza di dettagli espressivi della *Seconda*. A differenza della *Prima*, tuttavia, mancano citazioni vere e proprie: alla base del tessuto d'intonazione troviamo allusioni (come nello Scherzo), oppure simboli sonori come le sigle, in un modo o nell'altro legati alla Germania, alla musica o al nome di compositori tedeschi. Manca qualsiasi elemento di teatro strumentale e, nel complesso, lo stile di Schnittke vi appare assai più monolitico e omogeneo che nella *Prima Sinfonia*. Abbiamo piuttosto uno stile unico, ma ricco di un micromondo interiore di dimensioni e densità straordinarie. Scritta su commissione di un'orchestra tedesca, la sinfonia è divenuta una sorta di riflessione sulle sorti della cultura musicale tedesca. Non stupisce quindi che nei vari movimenti risuonino le sigle di compositori tedeschi, da Bach e Händel fino a Berg, Stockhausen, Henze e Kagel: più di trenta nomi che con le loro "lettere" hanno determinato realmente l'intonazione generale di questa sinfonia "tedesca". Nel primo movimento ai nomi dei compositori si aggiungono anche le parole Deutschland, Thomaskirche, Leipzig...

Come nelle due prime sinfonie, Schnittke si rivolge a una grande compagine orchestrale cui si affiancano un insieme di tastiere (organo, clavicembalo, pianoforte e celesta), chitarra e chitarra basso (il timbro di questi ultimi strumenti acquista lucentezza grazie a particolari procedimenti di deformazione del suono mutuati dai complessi jazzistici). Tutti gli strumenti, tuttavia, anche quelli tradizionali, sono intensamente utilizzati dal compositore. La tavolozza sonora risulta estremamente particolareggiata e l'orchestra si trasforma in un insieme di diversi strati timbrici, in cui ogni linea acquista una propria rilevanza espressiva autonoma. Non possiamo non ricordare ancora una volta le idee espresse da Schnittke nel suo articolo *L'orchestra e la nuova musica*: «L'orchestra deve essere una *vita* strumentale». E nella *Terza Sinfonia* è effettivamente così: dedicandola ai musicisti tedeschi, Schnittke scrive il *divisi* per le loro molte generazioni, per il loro vasto e ramificato albero genealogico!

Con il *divisi* degli archi, che raggiunge diramazioni senza precedenti, tanto che si possono contare ben 66 voci autonome, ha inizio il primo movimento della sinfonia. Ognuno degli orchestrali porta il proprio obolo solistico al processo di "edificazione" della sinfonia e tutta la prima parte è permeata dell'energia di questo sforzo individuale, attivo e creativo. Anche il materiale impiegato nella costruzione è caratteristico; esso è la natura stessa, una serie di armonici appena stilizzata alla maniera di un tema wagneriano o di Bruckner. Effettivamente l'inizio della sinfonia richiama spontaneamente associazioni di idee e parallelismi con le prime battute de *L'oro del Reno* di Wagner, il che ha offerto ad un critico il facile spunto per definire la prima parte della *Terza Sinfonia* un «*Oro del Reno* elevato al cubo e poi ancora e ancora»[25]. L'idea strutturale di una scala, inoltre, o di una qualche serie razionale di suoni posta a fondamento del tessuto d'intonazione — idea particolarmente cara a Schnittke negli anni Sessanta — trova in quest'opera una nuova concretizzazione. Anziché una serie orizzontale e razionale viene posta alla base del materiale la successione degli armonici, verticale e naturale e che esiste indipendentemente dalla coscienza umana. Ad essa vengono ad aggiungersi le sigle che prendono corpo nelle note di questa scala come simboli e segni di una cultura già creata, di una memoria culturale racchiusa nel serbatoio naturale degli armonici. Cresce incredibilmente in tal modo la sensazione di una estrema densità spirituale della musica, come ci trovassimo in un tempio, in cui ogni centimetro di spazio, da cui tracima l'energia spirituale di presenti e assenti, possiede un enorme peso specifico.

Nella seconda parte, al viaggio nelle profondità dello spettro naturale del suono viene a sostituirsi lo sguardo "in estensione", la visione panoramica di differenti quadri stilistico-musicali. Il compositore ci accompagna lungo i percorsi evolutivi della musica europea e noi udiamo innumerevoli allusioni (poiché, come si è già detto, mancano dirette citazioni) create ancora una volta con le sigle sonore di compositori tedeschi di epoche diverse. Muta di conseguenza anche la generale coloratura stilistica, che modula dal registro classico (all'inizio del movimento) fino a toni berghiani.

Il terzo movimento è dedicato a immagini negative e distruttive e l'intonazione del materiale viene a basarsi sulla parola tedesca "das Böse" (il male), che isola otto note di una serie particolare (re-la-mi bemolle-si bemolle-mi-mi bemolle-mi). Tale sigla viene elaborata secondo i modelli del cantus firmus, alla base del quale vengono a crearsi variazioni diverse, esposte sotto modelli di diversa configurazione storica, dal falso bordone medioevale fino al fox-trot del XX secolo. E se nel primo movimento la densità di fattura era di tipo spirituale, determinata dalla presenza di "segni" e di una loro correlazione "mitologica" con la scala naturale degli armonici e con l'intonazione generale di tipo wagneriano, nel terzo movimento tale densità assume contorni nettamente fisici, materiali e aggressivi. In questo momento dell'opera un ruolo enorme spetta al timbro delle chitarre elettriche, alterato, rinforzato e inconsueto per un'orchestra classica. Nel punto culminante del movimento la densità di fattura raggiunge il massimo di una grandezza dalle tinte malvagie, si intrecciano cioè i diversi strati sonori che, dopo essersi avvicendati uno dopo l'altro, ora risuonano simultaneamente.

Il momento di massima tensione si ha tra la terza e la quarta parte. Il flusso musicale si libra sulla nota "B" e prende corpo una nuova ondata sonora, un vasto Adagio meditativo che attinge le proprie forze dalla sigla B-A-C-H, simbolo positivo che in questo caso diviene realmente un ruscello da cui sgorga l'intero finale (ricordiamo che in tedesco la parola *Bach* significa appunto "ruscello").

L'Adagio del finale della *Terza Sinfonia* presenta nel suo complesso tinte positive, pur non essendo al cento per cento un finale tanto classico da riassumere tutti gli eventi della sinfonia e disporre ogni cosa al suo posto secondo una logica precisa. In sostanza, si tratta di uno dei primi esempi di finale-coda o finale-sospensione caratteristici dell'arte di Schnittke (lo ritroviamo infatti nei concerti, nei concerti grossi e nei cicli da camera). Nelle opere di Schnittke manca, né potrebbe esistervi, un autentico finale di carattere edificante. Dice Schnittke:

> Ho riflettuto a lungo sul problema del finale, e sono giunto alla conclusione che tale problema è sorto allorché si è instaurato l'ateismo. Prima non esisteva un problema del finale in quanto tale. Vi era una sicurezza originaria nel fatto che tutto sarebbe andato per il verso giusto, e fino a Beethoven compreso non vi furono finali negativi. Oggigiorno, invece, non esiste più un finale che offra la spiegazione dell'opera nella sua globalità, mentre nella *Nona* sinfonia di Beethoven, o in ogni caso nella *Quinta*, il finale è assolutamente autentico. Nella *Nona* vi è forse una certa forzatura ideologica, ma non si può fare a meno di credere ciecamente nella marcia della *Quinta*. Dopo non si può più credere a nessuno: il finale positivo cessa di esistere. In molti miei lavori spesso tutto scompare nei puntini di sospensione o semplicemente si interrompe, terminando "senza finale". Di per sé, questo è iniziato con Čajkovskij e Mahler. Prendiamo l'Adagio conclusivo della *Sesta Sinfonia* di Čajkovskij. Quando mai si è visto un adagio alla fine? Prima di allora, mai. Un finale concepito diversamente si è avuto con Čajkovskij e poi con Mahler, con le lente code delle sue sinfonie.

Il significato della *Terza Sinfonia* di Schnittke è il destino stesso della sinfonia classica, dell'idea di una classica percezione razionale del mondo in generale, come modello di un rapporto chiaro, armonico e razionale, tra l'uomo e la realtà. Nello svolgimento dei quattro movimenti noi siamo testimoni della nascita e della fioritura di tale idea, della sua ipertrofia (secondo movimento); poi essa viene portata all'assurdo, alla distruzione stessa (terzo movimento), fino alla rinascita su un diverso piano nel contesto "mitologico" (comprensivo di tutte le epoche) della psicologia e del comportamento dell'uomo contemporaneo. La *Terza Sinfonia* pone in evidenza il carattere paradossale di una sinfonia classica inserita nel contesto della realtà di oggi; da un lato, essa offre un aspetto di grande attrazione come strumento logico di conoscenza solido e interamente umano, dall'altro, abbiamo l'impossibilità di rendere assoluto il principio della semplice rianimazione del suo volto museale. La costruzione musicale sulla sigla B-A-C-H, che chiude l'Adagio, benché ci rimandi simbolicamente a un passato "razionale", diventa in raltà una postfazione extra-strutturale all'intero ciclo, lasciando in tal modo aperta la composizione.

È lo stesso compositore a riconoscere che nella propria attività creativa ha sempre oscillato tra due tipi di lavori: alcune opere sembrano nascere spontaneamente, emergendo come un "regalo" inaspettato, altre vengono accuratamente calcolate e strutturate sulla base di innumerevoli abbozzi. La *Quarta Sinfonia* appartiene senza dubbio al secondo tipo. Si tratta infatti di un ciclo di variazioni su tre temi, uniti da una comunanza di intonazione ma rappresentanti diverse tradizioni spirituali: cattolica, giudaica e ortodossa. La fede nella possibilità di un'unione tra queste tradizioni, sorte in differenti condizioni storiche, costituisce il perno drammaturgico della *Quarta Sinfonia*. «In questa sinfonia — afferma Schnittke — ho lavorato alla stilizzazione della musica liturgica di tre diverse confessioni religiose: ortodossia, cattolicesimo e protestantesimo [vi troviamo infatti elementi della salmodia, del corale luterano e dell'*alleluia* dei corali gregoriani]; ho lavorato inoltre sui canti sinagogali e ho cercato di scoprire, pur nelle differenze, una qualche unità originaria».

Nella *Quarta Sinfonia* Schnittke si rivolge alle forme canoniche delle Passioni, un ciclo a cui si dedicarono molti compositori, da Schütz a Penderecki. Parole e testo in quanto tali tuttavia mancano e le immagini sono interamente affidate al corpo strumentale. Le parti della voce solista (tenore-controtenore, uno o due interpreti) e del coro divengono il naturale proseguimento delle linee strumentali nei momenti culminanti della sinfonia (abbiamo ad esempio l'assolo del tenore nella variazione legata alle sofferenze terrene di Gesù).

Nella *Quarta Sinfonia* manca un programma nel vero senso di questa parola, anche se il canovaccio delle Passioni assume contorni abbastanza netti. La struttura ricorda il rosario (la rosa come simbolo della Madonna) con cui il fedele si rivolge ai quindici misteri. Dice Schnittke:

I quindici misteri, sono racchiusi in tre cicli di cinque: misteri gaudiosi, dolorosi e gloriosi. I misteri gaudiosi sono l'annunciazione, la visitazione di Elisabetta, la nascita di Cristo, la presentazione al tempio (circoncisione) e Gesù che parla ai dottori nel tempio di Gerusalemme. I cinque misteri dolorosi sono la preghiera di Gesù nell'orto del Getsemani, la flagellazione, la corona di spine, la salita al Calvario, la morte sulla croce. E infine i cinque misteri gloriosi:

la resurrezione, l'ascensione, la discesa dello Spirito Santo sugli apostoli, l'assunzione della Beata Vergine e l'incoronazione di Maria in cielo. Questa è la formula della *Quarta Sinfonia*: tre cicli di cinque elementi.

Le immagini evangeliche sono presentate nella sinfonia da tre diverse angolazioni, da cui derivano i temi principali e le intonazioni che all'inizio sorgono successivamente e alla fine (nel canto corale) si riuniscono lungo la verticale che simboleggia la concordia (v. es. 8, p. 142).

L'intera sinfonia, come ciclo di variazioni su tre temi, si suddivide in tre grandi sezioni, ciascuna di cinque variazioni. La prima sezione è caratterizzata da una gioiosa contemplazione, la seconda da un'accentuata dinamica di intensa drammaticità, la terza da una luminosità estraniata e dalla sensazione dell'eternità. Ognuna delle tre sezioni è incorniciata da un "commento" del pianoforte solista o di tutti i tre strumenti a tastiera (pianoforte, clavicembalo e celesta) che confermano visivamente la "trinità" tematica della sinfonia.

Nella *Quarta Sinfonia* non vi sono evidenti collage, né temi desunti da altre opere né collisioni di strati stilistici diversi. Aumenta invece straordinariamente il ruolo della simbologia sonora che conduce non tanto lungo la superificie orizzontale del mondo sonoro quanto nelle sue profondità. Il linguaggio musicale della sinfonia, alquanto astratto a una prima impressione, è ricco di una simbologia che prende corpo nei mezzi offerti dalla differenziazione di altezza del suono. Un corale "cattolico" quasi-gregoriano coesiste con una salmodia "palestinese" in cui si odono chiaramente intervalli aumentati. Il terzo tema è esposto secondo la scala diatonica tipica del canto liturgico russo. Un particolare dinamismo di intervalli dà corpo all'incontro di queste diverse sfere sonore; all'inizio della sinfonia mancano quasi del tutto intervalli "puri", sostituiti da intervalli "curvati", aumentati. Verso la fine le "false" ottave si rettificano, l'intonazione si fa estremamente limpida e tutto si riunisce (possiamo ricordare a questo proposito un simile dinamismo di intervalli, o più esattamente un ampliamento della scala seriale, nella *Prima Sonata per violino*). Nella *Quarta Sinfonia* Schnittke evidenzia appunto la possibilità di tale unione non attraverso collisioni e lotte (come avviene nella *Prima Sinfonia* e in parte nella *Terza*), bensì mediante l'introspezione e il reperimento delle *radici comuni*, vale a dire delle sorgenti di quei fenomeni, oggi assolutamente diversificati, che appartengono al poliedrico mondo contemporaneo.

Nella *Quinta Sinfonia*, composta nel 1988 su commissione dell'orchestra Concertgebouw di Amsterdam, si riassumono le molte peculiarità delle precedenti sinfonie e concerti di Schnittke. Non è casuale la doppia dicitura dell'opera: *Quarto Concerto grosso/Quinta Sinfonia*. Nei primi due movimenti troviamo la presenza, seppur convenzionale, di solisti e il flusso musicale si sviluppa attorno alla contrapposizione tra individuo e massa, proscenio e fondale, come nei concerti grossi e nei concerti strumentali di Schnittke. Con il terzo movimento, l'opera pare modulare verso un pu-

Es. 8. *Quarta Sinfonia*, coda; i bassi rappresentano l'ortodossia, i tenori il giudaismo, i contralti il cattolicesimo.

ro timbro sinfonico, per concludersi con il tipico finale lento di Schnittke, potremmo dire con una coda che oltrepassa i confini della sinfonia.

Il primo movimento vede impegnati tre solisti (oboe, violino e clavicembalo) e una compagine orchestrale di dimensioni relativamente modeste. Gli evidenti tratti del concerto grosso si combinano con una durezza quasi esagerata, diremmo hindemithiana, e una fredda operosità esteriore, leggermente accentuata: una sorta di neoclassicimo scherzoso "di bravura". Fin dalle prime battute risulta chiaro che il concerto grosso testé iniziato è destinato alla catastrofe, mancando di un'autentica capacità di vivere. In maniera impercettibile e sottile Schnittke toglie ogni credibilità all'idea stessa di "proscenio" e il primo movimento della sinfonia diviene un interessante esempio di "disfacimento diagonale" e di rifiuto della forma tradizionale, tutto ciò senza un'evidente disgregazione della struttura stessa. Del resto, nel contesto dualistico della musica di Schnittke, l'apparizione di per sé di un elemento indiscutibile e strutturalmente completo (come appunto il primo movimento della *Quinta Sinfonia*, chiuso da un inconfutabile punto) viene immediatamente percepito come falso e negativo, benché nella musica di un altro compositore e in un diverso contesto esso potrebbe apparire come un chiaro momento di positività.

L'insuccesso del primo movimento, o meglio la sua falsità, legata all'impossibilità di creare una struttura indiscutibile e all'insensata posizione egocentrica dei solisti all'interno del complessivo contesto della sinfonia, conduce al secondo movimento che, a differenza del primo, non racchiude in sé alcun principio virtuosistico. Alla base del secondo movimento (Allegretto) troviamo l'abbozzo del secondo movimento del quartetto con pianoforte, rimasto incompiuto, del sedicenne Gustav Mahler (1876). Lo schizzo mahleriano risuona incontaminato nella coda dell'Allegretto, eseguito da quattro strumentisti così come era stato ideato da Mahler (ricreando in tal modo il precedente del gruppo solistico e rammentando all'ascoltatore che si trova ancora nell'ambito del concerto grosso). L'intero secondo movimento è un ciclo di variazioni sul tema che compare alla fine, come un tentativo di avvicinarsi alla musica di Mahler portata dall'esterno, di riuscire a comprenderla pur partendo da una situazione di oggi. Le variazioni, pertanto, si spingono sempre oltre, irrigidendo il rilievo dell'intonazione e mutando il volto tematico fino a renderlo tragicamente irriconoscibile. Nel flusso musicale viene inoltre introdotto un corale dai toni quasi ortodossi, "segno" assai frequente nella musica di Schnittke. Nel complesso quindi la variazione si allontana sempre di più dall'originale, quasi seguisse una traiettoria a spirale nel tempo e nello spazio. Viene così a crearsi l'illusione (e forse non si tratta soltanto di un'illusione) di una variazione di per sé infinita, che si perde nella lontananza senza confini del futuro, e non soltanto in rapporto a Mahler ma anche a Schnittke. Ritroviamo dunque il principio della forma aperta, di un'incompiutezza voluta come fondamento, un principio che riceve qui la sua espressione estrema, quasi ipertrofizzata. È come se ci trovassimo faccia a faccia con l'oscurità dell'infinito, ed è per questo che, dopo aver presentato l'infinita apertura della forma e le forze quasi gravitazionali dell'originale mahleriano, Schnittke compie un inaspettato ritorno, o meglio esibisce per la prima volta con chiarezza il tema di partenza. Dopo le sonorità ipersature dell'orchestra, udiamo la musica spettrale e diafana dell'abbozzo di Mahler, eseguito soltanto da quattro strumenti e spezzato all'improvviso (il secondo movimento della *Quinta Sinfonia* esiste anche in una versione cameristica come brano autonomo, *Schizzo sul secondo movimento di un quartetto con pianoforte di Gustav Mahler*).

Il terzo movimento inizia con una lunga introduzione lenta che anticipa e "predice" il finale lento della sinfonia, benché il materiale in esso utilizzato sia alquanto diverso. Con il terzo movimento, nell'intento dell'autore, ha inizio la sinfonia vera e propria. Compare infatti il profilo di un allegro di sonata, dove alla sgomenta parte principale subentra a poco a poco quella secondaria, ambientata nell'instabile sfera di confronto tra un severo corale e l'aperta espressività.

È proprio il corale (nato già nel secondo movimento "mahleriano") ad assumere un ruolo primario all'interno di questo allegro di sonata; esso infatti compare prima nell'esposizione, poi nello sviluppo e nella ripresa, irrompendo inaspettatamente e infrangendo il logico fluire degli eventi, fino a determinare, alla fine, la "rottura" dell'allegro di sonata e l'apparizione del finale lento della sinfonia. Dal punto di vista melodico, questo corale è cromatico, mentre sotto l'aspetto armonico ricorda la musica liturgica ortodossa. Lo sviluppo del terzo movimento è limitato e un momento di grande rilevanza è rappresentato da un primo culmine negativo; l'intero sviluppo, in questo passaggio, svolta verso un singolarissimo "punto zero", verso un momento di estrema tensione espresso nel silenzio assoluto di una lunga pausa generale. Successivamente lo sviluppo riprende, inglobando anche la ripresa, all'interno della quale si innalza il secondo momento culminante.

La marcia funebre in cui la ripresa confluisce rappresenta l'inizio del finale, che interrompe il percorso, quasi completato, dell'allegro di sonata del terzo movimento. Il materiale musicale del finale-epilogo, che racchiude in sé elementi di marcia e di sarabanda, non ha radici evidenti nel flusso musicale che lo ha preceduto. Il finale, come già il corale, sorge "dall'esterno" e, in questo senso, non rappresenta un risultato formale dello sviluppo. Il tempo lento di marcia funebre viene conservato pressoché costantemente e soltanto allorché questo ritmo si interrompe la marcia assume contorni di maggiore espressività; la musica di avvicina a una brusca gesticolazione o persino a un urlo vero e proprio per poi ritornare al regolare incedere della marcia.

Le cinque sinfonie di Schnittke, come abbiamo visto, danno corpo a un'idea generale: la forma tradizionale della sinfonia subisce una catastrofe. Ciò è innanzitutto legato alla perdita del carattere chiuso e perfettamente strutturato della forma-sonata, inteso come principio di logica musicale sopravvissuto per secoli. «Restiamo noi stessi — afferma Schnittke — accecati dal nostro orientamento generale verso la sonata. L'intera nostra educazione musicale è stata "coinvolta" nella forma- sonata. Ritengo che una precisa osservanza interiore verso la sonata, pur nelle diverse varianti proposte, prevalga nella maggior parte dei miei lavori. Ma vi è anche una quantità infinita di digressioni». Infatti, se esaminiamo soltanto le sinfonie, non troveremo affatto un allegro di sonata né nella *Seconda* né nella *Quarta Sinfonia*, mentre nella *Prima* esso compare parzialmente nel primo movimento, dal momento in cui il direttore inizia a dirigere l'orchestra, benché la ripresa — citazione dal finale della *Quinta Sinfonia* di Beethoven — risulti chiaramente "finta" e non abbia alcuna funzione logica e strutturale. Nel secondo movimento della *Terza Sinfonia* l'idea della sonata è messa fortemente in dubbio dall'interazione di temi diversi, dal carattere illusorio dei temi stessi (allusioni o elementi strutturali?!), dalla loro instabilità e dai loro confini estremamente sfumati. Le precise funzioni della parte principale e di quella secondaria nella forma-sonata vi vengono capovolte e, da un punto di vista formale, la parte secondaria diviene un materiale assai più significativo. Compaiono cioè altri fattori estranei alla sonata. La composizione diventa sempre più una catena di avvenimenti in cui sono i rapporti contestuali e non le leggi strutturali a giocare un ruolo sempre maggiore. Nella *Quinta Sinfonia* viene fatto l'ennesimo tentativo di riaffermare l'allegro di sonata come principio di ordine e di logica. Anche questo tentativo, tuttavia, è destinato a fallire, poiché non regge all'impeto del materiale simbolico (il corale e la marcia funebre) che gradatamente, ma implacabilmente, uccide l'idea strutturale che il compositore cerca di seguire in piena onestà. L'irrazionale e l'invisibile eliminano il razionale e il visibile, nonostante la dettagliata elaborazione di quest'ultimo. Il relativismo — vale a dire una mentalità di tipo contestuale — hanno il sopravvento sul primato classico del testo.

La seconda particolarità della catastrofe a cui va incontro la tradizionale concezione sinfonica è racchiusa nel carattere aperto ed extra-strutturale dei finali, con la loro evidente metafunzione di coda, di postludio. Una qualsiasi sinfonia e un qualsiasi concerto di Schnittke si concludono là dove udiamo lo schianto dello sviluppo strutturale dell'impulso originario. Inizia allora la parte più importante, extra-strutturale e simbolica, che necessita purtuttavia di un qualche dato strutturale al fine di poter comparire. Resta quindi impossibile afferrare l'essenza reale di un evento senza aver prima superato tutto quanto è indispensabile al processo di conoscenza. È impossibile immaginare il finale di una sinfonia o di un concerto di Schnittke senza un'illusione iniziale o senza il tentativo di seguire accuratamente il filo di una logica chiara e severa. Tale logica, tuttavia, viene rapidamente offuscata; passano in primo piano i paradossi, le "rotture", le "curvature" e, in conclusione, emerge ciò che potremmo chiamare "illuminazione" o ciò che appare come un inevitabile "regalo". Per raggiungere tale illuminazione (non direttamente legata alla logica della composizione) si deve tuttavia seguire l'intero percorso di sviluppo, anche se destinato al fallimento, l'intero percorso di una prova di limpido sapore cristiano, fino a recare in sacrificio ciò che pareva fermo e indiscutibile.

Nel resistere a tale "prova", come unico cammino per giungere alla verità, Schnittke resta un artista autenticamente russo. Il tragico pulsare della sua musica non è esteriore, in quanto condizionato dalla stessa tragicità del percorso che conduce alla verità e rafforzato soggettivamente dalla coesistenza di due culture di pensiero geneticamente appartenenti a Schnittke: quella tedesca, classica e razionalistica, e quella russa, irrazionale. Nelle sue sinfonie la forza di negazione infonde soltanto maggior vigore alla ricerca della verità attraverso un percorso non razionale. Le sue "non-sinfonie" e "quasi-sonate" divengono la realizzazione sonora di quel sacrificio indispensabile per trovare il vero cammino. Così io comprendo quella dolorosa tensione della sua musica sempre crescente di anno in anno. Di Schnittke potremmo dire, con le parole evangeliche poste da Dostoevskij come epigrafe a *I fratelli Karamazov*, che «se il chicco di grano, caduto in terra, non morirà, rimarrà solo, ma se morirà darà molto frutto».

Concerti grossi e concerti

Schnittke ha composto 5 concerti grossi e 11 concerti strumentali. Al genere concertistico appartengono di fatto anche *Dialogo*, lavoro precoce per violoncello e strumenti, e *Monologo* per viola e archi (1989). Concerti e concerti grossi costituiscono dunque il genere "più rappresentativo" dell'arte di Schnittke. Ciò fu dovuto in parte all'interesse di molti esecutori per la sua musica e di fatto tutti i lavori di cui parleremo in questo capitolo furono composti pensando a esecutori solisti precisi: Gidon Kremer e Tat'jana Grindenko per il *Primo Concerto grosso*; Gidon Kremer (solista) per il *Quinto Concerto grosso* e per il *Quarto Concerto per violino*; Oleg Kagan per il *Terzo Concerto per violino*; Oleg Krysa e Tat'jana Grindenko per il *Terzo Concerto grosso*; Mark Lubockij per il *Secondo Concerto per violino*; Mstislav Rostropovič per il *Secondo Concerto per violoncello*; Natalja Gutman per il *Primo Concerto per violoncello*; Jurij Bašmet per il *Concerto per viola* e così via. Il concerto e il concerto grosso, tuttavia, non rappresentano per Schnittke esclusivamente un lavoro concepito per un esecutore, ma l'elaborazione di una precisa posizione concettuale riguardante l'unione o la contrapposizione tra solista e orchestra, un tipo di drammaturgia ben definito quindi, e assai diverso da quello delle sinfonie.

Ricorderemo che la *Quinta Sinfonia* ha una doppia dicitura e di fatto è per metà il *Quarto Concerto grosso*, con un intento artistico che ben riflette il dualismo di pensiero dello stesso Schnittke. Da un lato, cioè, vengono affrontati i problemi connessi alla memoria culturale o relativa al culto dell'uomo privi di un carattere espressamente individualistico (le sinfonie), dall'altro si ha il conflitto, di estrema importanza per il compositore, tra *individuum* e *socium*, conflitto che senza dubbio diviene l'impulso motore dei suoi concerti.

I concerti grossi occupano una posizione intermedia. Essi presentano a loro modo l'eterofonia del solista (o dei solisti) e dell'orchestra. Quest'ultima, tra l'altro, assume indipendentemente dalla sua grandezza le vesti di un gruppo di solisti che, pur intraprendendo talora rapporti di tipo contrappuntistico con i solisti veri e propri, seguono nel complesso i "postulati" affermati da questi ultimi, sviluppandoli e portandoli in luce in modo talora paradossale. «I concerti grossi — afferma Schnittke — rappresentano un modello particolare di logica, quello cioè di un solista che non si contrappone all'orchestra. Nei concerti invece i rapporti di questo tipo assumono spesso un carattere conflittuale».

Se nelle sinfonie le idee principali sono racchiuse nella sfera della composizione generale, della forma musicale e delle sue tradizioni, nei concerti grossi la tensione sta nella correlazione tra le voci dei solisti e quelle dell'orchestra; nei concerti strumentali, invece, queste due sfere (forma e fattura) confluiscono in un'unica risultante, che mette in luce l'idea basilare della contrapposizione tra persona e massa, creatività ed entropia, creazione e distruzione. In ogni caso, nella scrittura e nello stile orchestrale di Schnittke sono rilevabili numerosi tratti di grande stabilità. Innanzitutto, abbiamo l'ossatura classica dell'orchestra che sopravvive di lavoro in lavoro. Talora Schnittke utilizza una compagine orchestrale incompleta, ma anche questo segmento della grande orchestra classica viene a svolgere le medesime funzioni di un grande organico di strumentisti. Rivolgendosi soltanto ad archi e tastiere (*Primo* e *Terzo Concerto grosso*, *Concerto per pianoforte*), Schnittke impiega gli archi in maniera "ramificata", con abbondanza del *divisi*, come avviene nelle sinfonie (basti ricordare la *Terza*), o li tratta da "solisti", come nella *Quarta Sinfonia*. In tal modo, qualunque sia l'organico dell'orchestra presente in una data partitura, l'arte di Schnittke conserva appieno una perfetta "imitazione orchestrale". Allo stile orchestrale del compositore non appartengono timbri sempre rinnovati, al contrario, egli utilizza sovente combinazioni strumentali a lui care, come timbri mescolati di tastiere e percussioni. Nel complesso, lo stile orchestrale di Schnittke è caratterizzato da una chiara differenziazione stratificata in gruppi, da un impiego relativamente raro della massa del *tutti*, dalla personificazione di timbri e di singole linee strumentali e da un costante utilizzo di tastiere e percussioni, che presentano quella sfumatura di suono, tipicamente schnittkiana, di un organismo orchestrale di per sé classico. A tastiere e percussioni vengono quasi sempre affiancate chitarra e chitarra basso. Nel paesaggio orchestrale di Schnittke diviene inoltre un elemento sostanziale l'amplificazione elettrica (clavicembalo, pianoforte, chitarre). Anche nel lavoro con l'orchestra Schnittke raggiunge di fatto un particolare dualismo paradossale, così come accade nelle sue opere pluristilistiche. Pur utilizzando l'ossatura e *l'imitazione* dell'orchestra classica (nell'accezione più ampia del termine, compresa cioè la grande orchestra del XIX secolo), il compositore la sostituisce gradualmente con qualcosa di nuovo, assai vicino talvolta a una banda o a un'orchestra di musica leggera. Il limite di questa novità, tuttavia, non viene mai superato e Schnittke, come sempre, si mantiene sapientemente in equilibrio tra i due confini.

Tra i cinque concerti grossi, due — il *Primo* e il *Terzo* — sono composti per solisti e orchestra di piccole dimensioni (soltanto archi, orchestra da camera e tastiere), altri due — il *Secondo* e il *Quinto* — sono stati scritti invece per grande orchestra sinfonica ("a tre"). Anche per il *Quarto Concerto grosso*, sezione della *Quinta Sinfonia*, è richiesta una grande orchestra, utilizzata però dal compositore in modo calligrafico e con grande moderazione. Che cosa hanno in comune tutti questi concerti grossi, o meglio, queste due coppie di concerti grossi tanto diversi per composizione orchestrale? Innanzitutto, il particolare sistema di interrelazioni tra il solista (o i solisti) e l'orchestra. Quest'ultima, persino quando è di grandi dimensioni, non diventa mai *massa*, ma ripete e varia le frasi del solista, quasi riflettendole in specchi diversi. Schnittke "disseziona" inoltre uno strato dell'espressività barocca, vale a dire la variazione di timbro e di fattura di un'idea principale, il principio della fuga ipertrofizzato ed elevato alla massima potenza. Tale principio, a sua volta, pare come alterato nello specchio della psicologia individualistica contemporanea. Il modello polifonico, pertanto, si trasforma in una realtà eterofonica (l'idea dell'eterofonia come principio di scrittura orchestrale interessò molto Schnittke negli anni Sessanta e Settanta che le dedicò numerosi dei lavori teorici indicati in bibliografia).

È lo stesso compositore a ritenere i propri concerti grossi più orientati verso il modello tedesco dei *Concerti brandeburghesi* di J. S. Bach che verso quello italiano. Stiamo parlando cioè del principio che sottostà al percorso evolutivo di una determinata tesi di partenza, al suo sviluppo con i mezzi offerti dall'orchestra, e non semplicemente dell'alternanza tra tipi diversi di tessuto orchestrale e strumentale, come avviene nei concerti grossi di Corelli o nei concerti di Vivaldi. Il puro gioco di fattura, brillantemente e produttivamente esposto in numerosi concerti di Vivaldi, è per Schnittke di scarso interesse. Esso viene utilizzato come mezzo ma mai come fine. In questo senso, vorrei precisare che le procedure italiane che portano a varie stratificazioni sonore e a precisi mutamenti nel tessuto musicale, sono comunque utilizzate da Schnittke, soprattutto nelle sezioni che portano ai momenti culminanti o a quelli che li precedono. Rimane in ogni caso fondamentale nel compositore la ricerca di un pensiero compositivo che riporta ai prototipi tedeschi più che ai pirotecnici giochi strumentali tipici degli smaglianti modelli italiani. La combinazione di entrambe queste tradizioni conferisce ai concerti grossi di Schnittke quella tipica "sonorità paradossale".

Abbiamo già parlato poc'anzi del *Primo Concerto grosso*, in merito alle tendenze eclettiche di Schnittke. La partitura, tuttavia, non è meno interessante come reale dialogo (o, più esattamente, polilogo) tra i due violinisti solisti e l'orchestra d'archi. L'idea eterofonica del genere del concerto grosso risulta particolarmente chiara nel secondo movimento, Toccata (v. es. 9, p. 149) e nel terzo, Recitativo. Nel *divisi* orchestrale estremamente ramificato alcune singole voci si spingono assai lontano rispetto alla linea dei solisti, pur continuandone l'idea e senza contrapporvi alcuna tesi

Es. 9. *Primo Concerto grosso*, Toccata, eterofonia

conflittuale. Realizzando l'idea eterofonica, Schnittke ricorre paradossalmente alla tecnica del canone e del contrappunto complesso. Utilizzando tale tecnica "severa" come mezzo ausiliario, Schnittke ottiene un
dualismo strutturale ed extra-strutturale di stupefacente espressività. Noi
possiamo udire le diverse correlazioni tra le voci ma, allo stesso tempo,
comprendiamo che esse sono un semplice mezzo per riflettere la naturale
e spontanea strutturalità della polifonia. Abbiamo cioè un particolare
coro strumentale di "compagni di fede" che entrano in rapporti reci-
proci piuttosti chiari ma senza averne coscienza. In tal modo, come nelle
sovrapposizioni e negli "scarti" dello stile eclettico, Schnittke riesce a
creare nuovamente la sensazione di una distanza temporale o spaziale
da cui la musica viene udita e di cui si percepisce l'estremo ordine formale, la "metaforma". Un'analisi dettagliata di questa composizione, dal
punto di vista delle regole del canone e del contrappunto, permetterebbe
di comprenderne il micromondo ma non offrirebbe nulla alla percezione
globale dell'opera. Nel Rondò, movimento culminante del *Primo Concerto grosso*, e soprattutto verso il suo punto di "rottura" e di ritorno
del materiale al preludio iniziale, Schnittke opera la posa nel tessuto orchestrale di tutti i temi precedenti e l'orchestra, a questo punto, viene
ad avere un ruolo di estrema importanza nel presentare per la seconda
volta tutto ciò che è accaduto, non come una suite ma come un dramma.
Benché il materiale divenga effettivamente polifonico, Schnittke lo distri-
buisce sapientemente tra i solisti e l'orchestra, ricreando così quel tipico
equilibrio di autonomie che caratterizza il concerto grosso.

Il *Secondo Concerto grosso* è un'opera di genere affatto diverso, e non
soltanto perché vi compaiono come strumenti solisti un violino e un violoncello accompagnati non da un'orchestra d'archi o da camera ma da una
grande orchestra sinfonica ("a tre") che comprende chitarra, chitarra basso e molteplici percussioni. Il *Secondo Concerto grosso* si avvicina ideal-
mente ai concerti strumentali di Schnittke. Così come nel *Quarto Concerto
per violino*, nel *Concerto per viola* e nel *Concerto per violoncello* la sfera
di ampia concertazione virtuosistica diviene il campo di battaglia tra l'individuale e l'extrapersonale, tra il transeunte e l'eterno. Con tutto ciò,
l'atmosfera di competizione strumentale tra solisti, orchestra e singoli gruppi
di quest'ultima, tipica del concerto grosso, pare mascherare la reale drammaticità degli avvenimenti, rendendoli così ancor più gravi. Inconsueto
nell'intento creativo, il *Secondo Concerto grosso* include non soltanto numerosi indizi formali del concerto strumentale moderno e del concerto
grosso pre-classico, ma anche tipi diversi di espressione caratteristici di
questi generi musicali: uno più soggettivo, acuto e penetrante, proprio del
concerto strumentale (con il solista come protagonista principale di quanto accade) e uno più oggettivo, estraniato, indiretto e freddo, tipico dell'e-
stetica del concerto grosso. Alla confluenza tra queste due angolazioni è
nato appunto il *Secondo Concerto grosso* di Schnittke.

Ma perché la dicitura è "Concerto grosso" e non "Concerto per violino e violoncello"? L'Allegro del primo movimento e il suo successivo svi-

luppo nel terzo ricordano Vivaldi, Corelli, Händel o un finto Bach. I richiami di motivi inizialmente carichi di grande energia si perdono sullo sfondo di figurazioni ritmiche e lo stesso sviluppo dell'Allegro segue piuttosto i principi della variazione pre-classica anziché i successivi modelli di elaborazione. Lascia ammirati la grande ricchezza di invenzione e la lucentezza con cui il compositore conduce questo "quasi-tema", o meglio questo *simbolo* di un tema tipico di un concerto grosso barocco, attraverso l'intera composizione, in diversi contesti timbrici, dinamici e strutturali. Nel processo generale di sviluppo un ruolo determinante, come in qualsiasi concerto grosso, è affidato all'alternarsi di "soli" e "tutti". Inoltre, accanto ai solisti principali, violino e violoncello, emergono dalle profondità orchestrali diversi gruppi di strumenti concertanti, che mutano di volta in volta la loro composizione e intraprendono un dialogo con i solisti. Dapprima si tratta del tradizionale clavicembalo e dei legni; in seguito abbiamo percussioni e tastiere, vibrafono, marimba e celesta, poi i toni bassi e cattivi degli ottoni e gli archi oltremodo ramificati, in cui ogni orchestrale diviene un solista autonomo che conduce la propria linea personale. Infine succede qualcosa di assolutamente insolito: di tanto in tanto, nei primi tre movimenti, viene introdotta una musica estranea e in questi momenti all'interno dell'orchestra si isola un gruppo di percussioni sorrette dalla chitarra. Ci giungono così echi di improvvisazioni jazzistiche, lontani ritmi di marcia, i "tonfi" di un valzer di poco conto... Queste incursioni, del resto, sono di breve durata, quasi a voler semplicemente ricordare l'esistenza di un altro mondo, di un'altra vita, mentre tutto ciò che avviene *hic et nunc* è relativo e autonomo allo stesso tempo.

In generale, l'orchestra, come in molti altri lavori di Schnittke, non è quasi mai rappresentata dalla sua massa intera. Essa viene piuttosto trattata come una tavolozza da cui possono generarsi combinazioni sempre rinnovate di strumenti solisti. Forse per questo lascia stupefatti il culmine del *Secondo Concerto grosso* alla fine del terzo movimento; forse soltanto in questo punto, infatti, appare per la prima volta il *tutti* orchestrale. Eppure anche in questo momento particolare l'orchestra viene a essere un grande insieme di solisti, poiché ogni strumento possiede la propria voce individuale, benché quasi indistinguibile nella massa generale. La grande autonomia e ramificazione delle voci e la loro lucentezza esteriore vengono portate quasi all'assurdo, finendo per acquistare toni tra il malvagio e l'ammorbato.

Il *Secondo Concerto grosso* è formato da quattro movimenti che si susseguono senza soluzione di continuità; soltanto i primi due movimenti sono separati da una breve pausa che vuole forse essere un istante di riflessione. Possiamo dire che in questo lavoro Schnittke muova dal carattere di suite monopartita del *Primo Concerto grosso* (composto da sei movimenti). Si rafforza infatti l'assoluta integrità dell'opera e l'intera composizione, nonostante la suddivisione formale in movimenti, scorre come un solo respiro e rappresenta un unico processo evolutivo. Tutti gli eventi di questo concerto grosso paiono inoltre realizzarsi in tre diverse dimensioni. Una di queste è costituita da un brillante andamento mosso, quasi febbricitante, e dallo sviluppo di una figurazione neobarocca (primo e terzo movimento). Una seconda dimensione è legata al tema lirico-meditativo dell'introduzione (uno dei rari temi puramente lirici di Schnittke) e del finale del quarto movimento (a detta del compositore questo tema, che segna l'inizio e la conclusione del *Secondo Concerto grosso*, è il motivo di maggior rilevanza all'interno dell'opera e fu composto di getto allorché l'intero lavoro era già stato scritto). La terza dimensione è rappresentata dall'introduzione di musica estranea.

La prima dimensione è legata all'azione, all'energia espressa dal momento presente. La seconda è connessa alla riflessione, al ripensamento di quanto si è già vissuto. La terza dimensione, infine, è generata dalla percezione della varietà del mondo, in cui possono avvenire contemporaneamente fatti assai diversi. Tutte le tre dimensioni non esistono isolatamente, ma si intrecciano compenetrandosi l'una nell'altra. Così, ad esempio, il tema lirico dell'introduzione lascia il passo a un concertato di bravura, a cui tuttavia, nel momento di massima elevazione dinamica, fa seguito una variante del tema iniziale pronunciato dai solisti in *fortissimo* e destinato a divenire la base del secondo movimento. La forza elementare del concertato e della giocosa competizione tra gli strumenti prende improvvisamente a singhiozzare, illanguidisce come un'allucinazione. Il secondo movimento, sorto sui ritmi pietrificati dell'Allegro, può da principio ricordare una siciliana. Ma Schnittke non a caso precisa *pesante* in questo punto. L'ingresso del secondo movimento appare da subito duro, inesorabile, greve ed è qui che avvengono fatti autenticamente drammatici, mentre i monologhi e i dialoghi dei solisti si arricchiscono di un'elevata e penetrante espressività. E alla fine, allorché la tensione raggiunge il proprio apice, le forze dei personaggi vengono meno. È a questo punto che entra in azione il Male; le note tetre e basse di un ottone marchiano e soffocano con un peso insostenibile tutto ciò che è in vita. Eppure, al posto della catastrofe, avviene qualcosa di miracoloso, una trasfigurazione; i solisti-eroi paiono "librarsi" nel registro del flautato, riuscendo a vincere la gravità e il peso di quanto sta accadendo.

L'inizio del terzo movimento è spettrale e irreale. Come in una visione, tre flauti riprendono il tema dell'Allegro del primo movimento "risorto dalle ceneri". Fin dalle prime battute, tuttavia, il flusso sonoro è avvolto da una sorta di vapore mistico e non a caso i solisti cercano di velare il corso degli avvenimenti, avviluppando il tema in passaggi elastici e fluenti. È incredibile quanto la musica di Schnittke ricordi in questo punto l'inizio dello Scherzo della *Sinfonia* di Berio che, a sua volta, ci riporta allo Scherzo della *Seconda Sinfonia* di Mahler. Tutto pare ondeggiare e fluire rapidamente, effimero e instabile. La sonorità, tuttavia, acquista sempre maggior forza e nel crescendo degli ottoni udiamo il tema del secondo movimento. I solisti sembrano ritornare a nuova vita, il colorito generale si fa via via più caldo e più denso, fino a che trionfalmente risuona sfolgorante il *tutti* del momento culminante, con il tema pronunciato nel timbro dorato delle trombe. Eppure, tutto questo, non appena raggiunto l'apogeo, scompare nuovamente, in un attimo, come un'illusione o un sogno. Rimane una profonda pensosità lirica che ci riporta direttamente all'inizio. Nei penetranti intrecci delle voci solistiche la musica si amplia, si drammatizza, per poi nuovamente acquietarsi nel limpido re maggiore iniziale della contemplativa Nachtmusik e infine perdersi in uno spazio sonoro in continua espansione, come sempre in Schnittke, in una vastità aperta, tendente all'infinito.

Formalmente, il primo impulso alla composizione del *Terzo Concerto grosso* del 1985 fu il centenario contemporaneo di cinque grandi compositori: quattrocento anni dalla nascita di Schütz, trecento da quella di Bach, Händel e Domenico Scarlatti e cento anni dalla nascita di Alban Berg. Nella musica di questo concerto grosso di Schnittke trovarono un riflesso elementi propri al linguaggio musicale di tutti questi compositori: l'elemento di teatralità visiva di Händel, che conduce dal materiale alla sfera della concretizzazione concertistica; il carattere laconico e di grande significato simbolico del tessuto musicale di Schütz; i principi della musica strumentale sviluppati da Domenico Scarlatti; lo stile bachiano, che fonde in sé le più diverse e a volte contrapposte tendenze dell'epoca. Infine, come polo estremo, interviene la sfera musicale di Alban Berg, il cui organico dualismo tra calcolo rigoroso e disciplina da un lato e calore e libertà irrazionale dall'altro furono sempre di grande importanza per l'arte di Schnittke. L'intero quarto movimento, infatti, si libra in una sfera di intenso lirismo, assai vicina al finale del *Concerto per violino* di Berg.

Il concerto dell'Orchestra cameristica di Lituania, tenutosi a Mosca e in cui fu per la prima volta eseguito il *Terzo Concerto grosso*, ospitò anche opere dei cinque compositori celebrati. Per il centenario di Berg fu eseguito un suo canone poco conosciuto e scritto dal compositore nel 1930 per il centenario del Teatro dell'Opera di Francoforte. Schnittke, di fatto, scrisse il nuovo lavoro partendo dalla struttura essenziale di quest'opera berghiana. Egli ampliò il canone nel tempo "in orizzontale", utilizzando la ripetizione indicata dallo stesso Berg, e lo approfondì "verticalmente", rendendone più complesso il tessuto grazie a imitazioni supplementari sconosciute all'originale. Schnittke, inoltre, arricchì il canone di un pedale di basso basato sulla sigla del nome Alban Berg e orchestrò l'opera per complesso d'archi (Schnittke realizzò in un secondo tempo una seconda versione per violino solo e archi).

La voce di basso del canone di Berg fa eco al materiale impiegato nel *Terzo Concerto grosso* e basato interamente sulle sigle tratte dai nomi dei cinque compositori. L'incessante evocazione di questi nomi, la loro dislocazione "alla pari" in un contesto musicale di grande tensione spirituale e in una molteplicità di allusioni stilistiche crea un'originalissima immagine di eternità e di simultaneità insieme, in cui coesistono simbolicamente e si indovinano tratti di culture diverse condotte all'unico denominatore di formule letterali-sonore.

Il *Terzo Concerto grosso* rappresenta il vivace dialogo di due concezioni, due modelli di valutazione del passato, uno di tipo realistico-illusorio, simile a un dagherrotipo, basato sulle allusioni di stili, l'altro ricco di simbologia interiore, nascosta nelle lettere delle sigle e nelle citazioni. Il primo si annuncia fin dall'inizio, con una musica pseudo-bachiana, quasi un concerto brandeburghese. L'illusione è rafforzata dalle affinità con l'organico strumentale e con il genere del concerto grosso. Questo agile quadro musicale, tuttavia, si infrange inaspettatamente, annientato da un rintocco di campana che qui e oltre, nel terzo e quarto movimento, assurgerà a simbolo del destino, portato a infrangere lo sviluppo della prima concezione in favore della seconda. Dopo il "fatale" rintocco di campana, il primo movimento inizia gradualmente a disgregarsi, anzi, più esattamente, è come se si dissolvesse, scomparendo in strascichi di semitoni e quarti di tono e fornendo all'ascoltatore l'immagine, sorprendentemente forte, della crudele decomposizione a cui è sottoposta l'illusione testé sorta.

Prende inizio così la lenta ricerca di una diversa concezione, di un diverso modello, più attivo e incontestabile. A tale ricerca sono dedicati i movimenti centrali del *Terzo Concerto grosso*: secondo, terzo e quarto. Entrambi i solisti, con sofferenza e fatica, superano la barriera del tempo, nel tentativo di ricreare la perduta armonia del quadro iniziale. I temi principali formati dalle sigle, nelle parti dei due violini solisti acquistano i toni di una disputa, di una tenzone tra forze contrarie che, a stento, hanno trovato un equilibrio. La guida spirituale di questo dialogo è lo strumentista alle tastiere (clavicembalo, pianoforte, celesta). All'inizio del quarto movimento, ad esempio, il clavicembalo suona il tema composto dalla sigla B-A-C-H e da due citazioni simboleggianti una croce: il tema della fuga in do diesis minore dal I volume del *Clavicembalo ben temperato* e quello della fuga in fa minore (v. es. 10, p. 156-7).

Ben presto tutti i principali temi-citazioni vengono esposti dalle triadi delle tastiere. Le triadi, in quanto simbolo di aprioristica risolubilità di ogni conflitto, contrastano il conflitto stesso nelle parti degli archi, creando l'effetto di due mondi coesistenti, due poli anteposti che nascono però da una medesima base originaria. Emerge così quella musica che nelle opere di Schnittke caratterizza molti momenti importanti — come nel finale della *Terza Sinfonia* — e che senza dubbio trova un prototipo nel dualismo del finale del *Concerto per violino* di Berg; triadi inserite su di una base tonale, quasi di corale, e il loro progressivo sdrucciolamento lungo una "periferia" dissonante, accuratamente verificato e ponderato in base alla serie prescelta, in questo caso la serie delle sigle. Nel quinto movimento, sullo sfondo del timbro spettrale della celesta che continua a suonare le triadi simboliche, riemerge "la visione" del primo movimento (l'allusione bachiana). Ora, però, non si tratta più di una pura illusione ma di un tempo riacquisito, un passato riscoperto e conquistato con ricerche e tentennamenti, rinforzato in un materiale sonoro di alta concentrazione simbolica.

Nel *Terzo Concerto grosso* mancano collisioni eclettiche di grande effetto (come nel *Primo Concerto grosso*) né vi sono folgoranti momenti di "quotidianità", come il tango. Neppure troveremo una netta contrapposizione tra i solisti e l'"opprimente" massa orchestrale, come nel *Secondo Concerto grosso*. Il problema alla base del *Terzo Concerto grosso* non è la lotta tra ciò che è inequivocabilmente creazione e ciò che è inequivocabilmente distruzione, abbiamo piuttosto una serie di problemi più sottili, interni alla natura creativa e alla memoria culturale. Il principio generale del concerto grosso è espresso nel fatto che l'orchestra, come nel *Primo* e nel *Secondo Concerto grosso*, diviene un sistema di specchi per i solisti, atto a sviluppare le loro tesi in un dialogo tra interlocutori alla pari. Talora i riflessi generati da questi specchi appaiono perfettamente adeguati, talora risultano distorti, come nel *Secondo Concerto grosso*. L'idea stessa della variazione tuttavia, come simbolo di unione immediata (benché complessa) tra tutti i partecipanti, rimane immutata.

Il *Quarto Concerto grosso* del 1988 costituisce un movimento della *Quinta Sinfonia*, o meglio l'esposizione di una concezione dualistica che fonde il concerto grosso e la sinfonia. Nel raffronto di due diverse realtà, due diversi tipi di sviluppo e di presentazione del materiale, Schnittke recupera nuove possibilità energetiche per la realizzazione del ciclo. La modulazione che dal concerto grosso porta alla sinfonia, inoltre, evidenzia chiaramente il percorso stesso che il compositore ha compiuto nel corso di due decenni: da una sorta di gioco con modelli stilistici diversi a una seria assimilazione di elementi stilisticamente eterogenei e inseriti nel contesto offerto dal "metalinguaggio" nuovo e universale delle sue ultime opere; dall'intonazione "estraniata" a un'esternazione più personalizzata; dal dramma nascosto al dramma dichiarato, talvolta persino denudato secondo modelli espressionisti.

Il *Quinto Concerto grosso* del 1991, per violino e grande orchestra sinfonica (nonché pianoforte solista dietro le quinte), illustra appieno tale dramma. Esso si sviluppa come una composizione di fatto monopartita (il mono-ciclo nuovamente caro a Schnittke), con un'ampia introduzione del solista, con gli elementi di un energico allegro di sonata, nonché con lunghe cadenze del violino solista, che spezzano uno sviluppo appena iniziato, e una sorta di finale che dal turbinio iniziale conduce a una coda lenta di carattere meditativo. Il violino suona quasi senza interruzione e nella densità iperattiva della parte solista vi è persino qualcosa di ossessivo, una tensione oltre misura, prossima al crollo nervoso (tratto tipico di numerosi lavori dell'ultimo Schnittke). Lo sviluppo delle principali sezioni del *Quinto Concerto grosso* porta ad autentici crolli fisici. Appena raggiunta una "posizione eretta", il flusso logico degli avvenimenti è rotto da un cluster dell'orchestra o da un valzerino dozzinale, oppure dalle repliche dell'anti-solista, rappresentato dal pianoforte dietro le quinte. I suoni che provengono da questo anti-solista sono amplificati e pertanto vengono percepiti come un'entità che esiste *al di sopra* del solista, come una forza impersonificata che riesce a influire sul corso degli eventi. Si tratta senza dubbio di una continuazione della linea anti-solistica rappresentata dal contrabbasso nel *Secondo Concerto per violino* o dal "fatale" rintocco di campana nel *Terzo Concerto grosso*.

Verso la fine del concerto grosso il solista e l'anti-solista paiono cambiarsi di posto; tutta la grande coda infatti è costruita come una postfazione del pianoforte a cui spetta l'ultima parola mentre il violino solista si dissolve in tremoli al registro più acuto, immateriali e quasi impercettibili. In altre parole, ciò che appariva strano, extra-strutturale, invisibile e illogico, alla fine appare come un'entità dotata della massima naturalezza e umanità. L'angolazione — elemento ormai tipico delle gradi composizioni di Schnittke — muta radicalmente. La lunga coda in tremolanti do

Es. 10. *Terzo Concerto grosso*, inizio del quarto movimento; al clavicembalo la sigla B-A-C-H e i temi della croce delle fughe bachiane

maggiore/do minore si conclude con le note basse del pianoforte dietro le quinte, che risuonano, ancora una volta, come rintocchi di campane.

Eppure, nonostante l'intensità straordinaria di quanto accade e l'elevato tono emozionale, Schnittke rimane anche in questo caso fedele ai principi fondamentali del concerto grosso, inteso prima di tutto come una variazione strumentale in cui il solista e l'orchestra (nonostante le grandi dimensioni di quest'ultima) appartengono a un unico schieramento di forze. In altre parole, gli strumenti e i gruppi orchestrali fanno "da secondi" al solista, ne ramificano le linee nello spazio orchestrale e ne riflettono le idee principali. Il secondo principio a cui Schnittke si attiene è relativo al tipo classico del tematismo, che non necessariamente deve presentarsi come un tema classico o barocco (ciò che infatti non avviene nel *Quinto Concerto grosso* ma che ritroviamo nel materiale musicale del *Primo*, *Terzo* e *Quarto Concerto grosso*). Più importante del tema in sé, diremmo, è il suo profilo astratto: un nucleo e la sua successiva evoluzione. Un profilo tematico di questo genere è appunto alla base del cosiddetto Allegro, il movimento del *Quinto Concerto grosso* più ricco di energia. Il ritmo puntiforme del solista è ripreso da numerosi strumenti dell'orchestra e, proprio come avviene nella struttura barocca o nello svolgimento di una fuga, riceve rapidamente il proprio proseguimento e sviluppo. Questo tipo classico-barocco di pensiero razionale raggiunge il suo apogeo proprio nel *Quinto Concerto grosso*, arrivando talora a un grado di iper-saturazione prossima all'assurdo, tanto che ne deriva il crollo totale. L'assurdità nel contesto strutturale, tuttavia, non significa assurdità sul piano emozionale; nel *Quinto Concerto grosso*, assai più che in tutte le altre opere, il grado di saturazione strutturale genera innanzitutto una sensazione di tensione drammatica, un suo limite estremo. In questo modo, le leggi classiche del concerto grosso si trasformano nel contesto musicale di Schnittke in un procedimento creativo di tipo espressionista.

Nei concerti strumentali, di regola, il solista è decisamente contrapposto all'orchestra. Egli inoltre è come portato in proscenio, innalzato sui coturni, è in poche parole assai più personale della scura massa dell'orchestra. I concerti strumentali di Schnittke (ricordiamo che se ne contano ben 11 anche se escludiamo *Dialogo* per violoncello e *Monologo* per viola che, sostanzialmente, rappresentano lo stesso genere musicale) sono lavori dedicati ai dubbi e alle riflessioni dell'uomo moderno, al conflitto tra la coscienza individuale "faustiana" e ciò che definiamo *socium*. Il solista, tuttavia, non sempre viene a rappresentare un principio positivo e creativo, anzi, talvolta è proprio il solista a rompere l'illusione di armonia e di memoria culturale creata dall'orchestra (come, ad esempio, nel *Quarto Concerto per violino*). Allo stesso modo, anche i finali possono essere diversi, benché nascano sempre come risultato della lotta e della contrapposizione di questi due principi. Il finale quindi rappresenta talvolta la catastrofe della coscienza individuale e la vittoria delle forze impersonali (come nel *Concerto per viola*), talora invece realizza il trionfo della rinascita spirituale del protagonista (come nel *Primo Concerto per violoncello*).

L'idea del cerchio aperto, o più esattamente della voluta spiraliforme, è presente in tutti i grandi lavori di Schnittke e soprattutto nei suoi concerti strumentali. Il protagonista ad esempio — vale a dire il solista — al termine del proprio percorso fa necessariamente ritorno a ciò che vi era in origine, rielaborandolo intellettualmente. Le prove non vengono superate invano; nelle code dei concerti l'atmosfera si rasserena sempre e si aprono vastità che lo sguardo non può contenere (come nel *Terzo Concerto per violino* e nel *Primo Concerto per violoncello*). La musica acquista una nuova dimensione, un nuovo punto di appoggio. Il suo significato non ci è subito chiaro; al primo sguardo, esso richiede una progressiva appropriazione, un'immedesimazione e una partecipazione alle "prove" che si susseguono (come richiede, del resto, la realtà stessa). Il senso della globalità dell'opera si apre talvolta soltanto alla fine, come ultimo bilancio di quanto avvenuto. Così sono costruiti i cicli del *Concerto per viola* e del *Quarto Concerto per violino*. Dapprima il solista viene percepito come un'eroe brillante, indubbio padrone della situazione. Gradualmente, però, tutto cambia e l'elemento creativo, di bravura, si disgrega fino a portare alla catastrofe la forma stessa. Nel *Primo Concerto per violoncello*, dopo un *brioso* tradizionale e, parrebbe, conclusivo, emerge (senza che vi sia stata interruzione) l'autentico finale che, come una visione, giunge inaspettato ma riesce a dominarci completamente. Il tema, condotto come un inno o un corale in forma estatica e perorante, pare elevare fisicamente la musica, tanto che Schnittke in questo punto ha previsto che il violoncello venga amplificato da microfoni. L'intero flusso musicale che ha preceduto il finale appare come una preparazione, un semplice procedere a tentoni in questa nuova dimensione improvvisamente rivelatasi.

Possiamo pensare che Schnittke programmi in precedenza questi finali, inserendo in essi la "morale" dell'opera e conducendovi abilmente l'intero sviluppo del lavoro. In realtà, non avviene così. Schnittke spiega così il perchè: «Ogni volta la coda, ciò che generalmente chiude l'opera, appare d'improvviso, come un regalo inatteso, ma appare sempre *alla fine* del lavoro. Io stesso sono costretto a percorrere l'intero cammino, a *viverlo* soprattutto. È possibile immaginare come sarà l'opera "all'incirca", ma non è possibile comporla esattamente in precedenza, non ne verrebbe fuori nulla». L'affermazione del compositore viene confermata dal fatto che gli episodi più importanti ed "estremi" del *Primo* e *Secondo Concerto grosso*, come pure il finale del *Primo Concerto per violoncello*, nacquero realmente all'improvviso allorché tutti questi lavori erano già quasi completati. Tali episodi sorsero veramente come un regalo dall'alto, destinato a mutare integralmente il volto e il significato dell'opera.

Il *Quarto Concerto per violino* del 1984 e il *Concerto per viola* del 1985 sono la più limpida realizzazione della concezione drammatica del concerto strumentale. Nel *Quarto Concerto per violino* vengono a fondersi l'impiego di materiali stilisticamente diversi, tipico della *Prima Sinfonia*, e la simbologia sonora che caratterizza opere più tarde: quasi-citazioni, sigle sonore cifrate e così via. Nella ricerca della simbologia metaforica delle immagini musicali ritroviamo una precisa attenzione rivolta alle "pre-basi" del discorso sonoro e al ripensamento critico dei suoi elementi. Viene così a mutare sensibilmente anche l'immagine complessiva: il montaggio nervoso, tipico delle prime opere, cede il passo a una composizione strutturalmente integra, in cui la suddivisione in movimenti non ha un carattere sintattico ma semantico, sottoposto a un'unica linea di sviluppo (tutti i movimenti si susseguono in *attacca*). I movimenti del concerto divengono tappe successive del perfezionamento spirituale dell'eroe-solista. Il primo movimento è una prova, una ricerca a tentoni del percorso da seguire. Il motivo di estrema semplicità, che apre il concerto, viene inteso come un nome invocato (il motivo è costruito sulla sigla di Gidon Kremer, primo esecutore del concerto) e subito avvolto dalle nubi delle prove che sopraggiungono. Come una sorta di risposta a questa "parola" appena pronunciata, sorge una musica che lascia stupefatti, quasi giungesse dalle profondità del passato con un'intensità schubertiana o brahmsiana. L'incontro e il dialogo tra personale e impersonale, temporale e atemporale, divengono così la base drammaturgica del *Quarto Concerto per violino*.

Il secondo movimento presenta un carattere eroico. Esso rappresenta la forza elementare dell'azione compenetrata di un autentico pathos creativo che lentamente straripa, portando alla "cadenza visuale" in cui il suono si trasforma in gesto! Il solista fa semplicemente finta di suonare, muovendo l'archetto nell'aria sullo sfondo di un possente *tutti* dell'orchestra. Il compositore osserva il proprio eroe con un'ironia appena percettibile e ciò non può che riflettersi nel carattere del materiale stesso. La base del secondo movimento è costituita da numerosi temi dodecafonici e da contrappunti che paiono simboleggiare un certo automatismo strutturale, esteriormente attivo e creativo ma interiormente svuotato. La disputa tra le molte voci strumentali — ognuna delle quali lotta per avere il primato — viene pertanto decisamente ricondotta dal compositore all'unisono, inteso come limite estremo da cui deve necessariamente prendere corpo qualche novità (allo stesso tempo il violino è portato al registro più basso).

Tale novità (all'inizio del terzo movimento) emerge come una strana e duplice visione; dapprima rimane difficile comprendere se si tratti del Bene o del Male, di autentica bellezza o di una maschera ingannevole. Per tre volte ritorna la voce del passato schubertiano-brahmsiana, via via sempre più alterata e ottenebrata, come un preavviso della finzione nascosta nel miraggio appena sorto. E infine, anche noi capiamo: l'ombra che accompagna la melodia dell'eroe-solista (un assolo dall'ultimo gruppo di violini secondi) non è altro che una polka di poco conto, grottesca e beffarda (ritorna quindi l'anti-solista, come nel *Secondo Concerto per violino* o nel *Quinto Concerto grosso*). Un'ennesima illusione cade miseramente.

Il quarto movimento è rappresentato da una coda di grandi dimensioni, come una rilettura e un ripensamento di quanto è accaduto. Tutti gli avvenimenti trascorsi ritornano ora leggermente alterati, quasi irreali. E ciò è assolutamente comprensibile poiché nessun ricordo è l'esatta ripetizione dei fatti che lo hanno generato, esso piuttosto li sublima a livello simbolico e ne chiede un'interpretazione. Nel finale del *Quarto Concerto per violino* avviene una sorta di fuga nella storia, come un ragionamento a distanza su ciò che è accaduto. Nel finale, accanto alle sigle di Gidon Kremer e dello stesso Schnittke, acquistano corpo sonoro anche quelle dei compositori coetanei: Gubajdulina, Denisov e Pärt. In questo modo, l'accento muove dalla *fabula* in sé del concerto al significato culturale di quanto è avvenuto, anzi, esso passa dal lavoro immanente di Schnittke a un più generale contesto musicale della nostra epoca. Di conseguenza, la tragicità del *Quarto Concerto* come composizione concettuale si dissolve nella prospettiva storico-culturale aperta dalla coda. Ciò che è strutturale trapassa nuovamente nel simbolico, il chiuso nell'aperto, e l'individuale nello storico. Quasi a voler confermare la piena equità di tale "uscita nella storia", risuona ancora una volta (come all'inizio del lavoro) la voce dell'eternità schubertiano-brahmsiana.

Nella produzione artistica di Alfred Schnittke il *Concerto per viola* occupa una posizione centrale. La sua concezione del concertato come tenzone tra personalità e principio impersonale raggiunge in questo lavoro la massima chiarezza di disegno. Il solista e l'orchestra non partecipano soltanto a un momento musicale vissuto in comune ma divengono una reale personificazione di due polarità: affermazione-negazione, crescita-decadimento.

Come molti altri lavori di Schnittke, anche il *Concerto per viola*, benché suddiviso in tre movimenti a sé stanti, è in linea di principio un'opera monopartita. L'essenza stessa del concerto sta in un'unica narrazione, dove il significato globale prende forma come risultato di *tutto* l'accaduto e dove il materiale dei movimenti si compenetra liberamente. Ciò che segue, tuttavia, non sempre riafferma ciò che precede, talora anzi lo nega decisamente.

Il primo movimento, breve e simile a una cadenza, rappresenta il nucleo di tutto lo sviluppo successivo e già qui vengono evidenziate le future collisioni che avverranno nel concerto. L'eroe appare dominante, come in molti altri concerti di Schnittke che iniziano con un monologo dell'interprete principale. In verità, fin da principio, alle drammatiche e personalissime frasi solistiche si contrappone il "clamore" di ciò che è impersonale, anche se dapprima esso rimane come in disparte e in lontananza. Sorge improvvisa una codetta quasi-classica, con il tipico gruppetto, che diventa una sorta di Leitmotiv del concerto, un segno del passato che conduce l'ascolto in un diverso contesto temporale denso di significati simbolici.

Nel secondo movimento intervengono energici elementi di pura azione, appartenenti a quanto è rimasto della forma classica di un allegro di sonata. Al carattere estraniato del primo movimento ora parrebbe contrapporsi un chiaro e indiscutibile spirito edificante. Tutto avviene *hic et nunc*, senza attimi di riflessione né incertezze. Ma non per molto. Nelle profondità della musica, che fluisce veloce e tranquilla nell'alveo dell'allegro di sonata, compaiono figure inaspettate: una marcia, un valzer, una polka e colpi duri e brutali. Lo stesso Schnittke, anzi, nega qualsiasi presenza di un allegro di sonata in questo movimento! Si ha l'impressione che al tessuto sonoro si intrecci una inafferabile entità malvagia, fatale, capace di trascinarci contro la nostra volontà, ed ecco che il principio attivo ed edificante dell'allegro è già distrutto. In questo punto — come più tardi nella cantata di Schnittke *Storia del dottor Johann Faust* — nasce un'immagine duplice che dapprima presenta un'irresistibile forza attrattiva, con le infinite e dolci ripetizioni di quella stessa codetta quasi-classica del primo movimento. L'ascolto resta nuovamente incantato da questa "pennellata", simile a un magico arabesco che racchiude in sé il simbolo dell'armonia classica. L'eroe torna allora padrone di sé e, rifiutando la "melliflua" illusione che quasi ha fermato il corso del tempo, riporta la musica a un moto vigoroso e persino febbricitante, simile a una ripresa. Ma ormai è tardi! La forma dell'allegro di sonata, la sua idea creativa e la stessa energia che per tradizione spetta al solista sono travolte dalla catastrofe. Ora è il fato stesso che, gettando la maschera seducente, si abbatte rozzamente con dichiarata violenza. L'assordante *tutti*, giunto a interrompere la drammatica cadenza del solista, diventa un disordinato caleidoscopio di maschere cattive, un ammasso di motivi e ritmi volgari. Certo, questa buriana del fato non dura a lungo, essa pare scorrere via come un ammonimento, ma tornerà altre due volte nel terzo movimento. Lentamente, approssimandoci alla fine del concerto, questa immagine musicale si trasformerà da "danza della morte" nel passo realmente funereo delle battute conclusive. L'Allegro del secondo movimento svanisce come un'orribile allucinazione, non ha una vera fine, si dissolve nello spazio, si autodistrugge.

Il terzo movimento, avviato come cadenza, presenta la seconda tornata di avvenimenti, o meglio, la seconda voluta della spirale, offrendosi come un lungo monologo dell'eroe che riflette su quanto è avvenuto. Le illusioni del momento creativo sono infrante e la stessa meccanicità del fato dal regolare passo ritmico viene sempre più intesa non come un evento casuale e cieco ma come un fatto predeterminato da ciò che è preceduto. Come simbolo di questa predeterminazione risuona un corale, segno frequente nelle code di molti lavori di Schnittke. All'interno del corale il passo funebre (legato semanticamente al principio personale e al destino dell'eroe-solista) viene a fondersi con i ritmi della natura stessa e con il suo principio impersonale. Chiudendo il cerchio degli avvenimenti, ritorna il materiale dell'inizio. Il rilievo musicale si appiana al massimo, l'eroe-solista pare scomparire dalla faccia della terra, immergendosi nelle forze scatenate del caos primordiale. In superficie resta soltanto un semitono sfumato, accorato "segno personale", ancora in vita ma sempre più freddo.

Lo smagliante rilievo eroico-romantico dei concerti composti da Schnittke negli anni Settanta e Ottanta, i principi drammaturgici e le forme delle sue sinfonie sono in gran parte legati all'intenso lavoro svolto dal compositore per la cinematografia. La sorprendente visualità delle immagini e il carattere teatrale delle contrapposizioni appaiono evidenti nei concerti, grazie alla personificazione della parte solistica e alla netta contrapposizione tra solista e orchestra. In sostanza, nelle composizioni di Schnittke, le leggi che governano un particolare montaggio "scenico" — insieme con i principi che nelle variazioni regolano lo sviluppo del tessuto musicale — ebbero un ruolo assai maggiore che non i tradizionali modelli accademici delle forme musicali. Schnittke operò attivamente nel cinema durante gli anni Settanta e le peculiarità del suo pensiero cinematografico determinarono indubbiamente molti tratti dei suoi lavori di musica pura.

Verso la fine degli anni Ottanta lo stile di Schnittke subisce un sensibile mutamento; la sonorità musicale si fa più cruda, il senso si allontana dalla superficie e si spinge a una profondità sempre maggiore. La musica talora risuona in aspre dissonanze, le oasi di accordi puri si fanno sempre più rare e la tensione fisica e sonora aumenta considerevolmente. Mancano quasi del tutto citazioni e pseudo-citazioni, così frequenti nei lavori degli anni Settanta e Ottanta e nel complesso si ha una maggiore omogeneità del materiale, pur acquisendo quest'ultimo un carattere più astratto e meno associativo. È come se il compositore si trasferisse in un'altra dimensione e osservasse la realtà diversamente. Ascoltando i lavori composti tra la fine degli anni Ottanta e l'inizio degli anni Novanta, resta difficile non provare la sensazione di trovarsi a una grande altezza da cui contempliamo il tessuto sonoro. Se in precedenza, fino al 1985, ogni opera di Schnittke racchiudeva in sé l'interpretazione di ciò che appariva in qualche modo già noto ma che si presentava sotto un nuovo aspetto, ora (e in ogni caso per la prima volta) l'opera può rivelarsi misteriosa, persino "sconnessa", e noi non abbiamo dove "aggrapparci" né dove "appoggiarci". In realtà non è così. Semplicemente, i nessi verticali (armonici) e orizzontali (sintattici) sono lontani da qualsiasi cliché e non si può che prenderne coscienza dopo alcuni ascolti o esecuzioni. Il tessuto armonico (usando un termine convenzionale) è a tal punto concentrato ed ellittico che per afferrare concettualmente tali nessi non è sufficiente il tempo reale della partitura. Tuttavia, trattenendo un po' più a lungo la nostra attenzione su ogni singolo momento, inizieremo a comprendere la logica del compositore. Dalla musica scompare allora quasi completamente l'elemento teatrale o cinematografico. I segni e i simboli, che prima costituivano il rilievo drammaturgico di molti eventi musicali, come nella *Prima Sinfonia*, nella *Seconda Sonata per violino* e nel *Primo Concerto grosso*, ora maturano come risultato di un doloroso sviluppo musicale, oppure, talvolta, non compaiono del tutto.

Tutto ciò viene a riflettersi anche nei concerti strumentali. Se in precedenza, durante il loro ascolto, avvertivamo il reale flusso temporale (benché tale flusso non apparisse mai semplice) e rilevavamo una successione consequenziale degli avvenimenti — diversi ma comunque collegati tra loro e quindi con coerenti spostamenti di piano — ora invece tutto pare accadere in una sorta di simultaneità concentrata. L'idea dell'opera monopartita (cioè con una suddivisione interna in movimenti che si susseguono in *attacca* oppure senza alcuna divisione precisa) riceve ora un ulteriore sviluppo e non risulta necessariamente legata a precisi nessi tematici tra i vari movimenti. «Esiste un'interazione nel materiale — afferma Schnittke — *al di fuori* delle eventuali affinità presenti nel materiale stesso. Un'interazione che io non sono in grado di spiegare. Essa è la concretizzazione di qualcosa di unico, genealogico, che riunisce tutto e che procede in un solo respiro. Le differenze paiono perdere di significato. È come quando sulla Terra si osservano gli oggetti isolatamente, ma se si sale a una grande altezza è possibile scorgere connessioni che sulla Terra sono invisibili. Si ha la possiblità di vedere di più nel tempo per il fatto che si vede di più nello spazio... Ho notato che ogni tema può subire una metamorfosi sia rimanendo simile a sé stesso sia contraddicendo sé stesso».

Gli ultimi concerti strumentali pertanto risultano legati, assai più dei primi, non tanto all'idea di sviluppo, ancorché trattata in senso negativo, quanto all'idea della variazione nell'accezione più ampia del termine. Nel *Secondo Concerto per violoncello* (1990) e nel *Concerto per pianoforte a quattro mani* (1988) la contrapposizione tra solista (o solisti) e orchestra rimane sul piano delle loro correlazioni verticali e di una differenziazione dell'intero tessuto tra "proscenio" e "sfondo". Tuttavia, nell'evolversi della stessa intonazione, si avverte un rigida costanza nel voler ritornare sempre alle medesime pre-intonazioni. Il loro sviluppo, come in precedenza, viene per lo più delineato come un particolare moto perpetuo, come un'oppressione senza fine, portata all'assurdo, all'automatismo. Ora, e soltanto ora, il compositore presenta nella sua nudità questo assurdo alla fine di ogni successiva "variazione" che, assai spesso, si chiude con un gesto di negazione, un dissonante cluster. La "struttura" conduce alla "sonorità", dopodiché il cammino si ripete infinite volte con sofferta insistenza. I momenti culminanti diventano perciò singolari valanghe, catastrofi, smottamenti sonori, in cui la precedente accumulazione strutturale risulta insensata e tragicamente segnata. E in questo "andare per i gironi dell'Inferno" vi è un momento di quella stessa "staticità dell'ordine supremo" che avvertiamo leggendo la *Commedia* di Dante: la struttura del mondo è osservata dall'alto. All'interno degli ultimi concerti si hanno eventi che, sul piano dinamico ed emozionale, superano di gran lunga ciò che accadeva nei concerti composti all'inizio degli anni Ottanta. L'impressione generale, tuttavia, da eroico-romantica, diviene sempre più monumentale, fredda, epica e statica.

Il *Concerto per pianoforte a quattro mani* è in un solo movimento, come pure il *Concerto per pianoforte e archi* scritto nel 1979. In quest'ultimo, il contrappunto di immagini poste agli antipodi conferisce al flusso musicale i tratti di una costante ambivalenza. Gli accordi di accompagnamento della mano destra del pianoforte, tradizionali e quasi romantici, si fondono con la melodia salmodiante della mano sinistra. Contrappuntistico è pure l'incontro tra pianoforte e archi; le lapidarie triadi del pianoforte divengono il simbolo di una stabilità temperata, mentre le voci orchestrali, estremamente ramificate, danno corpo sonoro al dubbio e alla ricerca, scuotendo l'intera scala fino ai quarti di tono. Nella ripresa di questo mono-ciclo i tratti del solista e del suo controrelatore orchestrale vengono a compenetrarsi: gli archi "trascinano" gli accordi e il pianoforte si dissolve in cromatismi spezzati.

Nel *Concerto per pianoforte a quattro mani* del 1988 mancano contrasti di questo genere. Nel tessuto musicale la fattura romantica (l'assolo del Primo al n. 9) è appena accennata, come pure gli accordi di corale (la pura triade in maggiore all'inizio del concerto). Il rilievo generale della composizione è simile a una catena di ondate di tensione di diverso vigore: un'esplosione e un brusco calo. Possiamo ritrovare un esempio di tale drammaturgia nella *Passacaglia* per orchestra del 1980, in cui Schnittke ha cercato di riprodurre musicalmente la "statica" delle onde marine. Uno dei principali nodi drammaturgici del *Concerto per pianoforte a quattro mani* (come accade anche in numerosi lavori successivi di Schnittke) è rappresentato dall'idea di attenuazione dei confini tra vivo e non-vivo, necessario e casuale, strutturale e caotico. Tale idea prende forma, ad esempio, nel graduale rifluire del timbro del pianoforte in quello delle campane e di altri idiofoni a percussione o nel passaggio da uno "spettro" più definito a uno meno definito. All'inizio, l'esposizione del pianoforte e la sua ombra delle campane risuonano successivamente. Nella sezione che segue il momento culminante (simile a una ripresa) entrambi i timbri suonano contemporaneamente. Nella coda, infine, il pianoforte imita lo "spettro" delle campane, perdendosi quasi nell'"entropia", nell'indeterminatezza.

Il *Secondo Concerto per violoncello*, scritto per Mstislav Rostropovič, è totalmente dissimile dal *Primo Concerto per violoncello* composto nel 1986. Il modello ciclico di entrambi i concerti, tuttavia, presenta delle affinità, giacché è pressoché identico il carattere generale di ogni movimento. Nel *Primo Concerto* abbiamo quattro movimenti, ma la sezione iniziale del primo e il suo rapido proseguimento corrispondono ai due primi movimenti del *Secondo Concerto*. Quest'ultimo, tuttavia, offre una composizione assai più compatta, grazie innanzitutto alla maggior omogeneità del materiale e alla sua presentazione "variata". E benché nel finale Schnittke utilizzi il tema di una sua vecchia colonna sonora per il film *Agonija*, edificando sulla sua base una grandiosa passacaglia, tale tema non viene percepito come estraneo, riuscendo perfettamente a inseririsi in un nuovo contesto musicale.

Ovviamente, nel predominio della variazione sull'"esibizione" o sul "montaggio" negli ultimi concerti di Schnittke non vi è nulla di tradizionale; il compositore è ben lontano da quel semplice razionalismo di pensiero che domina nella sonata, nella composizione seriale e nelle variazioni e che è legato all'idea di un logico sviluppo della tesi di partenza. La musica di Schnittke è piuttosto irrazionale, non vi domina l'unità, vi è anzi presente un'instabilità che infrange costantemente l'equilibrio del Bene e del Male in un contesto metafisico. Nelle prime composizioni di Schnittke tale polarità era più evidente e la stessa interazione avveniva in un mondo avvezzo a collisioni tra un principio personale e uno impersonale. Nelle composizioni più tarde l'elemento personale si fa considerevolmente più astratto, esso diviene una pura linea architettonica e il confine tra personale e impersonale diventa assai meno evidente, benché sempre sottolineato nei momenti "deflagranti". Avviene cioè una sorprendente trasformazione: il rilievo esteriore della musica è reso più duro, più inquieto, con una sorta di modulazione che da un lessico classico-romantico passa a quello tardo-espressionistico. Nel complesso tuttavia il "punto di vista" di Schnittke diventa più panoramico, più appartato, abbandona le usuali posizioni dell'Età Moderna per addentrarsi nel profondo delle leggi statiche e architettoniche dei dipinti del Medioevo e del primo Rinascimento...

Le opere cameristiche e per pianoforte
dagli anni Settanta agli anni Novanta

Tra le numerose opere da camera composte da Schnittke negli ultimi venti anni si distinguono innanzitutto due cicli: gli *Inni* (1974-79) per violoncello e complesso strumentale, e i quattro quartetti per archi. Tra gli altri lavori sono di particolare rilevanza la *Sonata per violoncello* (1978), il *Sestetto* (1981) e il *Trio per archi* (1985). A differenza delle opere cameristiche degli anni Sessanta e dei primi anni Settanta, la musica da camera del periodo successivo non presenta un evidente carattere sperimentale. Non si tratta ormai di un laboratorio quanto di un diario, in cui il compositore annota i pensieri più coinvolgenti e fissa le svolte peculiari delle sue ricerche creative. Nel complesso, ovviamente, è la musica da camera e per pianoforte che a paragone con gli altri generi riflette maggiormente la svolta di Schnittke verso una prospettiva individuale e più personale, un allontanamento dalla posizione di osservazione grandangolare tipica delle opere eclettiche. Il *Quarto Quartetto per archi*, la *Prima* e *Seconda Sonata per pianoforte*, ad esempio, sono lavori dalle tinte assai più personalizzate che non il ciclo di brani chiamato *Moz-Art* o gli *Inni*. Il *Trio per archi* (e la sua successiva trasposizione dell'autore per trio con pianoforte) rappresenta un'indubitale vetta del lirismo artistico di Schnittke. Analizzando i lavori cameristici scritti tra gli anni Settanta e gli anni Novanta, possiamo seguire i progressivi mutamenti avvenuti nel linguaggio del compositore (su alcuni dei quali hanno anche influito circostanze personali legate alla malattia). Verso la fine degli anni Ottanta, il linguaggio di Schnittke si fa notevolmente più complesso, con intonazioni di grande pienezza. Nel contempo aumenta la tensione in ogni minima unità temporale e, di conseguenza, risulta ormai impossibile applicare quel principio del contrasto, stilistico o di altro genere, così tipico della musica di Schnittke nel periodo precedente. Dalla superficie viene praticamente a scomparire tutto ciò che non è legato allo sviluppo di una sola e importante idea. In questo spostamento progressivo dalla pluridimensionalità al lavoro monolitico, dall'estroversione all'introversione e dall'eclettismo a uno sferzante espressionismo è possibile ravvisare i tratti evolutivi della musica di Mahler. In entrambi i compositori, con il passare degli anni, la scrittura diviene più complessa, i contrasti raggiungono le profondità della creazione e delle emozioni. D'altro canto, aumenta il livello stesso dell'espressione, che raggiunge talora punti estremi, come avviene nelle ultime sinfonie di Mahler. L'indiretto carattere allegorico o l'ironia, il gioco di stili e simboli trapassano nel proprio opposto, in una diretta e aperta confessione personalizzata al massimo. Ritroviamo un identico grado di espressività in numerose opere dell'ultimo Schnittke, ad esempio nella *Seconda Sonata per pianoforte*, allorché l'estrema densità di tensione viene trasfusa nel gesto, nel culmine sonoro di un'inusitata forza catastrofica.

La musica da camera degli anni Settanta è rappresentata innanzitutto dal ciclo degli *Inni*, composto nel corso di cinque anni (1974-1979). I quattro

Inni vennero scritti in periodi diversi e per complessi strumentali differenti e solo più tardi, dopo la composizione dell'ultimo inno conclusivo, furono riuniti in un ciclo a sé stante. Gli *Inni* vennero scritti per un insolito complesso di strumenti assai diversi tra loro: archi, fiati e percussioni. Ogni inno, inoltre, fu composto per un insieme particolare. Al centro di ognuna delle quattro combinazioni strumentali troviamo il violoncello, al quale è affidata la funzione di guida, di perno timbrico dell'intero ciclo. Tutti e quattro gli *Inni*, pertanto, sono dedicati a violoncellisti: il primo a Heinrich Schiff, il secondo a Valentin Berlinskij, violoncellista del Quartetto Borodin, il terzo ad Aleksandr Ivaškin e il quarto a Karine Georgian.

Nacque per primo il terzo inno, tratto dalle musiche per il film *Dnevnye zvëzdy* (*Stelle di giorno*) del 1968, in cui un episodio era dedicato a un'immaginaria messa funebre (con coro di bambini e rintocchi di campane) in onore del *carevič* Dimitrij, il figlio dello zar Ivan il Terribile assassinato in giovane età. Schnittke cercò di imitarvi stilisticamente l'eterofonia polifonica dissonante che, stando alle più recenti decodificazioni dei manoscritti neumatici, caratterizzava il canto liturgico russo assai più della consueta e quotidiana polifonia consonante.

Nel primo inno Schnittke si rivolge a temi autentici dell'antica salmodia, tratti dalla raccolta di Nikolaj Uspenskij *Drevnerusskoe pevčeskoe iskusstvo* (*L'arte canora antico-russa*). L'inno è costruito come un ciclo di variazioni, secondo il principio della modulazione da un tetracordo a un altro. I temi salmodici scelti da Schnittke si inseriscono appunto in un tetracordo. Stando alle ricerche condotte dai compositori sovietici Vladimir Martynov e Jurij Butcko, l'intero sistema russo di scale musicali comunemente usate, è formato da tetracordi "tono-semitono-tono" concatenati in modo che nel moto ascendente presentano un numero sempre maggiore di diesis e in quello discendente un numero sempre maggiore di bemolli. Secondo le parole di Schnittke, questo sistema di intonazione, appartenente in origine al canto ecclesiastico ortodosso e successivamente sostituito da un sistema più melodioso e più artificiale, «è di enorme interesse come modello di pensiero creativo naturale e dissonante».

Nel secondo inno il compositore non utilizza temi liturgici bensì simboli sonori, altrettanto universali e non meno significativi: triadi e scale armoniche. L'inno è basato sul contrasto tra la «musica della Natura» (le triadi e la scala armonica sono trattate da Schnittke come dati acustici obiettivi ed esistenti direttamente in natura) e il confuso monologo dell'anima umana (lamentose intonazioni cromatiche come simbolo della soggettività emozionale).

Il quarto inno riassume il materiale e le tinte strumentali di tutti i precedenti e riunisce tutti gli strumenti partecipanti in un grande complesso cameristico: violoncello, arpa, contrabbasso, clavicembalo e due esecutori alle percussioni (timpani e campane). Ritroviamo in questo inno i temi del primo, i flautati e le triadi del secondo, le sonorità delle campane del terzo. Tutto si intreccia in un unico ritmo fanaticamente ossessivo, quasi si forgiassero in una fucina le sillabe di una fervida e accorata preghiera.

Il ciclo degli *Inni* ha un grande significato nell'arte di Schnittke sotto molti aspetti. Innanzitutto, per il suo stile strumentale fu di straordinaria importanza la fusione di strumenti assolutamente eterogenei in un unico insieme. Questa singolare proiezione del principio eterofonico nel campo della strumentazione diviene infatti il principio fondamentale della sua grafia orchestrale. L'orchestra di Schnittke rappresenta sempre un insieme di solisti e ciò che più preme al compositore non è l'armoniosa compattezza delle voci bensì una loro marcata e talora ansiosa individualizzazione. Ricordiamo che negli anni della giovinezza il compositore aveva studiato attentamente l'eterofonia nelle opere di Stravinsky e Šostakovič e a tale problema erano stati dedicati alcuni dei suoi primi articoli teorici. L'eterofonia in Schnittke, e il particolare stile strumentale che ne consegue, rende ancora una volta evidente la sua particolare percezione del mondo e la costante ricerca della possiblità di riunire e comparare ciò che per tradizione era considerato incomparabile. Nella scrittura musicale del compositore e nel suo stile strumentale è presente un qualche elemento che rende inquieto l'ascolto e impedisce l'assoluta armonia. Tutti i parametri del linguaggio musicale, compresa la tavolozza strumentale, perdono simbolicamente per Schnittke ogni carattere univoco.

Una seconda caratteristica degli *Inni* è l'attenzione rivolta alla salmodia russa. Anche tale linea creativa risulterà importante nella successiva arte di Schnittke. Benché il compositore giunga abbastanza raramente a utilizzare dirette citazioni tratte dai graduali antico-russi, il corale ortodosso tuttavia diverrà — anche se in una trasposizione simbolica e generalizzata — la sfera di particolari intonazioni in molti suoi lavori e li attraverserà molte volte come simbolo.

Ritroviamo invece una diretta citazione di canti ortodossi nel *Secondo Quartetto per archi* del 1980, in cui vengono citati alcuni esempi di canto religioso antico-russo tratti dalla raccolta di N. Uspenskij[26]. Nel primo, secondo e quarto movimento, in particolare, risuona l'inno liturgico «Il nome del Signore»; nel secondo e quarto movimento l'inno «Con i cherubini»; nel terzo movimento la *poglasica* e la *stichira* pasquale (generi appartenenti all'innografia antico-russa) «Dio ha invocato». Il compositore costruisce con enorme cura l'intero tessuto sonoro su queste citazioni variamente modificate. Spesso, come negli *Inni*, esse appaiono in una chiara forma melodica, talvolta invece rimangono nascoste in una tumultuosa fattura strumentale, che ricorda allo stesso tempo gli arpeggi romantici e i momenti di eterofonia strumentale delle opere di György Ligeti. All'inizio del secondo movimento, ad esempio, l'inno «Con i cherubini» traspare soltanto all'interno di una fattura estremamente complessa. Il compositore pare voler unire in questo punto un elemento di eternità, di totale rinuncia alle vanità del mondo (il tema dell'inno) e un elemento di tragica disperazione. Il risultato è stupefacente; la musica, che risuona apparentemente come un improvviso romantico, si basa in realtà su di un inno ortodosso nascosto nelle profondità di un tessuto su cui vengono applicate complesse forme poliritmiche (v. es. 11, p. 169).

Es. 11. *Secondo Quartetto per archi*, inizio del secondo movimento; l'inno antico-russo è nascosto nelle note accentate del primo violino

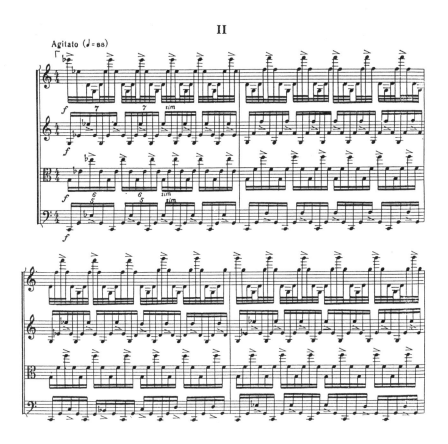

Il *Quartetto* è dedicato alla memoria di Larissa Šepit'ko, regista e amica di Schnittke, morta prematuramente in un incidente automobilistico. Benché in questo lavoro, come scrisse lo stesso Schnittke nella prefazione al *Quartetto* rimasta inedita, manchi un programma vero e proprio, sono gli stessi temi degli inni antico-russi a essere simbolicamente legati al pensiero della morte.

Elementi simbolici sono ravvisabili anche nella *Sonata per violoncello* del 1978, una delle opere più popolari di Schnittke e il cui materiale sonoro pare intrecciarsi con quello del *Terzo Concerto per violino*. Nell'una e nell'altra opera, infatti, si odono due dei simboli più importanti della musica di Schnittke: il corale (chiaramente liturgico ma non necessariamente ortodosso) e il cosiddetto "passaggio del corno da caccia", tipico della musica pre-classica e simbolo nostalgico di una "musica silvana" e di un'armonia europea irrimediabilmente perduta.

Nel *Terzo Quartetto per archi* del 1983 Schnittke si rivolge nuovamente alla citazione. All'inizio del lavoro infatti troviamo in successione alcune citazioni dallo *Stabat Mater* di Orlando di Lasso, dall'ultimo quartetto per archi di Beethoven e la sigla di Šostakovič (D-S-C-H), assai frequente nei lavori di Schnittke. Ognuna di queste citazioni diviene fonte di una propria sfera di intonazione. Così, nel primo movimento, dominano le sonorità dell'*organum* e i contorni della rarefatta polifonia rinascimentale; nel secondo movimento prevalgono invece gli umori tipici di molti finali di quartetti o sonate di Beethoven, con il caratteristico "motto" dell'epoca del primo romanticismo (v. es. 12, p. 171).

Gradualmente questo "motto" viene sottoposto alle modifiche più inaspettate, elevandosi in tonalità diverse con un'ardita modulazione che richiama chiaramente Prokof' ev. Finalmente questo sviluppo ci conduce al finale, elaborato nello spirito delle pure immagini musicali di Šostakovič. Il tema "romantico" del secondo movimento è presentato in tempo lento, come una vera marcia funebre, dalle lugubri sonorità della viola. Tutte le immagini offerte dal *Terzo Quartetto* e tutte le sue diverse "musiche" confluiscono in un tutt'uno. In generale, risulta sorprendente la capacità del compositore di concretizzare visivamente nel *Terzo Quartetto per archi* il respiro stesso della storia, lo scorrere del tempo e l'esistenza della musica in esso. Stili musicali tanto lontani l'uno dall'altro divengono fasi naturali di una stessa opera, che concentra nel suo sviluppo diversi momenti storici. Ciononostante il *Terzo Quartetto* non presenta alcun violento eclettismo, come la *Serenata* del 1968 o la *Prima Sinfonia*. Con tranquillità ed estrema naturalezza Schnittke si muove sulle diverse superfici dello spazio musicale, quasi si librasse sulla storia stessa.

Il *Trio per archi* del 1985 è un'opera di genere affatto diverso, benché in essa forse l'idea della "pantemporalità" sia espressa semplicemente in modo diverso. Non vi ritroviamo né citazioni, né allusioni, né modulazioni da una sfera storico-culturale all'altra. La stessa musica del *Trio*, composto su commissione dell'Associazione Alban Berg di Vienna per il centenario della nascita del compositore, sembra scritta, secondo le parole dello stesso Schnittke, assai prima della musica dello stesso Berg. Le immagini dei due movimenti del *Trio*, che si alternano in un moto tranquillo, sono pressoché prive di conflitti e l'opera rappresenta uno dei pochi lavori di Schnittke assolutamente lirici. Ascoltando il *Trio*, tuttavia, ci si accorge che la semplicità della sua musica è ingannevole. Al di là di triadi e semplici linee si indovina quella stessa "profondità del velluto" caratteristica delle opere di Schnittke degli anni Settanta e Ottanta e vicina al simbolismo dell'ultima produzione di Šostakovič.

Il *Quarto Quartetto per archi* del 1989, infine, mostra chiaramente i mutamenti avvenuti nello stile di Schnittke negli ultimi anni. Le linee melodiche si sono fatte pungenti al massimo, più astratte, la loro ampiezza risulta ora straordinariamente vasta e talora comprende più di due ottave in una brevissima distanza temporale. Avvengono mutamenti drammatici anche a livello microstrutturale: le intonazioni si dissolvono in quarti di tono,

Es. 12. *Terzo Quartetto per archi*, inizio del secondo movimento

la scala stessa dei suoni pare infrangersi lasciando posto all'entropia del caos. Gli avvenimenti principali, che si dipanano nel corso dei cinque movimenti del quartetto, non riguardano più collisioni o graduali modulazioni stilistiche. Schnittke ci porta ora verso un punto di osservazione assai più drammatico; la musica del *Quarto Quartetto* narra non già delle collisioni storico-culturali ma del confine essenziale tra essere e non-essere, tra creazione e distruzione. Benché il compositore abbia rivelato in una conversazione che il *Quarto Quartetto* rappresenta forse il suo lavoro di maggior tristezza, il senso di quest'opera manifesta sfumature assai più significative e funeree, quasi a simboleggiare un viaggio nei gironi dell'Inferno. La molteplicità dei punti di vista viene sostituita dallo sviluppo di un'unica narrazione fortemente individuale e condotta dolorosamente. Le sonorità raggiungono talora un'irreale estraniazione (come ad esempio l'episodio *sul ponticello* e il *pizzicato* del quarto movimento). Il quartetto di Schnittke di maggior durata (circa 40 minuti) si conclude con un movimento lento in cui compare nuovamente un corale. Accanto a questo simbolo culturale ne compare un altro, apparentemente più esteriore e tangibile: il progressivo scivolamento dell'intera fattura verso il basso, un catastrofico cedimento delle fondamenta e un mutamento nel concetto stesso della loro stabilità.

Tra la fine degli anni Ottanta e l'inizio degli anni Novanta, Schnittke compone una serie di opere per pianoforte: il *Concerto per pianoforte a quattro mani e orchestra da camera* (1987-88), tre sonate per pianoforte (1987, 1990, 1992) e *Aforismi* del 1990 (cinque preludi per pianoforte da eseguirsi con la lettura di versi di Josif Brodskij).

La *Prima Sonata* presenta i tratti musicali caratteristici delle opere scritte da Schnittke dopo il 1985. La musica pare ritrovarsi a dover fronteggiare una materia indifferente, riuscendo a malapena a mantenersi su di una superficie viva. Nella sonata emerge l'idea principale di tutte le opere successive di Schnittke: la contrapposizione tra coscienza individuale e fato impersonale, tra creazione e distruzione, tra vivo e non-vivo. Il primo movimento della sonata è l'invocazione di un nome e la sua ossessiva ripetizione (nella sonata viene introdotta la sigla derivata dal nome del suo primo esecutore, Vladimir Fel'cman). I movimenti successivi (in cui ritroviamo la stessa sigla e che si susseguono senza interruzione) presentano ripetute collisioni tra il principio personale e quello impersonale, duro e distruttivo, una collisione con il Caos destinata a concludersi nella catastrofe.

Tutti questi tratti si rafforzano ulteriormente nella *Seconda Sonata per pianoforte*, dedicata alla moglie, Irina Schnittke, e da lei eseguita e incisa per la prima volta. Ognuno dei tre movimenti compie un proprio percorso di sviluppo, giungendo però ogni volta alla catastrofe e alla distruzione. Le diverse immagini dei tre movimenti appaiono dapprima pienamente reali e tangibili; una materia senza fine che si esaurisce in successive stratificazioni e giunge al Caos, al culmine sonoro. Il secondo movimento prende corpo in variazioni su di un corale che tuttavia, verso la fine, arrivano all'assurdo, distruggendosi in cluster. Compare altresì un'intonazione di carattere personale, simile a un'illusione romantica, destinata però alla distruzione nel maggiore culmine sonoro, in cui l'esecutore pare voler cancellare ogni segno di espressione individuale. Dopo i dodici colpi del fato, l'illusione romantica risorge per un istante e di nuovo soccombe a un cluster ricco di timbri di campane. In quest'opera per pianoforte, senza dubbio la più tetra e la più forte di Schnittke, chiaramente legata alla linea "escatologica" degli ultimi anni, non sono soltanto la forma, lo stile e lo sviluppo a subire una catastrofe ma è la vita stessa della musica. La *Seconda Sonata* palesa inoltre quel preciso atteggiamento verso il materiale tipico dell'ultimo Schnittke cioè la contrapposizione tra l'elemento culturale e quello materiale (ad esempio tra corale e cluster), tra la densità simbolica del primo e la necessarietà del secondo. La rilevanza simbolica non scompare dalla musica di Schnittke, essa risulta semplicemente legata in misura ancora maggiore a quella rilevanza fisica e necessaria del suono stesso a cui il compositore intende dare corpo nelle proprie opere degli anni Novanta.

Musica corale

Il numero delle composizioni corali di Schnittke è limitato ma comprende opere di grande importanza. Il primo di tali lavori, *Golosa prirody* (*Voci della natura*) del 1972, per 10 voci femminili e vibrafono, nacque "nelle viscere" della *Prima Sinfonia*, come un'oasi di quiete nella tumultuosa e caleidoscopica cronaca sonora densa di laceranti contrasti tra mondi diversi. Non molto tempo dopo seguì il *Requiem*, segnato da una trasparenza contemplativa e da un'immersione nella smisurata vastità di intonazioni semplici ma universali. Nel 1976 Schnittke compone un'opera di dimensioni modeste su testi di San Francesco d'Assisi (in traduzione tedesca), *Der Sonnengesang des Franz von Assisi*, per due cori misti e sei strumenti (tastiere e percussioni). La tavolozza di questo lavoro lascia ammirati per la sua estatica lucentezza. Schnittke vi isola molteplici gradazioni di diversa intensità emotiva, dalla salmodia ascetica al culmine fanaticamente estatico in cui le linee vocali si fondono con gli strumenti a tastiera e a percussione dalle sonorità assai vicine alle campane.

Tra il 1980 e il 1981 appare *Minnesang*, grande affresco corale per 52 coristi che, di fatto, divengono autentici solisti in gruppi di 3-4. In *Minnesang* la scrittura corale di Schnittke si fa estremamente ricercata, virtuosistica. Frammenti di testi originali e di melodie dei *Minnesänger* del XII-XIII secolo si intrecciano in un complesso tessuto polifonico. «La mia intenzione — dice il compositore — era di creare il quadro del magico incantesimo che è alla base di questa musica. Anche il testo, che ho conservato integralmente nelle parlate in tedesco antico e che risulta incomprensibile anche a un tedesco di oggi, non ha alcun significato, si trasforma in puri fonemi ed esprime non un soggetto preciso bensì uno stato d'animo». *Minnesang* è una delle composizioni corali di Schnittke più complesse. Il suo tessuto corale e vocale è segnato da diramazioni eterofoniche e particolareggiate al massimo grado. Ogni voce e ogni linea vocale sono compartecipi di una grande e complessa ricerca fonetico-tematica incentrata sul materiale offerto dalle melodie dei *Minnesänger* che comunque risultano quasi irriconoscibili. «Ideato come puro momento lirico — dice Schnittke — *Minnesang* è divenuto qualcosa di simile a un rituale», un'opera cioè di carattere altamente culturologico.

Di tutt'altro profilo è il *Koncert dlja smešannogo chora* (*Concerto per coro misto*), una delle opere di maggior respiro di Schnittke, composta tra il 1984 e il 1985. "Il *Concerto per coro misto* — scrive Gennadij Roždestvenskij — è un'opera originale a tal punto che ogni raffronto può risultare ingiustificato. Ciononostante, nell'ascoltarne la musica, non è possibile non ricordare i grandi predecessori del compositore in questo genere, Bortnjanskij, Čajkovskij, Rachmaninov. E realmente quest'opera di Schnittke si inserisce nella migliore tradizione della musica corale russa.

Il *Concerto per coro misto* è scritto sul testo del terzo capitolo del *Libro di cantici dolorosi* del grande poeta religioso e monaco armeno Grigor Narekaci (951-1003). Il *Libro di cantici dolorosi*, opera di vaste dimensioni, rappresenta la vetta artistica del poeta, che lo scrisse ormai al termine della propria vita. L'opera, assai popolare già nel Medioevo, era letta e tramandata di generazione in generazione e le sue immagini ricevettero le più diverse interpretazioni. Tutto il *Libro* di Narekaci è impregnato di partecipazione alla vita interiore dell'uomo e l'opera, benché di spirito profondamente religioso, è nel contempo ombreggiata da un deciso individualismo, caratteristico della poesia e filosofia armena di quell'epoca.

Nel *Concerto per coro misto* Schnittke ha voluto rispecchiare il complesso mondo del poeta, ricco di contrasti interiori. «Il testo di Narekaci — afferma il compositore — è soltanto un momento propedeutico alla comprensione del vero ultra-significato, che si apre sì alla lettura ma resta incomunicabile a parole».

Benché il primo e terzo movimento del *Concerto* siano altamente drammatici, mentre il secondo e il quarto sono più meditativi, vi è costantemente presente la congiunzione tra significato espresso e senso nascosto. Vocalizzi altamente espressivi circondano la recitazione, creando così un secondo piano simbolico. Il carattere tangibile e concreto delle parole si dissolve in una pacata salmodia di semitoni (secondo movimento) o in una limpida triade maggiore (quarto movimento, alla parola "Amen"), innalzandosi così in una sfera di immagini universali.

Il materiale musicale del *Concerto* è piuttosto astratto. Mancano le citazioni come pure un cosciente orientamento verso uno stile ben definito. Lo stesso sviluppo musicale tuttavia, il rallentato e meditativo fluire del tempo e la costante apparizione di successivi momenti corali richiamano alla memoria i modelli della musica liturgica russo-ortodossa.

Tra i vari movimenti del *Concerto per coro misto* non troveremo diretti nessi tematici. L'unità del ciclo, come pure quella del *Libro* di Narekaci, si fonda non sul principio della ripetizione tematica, letterale e tradizionale, bensì su di un sottile gioco di analogie. In tutti i movimenti troviamo infatti un materiale composto da triadi piuttosto semplici ma che, di volta in volta, ricorrono sotto nuove forme. Anche il procedimento di "stratificazione" corale, che genera talora sedici voci diverse, è diffuso in tutta l'opera — come accadeva già in *Minnesang* — insieme con la successiva riduzione di tutte le voci all'unisono, alla consonanza o alla triade. Anche per quest'ultima peculiarità il *Concerto* risulta assai vicino alla pratica del canto liturgico ortodosso. Nel complesso, la tavolozza sonora è composta da semplici intonazioni diatoniche che, unendosi, si intrecciano in un più complesso tessuto dissonante a volte aspro (soprattutto nel terzo movimento). Nel quarto movimento, postfazione e coda del *Concerto*, la sonorità si fa più limpida ed emergono in primo piano colori nitidi, che nei movimenti precedenti apparivano soltanto nelle "oasi".

Il successivo lavoro di musica corale, *Stichi pokajannye* (*Canti penitenziali*), fu composto da Schnittke in occasione dei festeggiamenti per il millenario del battesimo della Rus'. Inizialmente, come ricorda il compositore, l'intenzione era stata di comporre, su commissione del metropolita Pitirim (uno dei massimi esponenti della chiesa russo-ortodossa), una musica per organo destinata alla liturgia ecclesiastica. Tuttavia, dopo aver riflettuto, Schnittke rinunciò a tale idea, rifiutando altresì la richiesta ufficiale di comporre un'opera per il millenario del cristianesimo in Russia. Egli decise sì di scrivere un lavoro dedicato all'importante ricorrenza, ma personale, non legato direttamente al culto divino. Nei *Canti penitenziali*, Schnittke cerca di rispettare la capacità espressiva di ogni singolo momento, dove è piuttosto l'anima del testo a determinare la musica. Sono soprattutto i canti meno dogmatici e quelli profani ad attrarre il compositore, come pure la possibilità di scrivere una partitura senza seguire direttamente i canoni della scrittura corale ortodossa. Effettivamente, la musica dei *Canti penitenziali* si distingue per una grande libertà di impostazione; le voci ora raggiungono l'unisono, riunendosi nella salmodia, ora si dipartono in un vasto spazio sonoro, senza cercare affatto di conseguire quella benefica armonia consonante che troviamo invece nel *Concerto per coro misto*.

Schnittke ha ricavato il testo dei *Canti penitenziali* dalla raccolta *Pamjatniki literatury Drevnej Rusi. Vtoraja polovina XVI veka* (Monumenti letterari dell'antica Rus'. Seconda metà del XVI secolo), utilizzandone integralmente le undici strofe che, verso dopo verso, vengono lette e cantate secondo la tradizione religiosa russa.

I *Canti penitenziali*, forma singolare di poesia liturgica, nacquero all'epoca di Ivan il Terribile. Essi non rientravano nel servizio liturgico vero e proprio ed erano pertanto chiamati "servili" o "aggiunti", vale a dire supplementari. I *Canti penitenziali* non venivano declamati ma cantati da otto voci diverse e il loro testo manoscritto era solitamente accompagnato dalla notazione neumatica. Sul finire del XV secolo i *Canti penitenziali* venivano per lo più cantati nei monasteri e soltanto più tardi si trasformarono in una lettura per così dire privata che includeva le preghiere della Quaresima.

A differenza delle altre opere corali di Schnittke (e in particolar modo del suo *Concerto per coro misto*), i *Canti penitenziali* spiccano per particolare ascetismo e durezza di intonazione. Il compositore, senza rivolgersi direttamente alle melodie religiose, riesce a creare l'atmosfera di penitenza in una preghiera esaltata e inesorabile che non lascia spazio ad alcunché di esterno. Valerij Poljanskij, maestro del coro che per primo ha eseguito questo lavoro di Schnittke, ha più volte riconosciuto l'estrema complessità dell'opera, forse la più difficile nel repertorio di un complesso corale che pure comprende numerose opere del XX secolo. In questa composizione manca persino l'ombra dell'armonia in quanto tale, essa traspare forse nell'ultimo movimento, in cui la tensione scema leggermente e le tinte si fanno più rasserenanti. I *Canti penitenziali* sono effettivamente assai più vicini alla tradizione originaria del canto liturgico ortodosso, eterofonico e dissonante (come abbiamo già detto analizzando gli *Inni*) che non il *Concerto per coro misto*, la cui armonia consonante corrisponde a una più tarda pratica musicale della liturgia russa.

La composizione corale di Schnittke di maggior rilievo è senza dubbio la cantata *Seid nüchtern und wachtet* (*Storia del dottor Johann Faust*, del 1982), per soli, coro e orchestra. Questo lavoro viene a collocarsi sostanzialmente al confine tra le opere concertistiche di Schnittke e quelle dedicate alla scena. La cantata, scritta come composizione a sé, rappresenta di fatto una grande scena operistica, quella della morte di Faust, e come tale destinata a fungere da base per il terzo atto dell'opera *Faust*, che Schnittke sta componendo per il Teatro dell'opera di Amburgo (la prima è fissata per gli inizi del 1995). «Inserire l'intera *Storia del dottor Johann Faust*, "mago e negromante glorificato nel mondo intero", in una cantata non è possibile — ha scritto Schnittke — per questo ne ho utilizzato soltanto l'ultimo capitolo, in cui si narra della confessione estrema di Faust e della sua morte». Parallelamente, tuttavia, nella struttura della cantata traspare altresì il canovaccio delle Passioni. Il testo della cantata è costituito dal capitolo conclusivo del "libro popolare" di Faust apparso nel 1587. Le dieci parti che compongono la cantata e che si susseguono senza soluzione sono legate tra loro dalla narrazione di un "evangelista" volutamente impassibile. «La cantata — afferma Schnittke — è una Passione negativa, poiché incentrata sul cammino di sofferenza di un uomo che, se non anarchico, è senza dubbio un cattivo cristiano». Nasce così una certa affinità di ruoli con le Passioni: ci sono il Narratore (tenore), Faust (basso), Mefistofele (doppio e quindi con due voci, quella ipocritamente devota di un controtenore e una voce femminile perfidamente sensuale ed esultante) e il coro.

Qual è tuttavia il motivo che ha spinto Schnittke a utilizzare il libro popolare e non il *Faust* di Goethe e perché troviamo esibito il tono narrativo della Passione, rotto tra l'altro in uno dei momenti culminanti da un inaspettato quanto rozzo tango di Mefistofele, lugubremente kitch? La principale ricerca di Schnittke è stata rivolta al conseguimento del massimo effetto di "cronaca", di assoluto verismo degli avvenimenti che travolgono il protagonista, fino ad arrivare al naturalismo grossolano della scena in cui Faust muore. L'eroe di Schnittke non è il filosofo di Goethe, dalle tinte romantiche, ma un autentico mago e negromante la cui sorte è segnata dalle sue azioni quotidiane (il volume degli appunti di magia dello stesso Faust rimase lungamente sugli scaffali dello studio di Schnittke a Mosca).

«Siate sobri e vigili» recita il sottotitolo della cantata ed effettivamente in essa il bene e il male, il reale e l'irreale sono avvinti con maggior tenacia che nella vita stessa. E mai fu più giusto il tono cronachistico di una "Passione negativa". Nelle Passioni di Bach, ad esempio, ogni avvenimento narrato dall'evangelista lascia una profonda traccia, un'ombra nelle arie e nei cori. Nella cantata di Schnittke manca una netta separazione tra recitativi (momenti di azione) e arie (momenti di riflessione), tutto è mescolato e sottoposto al sofferto sdoppiamento del protagonista. Il piano racconto degli avvenimenti che si susseguono di giorno in giorno è rotto *d'improvviso* dall'irruzione del monologo a due voci del Diavolo, tentatore e allo stesso tempo giustiziere, ma rimane ugualmente la sensazione dell'unità d'azione e della sua lunga ombra nel tempo. Così come nelle Passioni, tutto avviene all'interno di due sistemi temporali, uno cronologico-reale e uno "astrale", eterno.

La cantata occupa un posto di primo piano nella produzione di Schnittke e il tema faustiano può essere considerato fondamentale nella sua arte interamente dedicata all'uomo dell'Era Moderna, oppresso da dubbi, passioni e pentimenti, costantemente in equilibrio tra il Bene e il Male. Tutto nella musica di Schnittke è permeato dalla percezione faustiana di un tempo universale e onnicomprensivo, dal ricorso agli stili di culture ed epoche diverse alla messa in dubbio dello stesso criterio di forma musicale chiusa e razionale. Della percezione faustiana dell'infinito è pregno anche il processo creativo del compositore, che pare intento a scrivere un'unica grande composizione, in cui le singole opere non sono altro che tappe di un percorso di per sé infinito. «Il lavoro sul *Faust* — riconosce lo stesso Schnittke — è un processo senza fine, che è pressoché impossibile portare a compimento. Talvolta mi sembra che mai riuscirò ad afferrare pienamente il *Faust*».

Per Schnittke, nel soggetto faustiano, è importante l'unione, tipica dell'Era Moderna, tra atteggiamenti verso il mondo di tipo personale e impersonale, razionale e irrazionale, come pure la correlazione tra scienza e cultura. Si tratta di momenti concettuali che senza dubbio emergono in tutta la sua musica, che chiude di fatto la grande epoca di classicismo, romanticismo, modernismo e postmodernismo, oggi vista sempre più chiaramente sotto il più ampio legame del rapporto tra l'individuo e il mondo. In questo senso, il soggetto faustiano diventa per Schnittke un codice di accesso a un proprio linguaggio universale, pluridimensionale e simbolico, in grado di correlarsi ai *realia* culturali e psicologici degli ultimi secoli. Sono le parole di Schnittke a spiegare nel modo migliore l'universalità del tipo faustiano: «In Faust — afferma Schnittke — è importante ciò di cui i posteri hanno caricato la sua figura: l'umanità aveva bisogno di un'immagine ideale che racchiudesse in sé l'inestinguibile sete di sapere e l'ha retrodatata a Faust. Questa figura ha saputo avvicinarsi più di ogni altra a ciò verso cui procedeva la coscienza umana, ma non l'ha mai raggiunto. Faust, più in generale, è lo specchio capace di riflettere i mutamenti avvenuti nell'umanità nel corso degli ultimi secoli». Il tema faustiano, in senso lato, è il tema di ogni composizione di Schnittke, il tema della discesa agli Inferi e del successivo ritorno, dell'impeto creativo e dell'inesorabile distruzione, del libero moto lungo gli assi del tempo, dell'ambivalenza del mondo e della coscienza...

Lavori per il teatro

Negli ultimi anni, la musica per opera e balletto attrae sempre di più Schnittke. Sono stati allestiti infatti il balletto *Peer Gynt* e l'opera lirica *Žizn' s idiotom* (*La vita con un idiota*) e sono in corso di composizione nuove opere, il *Faust* e un'opera il cui soggetto è tratto dalla vita di Carlo Gesualdo da Venosa.

La prima opera scenica di Schnittke che abbia conosciuto, per così dire, le luci della ribalta è il breve balletto *Labirinti*, scritto nel 1971 per un concorso di balletto tenutosi a Mosca. Il libretto di Vladimir Vasil'ev, uno dei maggiori ballerini del Teatro Bol'šoj, era imperniato sulle diverse fasi che intercorrevano nei rapporti dei due protagonisti, un uomo e una donna; dall'iniziale duetto di concordia, attraverso una progressiva estraneità e l'automatismo della quotidianità, fino all'uscita conclusiva dal labirinto della psicologia e al raggiungimento della comprensione reciproca a un più alto livello spirituale. La musica per il balletto, scritta per complesso cameristico di archi, percussioni e tastiere, è costituita da sezioni contrastanti, nelle quali il ruolo maggiore spetta al contrasto ritmico (non a caso il compositore ha introdotto nella partitura del balletto un gran numero di percussioni). Non vi sono evidenti collisioni stilistiche e la principale forza creatrice è costituita dall'energia espressa dai mutamenti di una fattura che appare nel complesso abbastanza tradizionale ed è basata sullo sviluppo tematico e ritmico di "leit-intonazioni". La partitura di *Labirinti* fu tacciata di "modernismo" e la seconda esecuzione si ebbe soltanto nel 1978, in una versione ampliata con strumenti supplementari affiancati agli archi.

Una delle più singolari composizioni di Schnittke è *Žëltyj zvuk* (*Il suono giallo*), scritta nel 1974 su libretto di Vasilij Kandinskij. La prima rappresentazione de *Il suono giallo* avvenne nella cittadina francese di Saint-Baume e passò quasi inosservata. Soltanto nel 1985, a Mosca, il Teatro moscovita del dramma plastico e i Solisti del Teatro Bol'soj realizzarono una prima esecuzione di eccellente qualità. Questo allestimento, come sezione di un programma concertistico, fu in seguito presentato con notevole successo in numerosi altri paesi.

Il grande pittore russo Vasilij Kandinskij (1866-1944) pubblicò nel 1912 il trattato *O duchovnom v iskusstve* (Dello spirituale nell'arte), che inizialmente portava come sottotitolo «Il linguaggio della musica». I problemi della corrispondenza tra suono, colore, forma e movimento interessarono per tutta la vita l'artista russo, padre della pittura astratta. Ricorderemo che in gioventù Kandinskij sognava di diventare musicista. Più tardi egli si interessò agli esperimenti musicocromatici di Aleksandr Skrjabin e divenne amico di Arnold Schönberg. Nel 1928 Kandinskij curò un allestimento scenico di *Quadri di un'esposizione* di Musorgskij. Fin dalle prime opere astratte, apparse nel 1910, Kandinskij rivelò una sorprendente musicalità di pensiero. Nel 1912, sull'almanacco «Der blaue Reiter», egli pubblicò il testo della "composizione scenica" *Il suono giallo*, ideato come una sorta di libretto per uno spettacolo sintetico, in cui dovevano necessariamente fondersi tre diversi momenti: musica, movimento pittorico e movimento coreografico.

A differenza delle idee musicocromatiche di Skrjabin e degli esperimenti "euritmici" di quel tempo, che univano i tre momenti secondo criteri di parallelismo, Kandinskij ricercò soprattutto le correlazioni contrappuntistiche interne al linguaggio di arti diverse, precorrendo così le esperienze multimediali degli anni Sessanta-Ottanta. A suo tempo, la musica per *Il suono giallo* venne composta da Thomas von Hartmann, collaboratore di Kandinskij. Questa versione venne rappresentata per la prima volta soltanto nel 1982 a New York sotto la direzione di Gunter Schuller.

Il libretto de *Il suono giallo* non è una sceneggiatura, nell'accezione comune del termine, ma piuttosto un canovaccio tessuto sulle diverse corrispondenze tra movimento, musica e colore, tra loro intrecciate a formare un tutt'uno. In verità, esistono dei personaggi, benché piuttosto astratti: cinque giganti gialli, delle «creature indefinite», un bambino, il suono delle campane, un fiore giallo. Il significato dell'intera "composizione scenica" è legato alla teoria del colore elaborata dall'artista nel suo trattato *Dello spirituale nell'arte* e riguardante problemi di ordine non soltanto estetico ma anche filosofico. Ogni colore, secondo Kandinskij, rappresenta una certa sostanza spirituale, corrispondente a sfere dell'esistenza determinate ed eterne. Il bianco è la nascita, il nero - la morte. Gli altri colori formano coppie di contrasti vitali all'interno di queste due polarità. Il contrasto di maggiore importanza si ha tra il giallo (terrestre) e l'azzurro (celeste). Ogni colore possiede calore e movimento propri, insieme con una precisa disposizione allo sviluppo ulteriore. Nel giallo la mobilità è massima, rivolta verso l'esterno come energia di forze corporee, vitali ed esuberanti. «Il balzo oltre i confini — scrive Kandinskij a proposito del giallo — e la dispersione di una forza nell'ambiente circostante sono simili alle proprietà di ogni forza fisica che, inconsciamente, si lancia sull'oggetto e si disperde inutilmente in tutte le direzioni». Nella composizione *Il suono giallo* Kandinskij dà forma alla propria idea dell'originaria tragicità di qualsiasi processo dinamico, raffrontandolo simbolicamente a «un serpente che si morde la coda».

Nel proprio lavoro *Il suono giallo* Schnittke si attiene scrupolosamente al libretto di Kandinskij. Vengono infatti conservate la suddivisione convenzionale in sei quadri, la precisa corrispondenza tra l'apparizione del fiore giallo e le note si e la, ripetute con sofferenza dagli strumenti, nonché le caratteristiche generali della drammaturgia, in cui il "giallo" è nettamente separato dal resto.

Rapporti assai più profondi tra musica e libretto si scoprono nell'approccio stesso alla tavolozza sonora. *Il suono giallo* divenne un lavoro di straordinaria importanza nel cosiddetto periodo "di passaggio" dell'arte di Schnittke, con il suo progressivo allontanamento dalla tecnica seriale e dalla fattura di tipo inquieto, lacerato e nervoso, tipiche della sua musica degli anni Sessanta. *Il suono giallo* (in piena corrispondenza con il libretto) è un'opera ancora relativamente inquieta, benché già presenti il passaggio a quella pienezza simbolica caratteristica di Schnittke. In questo senso, il ricorso al libretto di Kandinskij rimase nell'alveo delle ricerche del compositore, mosso dall'insoddisfazione per le formule pronte della musica seriale. Così come il triangolo e il quadrato erano per Kandinskij «creature spirituali con una propria sonorità interna», per Schnittke l'intervallo e l'accordo divengono i simboli di una particolare e universale realtà sonora, che si presenta nel contesto problematico che le è proprio. L'astratto carattere scenico del libretto e della musica stimolò notevolmente le ricerche di Schnittke verso nuovi percorsi espressivi e la partitura de *Il suono giallo* può fungere da ottimo sussidiario per chi desideri in futuro studiare le peculiarità simboliche del linguaggio del compositore. Con estrema chiarezza, infatti, in essa avviene una frattura all'interno delle leggi formali della serialità, a vantaggio di caratteristiche strutturali di tipo nuovo. Inoltre l'espressività di un dato suono o di un certo intervallo viene amplificata più volte dagli altri elementi della composizione, quali il movimento, il colore, l'amalgama fonetico delle frasi semi-assurde scandite dal coro e delle parole pronunciate da uno dei solisti e prive di qualsiasi pregnanza semantica. La musica non illustra l'azione ma ne resta come imbevuta, acquistando così una nuova dimensione ed emergendo accanto agli altri più chiari modelli semantici di espressione, come il discorso o il movimento. In tal senso, *Il suono giallo* evidenzia in forma scenica la nascita di quella energia extra-musicale che, in una nascosta dimensione simbolica, è presente nelle composizioni strumentali, corali e sinfoniche di Schnittke. Durante i trenta minuti de *Il suono giallo* assistiamo al sorgere di una nuova qualità e di un nuovo significato del suono. Dalle frasi spezzate e dai rumori dell'inizio, attraverso inquiete e drammatiche affermazioni, la composizione giunge ai vocalizzi del soprano solista (momento culminante) e alla comparsa dell'organo con i suoi possenti accordi corali. La scena conclusiva vede l'affermazione estatica e trionfale di un corale, tipica delle opere successive, con la relativa dissolvenza nel silenzio e nell'infinito; la scena è avvolta da un fumo bianco e scompare tutto ciò che colpirebbe il nostro occhio e il nostro orecchio.

Nel cammino percorso da Schnittke da *Il suono giallo* e dalla *Prima Sinfonia* (che in parte può essere definita una "composizione scenica") alle grandi forme sceniche, quali il balletto *Peer Gynt* e i lavori operistici, occupano un posto particolare le *Tri sceny* (*Tre scene*) del 1980, per soprano e un insolito insieme strumentale composto da sei esecutori che suonano il vibrafono con bacchette e archetti, un violino e un contrabbasso dietro le quinte e un esecutore di tamburo e piatti che compare nell'ultimo episodio suonando su un ritmo di marcia funebre. Schnittke stesso ha avuto modo di affermare che nella simbologia pluridimensionale, ambigua e un po' assurda di *Tre scene* egli scorge un bozzetto della sua futura opera lirica. Utilizzando mezzi minimi, il compositore crea uno spettacolo musicale di piccole dimensioni che offre quasi l'illusione del rito religioso di una commemorazione funebre (tale parallelismo, in realtà, risulta oltremodo ermetico e il compositore insiste soprattutto sul significato astratto dell'evento). Schnittke ricorre ancora una volta a simboli sonori di grande semplicità e pregnanza, come il corale, la marcia funebre, la polka, la canzone. La prima scena è rappresentata da un singolare gioco tra visibile e invisibile. Simbolici rintocchi di orologio che procedono fatalmente a ritroso (da dodici a uno) chiamano alla vita il singolarissimo personaggio di una cantante accompagnata da un organetto (che nell'intento di Schnittke doveva essere imitato da un comune macinino da caffè). Ha inizio quindi la seconda scena, in cui giunge di lontano una confusa e rozza musica da ballo. Nella terza scena tutti i partecipanti abbandonano il palco in simbolica processione. Il carattere tragicomico delle *Tre scene*, con la combinazione di effetti musicali e scenici, crea un particolare contesto che, a sua volta, genera associazioni diverse e non trattiene lo spettatore nel preciso alveo di un'unica linea percettiva e interpretativa.

Opera affatto diversa è il balletto in un atto *Eskizy* (*Schizzi*), allestito nel gennaio 1985 al Teatro Bol'šoj. Il fatto stesso dell'allestimento presso il maggior teatro russo di un balletto dai toni grotteschi, e su musiche di un compositore non "ufficiale" e assai criticato, pareva allora, prima dell'inizio della *perestrojka*, un evento straordinario. Il balletto fu definito dai creatori stessi una «fantasia coreografica su temi tratti dalle opere di Gogol'». Ne è protagonista lo scrittore stesso, che si aggira tra i personaggi delle proprie creazioni, *I racconti di Pietroburgo*, *L'ispettore generale*, *Le anime morte*.

Il balletto si basava sulla musica composta da Schnittke per lo spettacolo *Revizskaja skazka* (*La favola dell'ispettore*), allestito presso il Teatro sulla Taganka. Il compositore vi aggiunse alcuni brani tratti dal proprio repertorio cinematografico e al direttore Gennadij Roždestvenskij spettò l'orchestrazione di gran parte delle musiche. La marcia che apre e chiude lo spettacolo fu composta da Schnittke in collaborazione con Sofija Gubajdulina ed Edison Denisov.

La musica di *Schizzi* è contraddistinta da un particolare rilievo grottesco che può ricordare i balletti di Šostakovič e dove interagiscono nel modo più naturale il linguaggio delle colonne sonore di Schnittke e il lessico delle sue opere sinfoniche. I bruschi contrasti tra lo stile elevato e quello ordinario-quotidiano e, talora, la loro combinazione polifonica e surreale (come nel quadro «Il ballo dei personaggi», in cui paiono riassumersi i soggetti e i simboli delle altre scene), conferiscono una tensione e un'asprezza particolare allo sviluppo del balletto. Uno degli ultimi episodi, «I dubbi dell'autore», si svolge sullo sfondo malinconico della canzone ucraina *Pijut pivni* (*Cantano i galli*), che risuona con un andamento quasi sfibrato. Insieme con il canto del gallo che precede l'alba svanisce la grottesca fantasmagoria carnascialesca e restano soltanto le profonde meditazioni dell'autore.

Le immagini di *Schizzi*, dagli intenti quasi programmatici, pur nella loro esteriore semplicità e nel loro carattere chiassoso, celano significati profondi e un contesto oltremodo complesso. Le intonazioni derivate dai generi musicali più popolari (valzer, polka, marcia) diventano, come i personaggi gogoliani, maschere di un carnevale collettivo. «La musica composta da Alfred Schnittke per *Schizzi* — afferma il direttore Gennadij Roždestvenskij — è ben di più di una semplice musica di accompagnamento. Essa rappresenta un limpido modello di teatro "sinfonico" e dinnanzi a noi prende vita un vero "spettacolo sinfonico"». In questo senso, *Schizzi* rappresenta, assai più de *Il suono giallo*, un'ennesima cristallizzazione dell'elemento simbolico ed extramusicale nel linguaggio del compositore. Schnittke, in questo lavoro, muove dalla propria enorme esperienza in campo cinematografico e teatrale (a tale proposito basti osservare l'elenco dei suoi lavori per cinema e teatro riportato in appendice). Tuttavia, a differenza della musica applicata di molti altri compositori, quella di Schnittke non rinuncia alla propria piena autonomia e può esistere in assoluta indipendenza dalle immagini visive a cui originariamente si lega. Di estrema importanza in questo caso è la capacità di Schnittke di lavorare con grande serietà su stereotipi e cliché di qualsiasi tipo. «Si deve parlare di *Schizzi* — afferma Schnittke — senza dimenticarne la funzione originaria, quella di musica teatrale. Sono partito dallo stile particolare del teatro per cui questa musica veniva composta. È nello stile del Teatro sulla Taganka e del suo regista Jurij Ljubimov l'impiego degli stereotipi della vita, e ovviamente degli stereotipi musicali, con un successivo loro ri-orientamento che li trasforma in simboli».

Conferisce un particolare significato a *Schizzi* anche il fatto che il balletto, in sostanza, si presenti come il primo "schizzo", il primo avvicinamento al tema del Male che successivamente sarà alla base dell'opera lirica su Faust. Afferma Schnittke:

In *Schizzi* vi è un cosciente condensato di banalità che io ritengo di radicale importanza: perché? Perché ogni tipo di presenza diabolica — e molti dei soggetti di Gogol' sono legati al diavolo — l'intero campo del demoniaco è connesso non all'esoterismo bensì alla banalità, alla bassezza, agli scarti, a ciò che è sporco, lacero e senza più uso alcuno. È questo l'ambiente di ogni presenza diabolica e ciò, a mio parere, non può che renderla ancor più paurosa. Certo al di là possiamo scorgere un elemento di mistero e di trascendenza, ma è proprio la congiunzione tra banalità e trascendenza a costituire solitamente l'essenza del diabolico. Se si intraprende una composizione musicale su di un soggetto gogoliano, il diabolico diventa inevitabile: fu lo stesso Gogol' a ricorrervi. La collisione tra momenti di elevazione e bassezza nelle sue opere — in Gogol' forse più insista che negli altri suoi contemporanei e ricca di influssi su *tutta* la letteratura del XIX secolo, non soltanto su Dostoevskij — la molteplicità di piani e di generi, la mancanza di purismo e l'uso del banale come materiale letterario del tutto legittimo, tutto ciò, senza alcun dubbio, ha esercitato su di me un'influenza enorme.

Il balletto *Peer Gynt* è stato una delle prime opere che Schnittke ha portato a termine dopo il periodo di malattia. Dalla sua musica scompare quasi totalmente quell'elemento "teatrale" che un amico del compositore, il pittore Vladimir Jankilevskij, ha definito con grande arguzia un elemento di attualità. Nella musica composta da Schnittke dopo la malattia lo strato "attuale" si assottiglia sempre più. La sua arte musicale richiede profondità di ascolto e compartecipazione sempre maggiori e diventa sempre più esoterica. Nei lavori scritti dopo la malattia, Schnittke dà inizio a quella fase creativa in cui, in epoche diverse, entrarono Bach, Beethoven, Schubert, Brahms, Stravinskij, Schönberg. Si tratta cioè di periodi, solitamente legati a un preciso mutamento nella percezione del mondo, in cui la musica diviene "misteriosa" e non si sottomette più alla logica consueta. Essa, però, apre in questo modo nuove dimensioni future e, in particolare, una nuova percezione dello spazio sonoro. Se consideriamo le differenze tra poesia epica e drammatica di goethiana memoria, la musica composta da Schnittke negli anni Settanta e nella prima metà degli anni Ottanta andrebbe riferita al modello di poesia drammatica, capace di attrarre l'ascoltatore anche contro la sua volontà, di coinvolgerlo di minuto in minuto in ciò che accade e di travolgerlo nei contrasti semantici e nel flusso di eventi gravi e talora inaspettati. Le opere degli ultimi anni, pur con un grado di intensità interiore ed esteriore se vogliamo ancora maggiore di prima, presentano un orientamento affatto diverso.

Ad una prima impressione, esse sono più lapidarie, dimostrative, prive di un secondo, di un quinto o di un decimo significato. Basterà ricordare gli episodi "ballabili" nel primo atto del *Peer Gynt* o l'ingresso del Fato all'inizio dell'Epilogo (immediatamente prima dell'ingresso del coro). Tutto, parrebbe, viene detto direttamente, quasi "in faccia"; questo è insolito per chi conosceva uno Schnittke ben diverso. Eppure, questa premeditazione ha un proprio significato, che potremmo avvicinare alla concezione goethiana della poesia epica: il senso e il significato di ciò che avviene o di ciò che si ode vengono chiariti soltanto *post factum*.

A molti, e a me in particolare, la musica del primo e secondo atto del *Peer Gynt* è parsa di incredibile semplicità. Non si capiva la ragione di una tale semplicità di scrittura. Ho rivolto più volte questa domanda a Schnittke, ricevendone sempre la medesima risposta: «Non saprei dire. Posso dire perché scrivevo musica in un certo modo prima della malattia. Ma non saprei dire nulla sul perché ora scrivo in questo modo. So semplicemente però che così deve essere». Ed effettivamente, nei lavori successivi al 1985, Schnittke non effettua correzioni, a differenza delle prime opere costantemente sottoposte a considerevoli rimaneggiamenti nel corso delle prime prove con gli esecutori.

Del resto, il carattere non lineare, o più esattamente metafisico, di quanto avviene nel *Peer Gynt* appare chiaro fin dall'inizio del balletto: nella struttura a scene intercalate vi è un'esagerazione programmata destinata a esaurirsi e a cancellarsi da sé medesima. Il carattere lapidario delle scene di danza e la loro ossessiva ripetizione presentano uno sviluppo che non porta in nessun luogo, interrompendosi bruscamente o cedendo a sonorità irreali o a commenti "lirici" atemporali. Non avviene alcuno sviluppo! Avvengono invece costanti e repentini lanci in differenti sfere dello spazio e dell'esistenza, esattamente come nel dramma di Ibsen; in sostanza, il protagonista è mosso dall'idea non dello sviluppo ma di rapidi scatti in direzioni diverse.

«Peer Gynt è uno strano personaggio — spiega il compositore — senza chiavi di lettura, per certi aspetti è più strano ancora di Faust». Un personaggio che vola nell'aria, che imita il *Faust* di Goethe con un sogghigno, fa visita ai *trold* ed è contemporaneamente in luoghi diversi del mondo, un personaggio che scompare senza attendere i funerali della madre, che incontra il Diavolo su di una nave durante il ritorno a casa, un personaggio senza la forza di dominare la folla dei propri sosia e che perisce in quella delle proprie innumerevoli maschere, un personaggio del genere è senza dubbio un nostro contemporaneo! Per questo, anche se l'azione drammatica del *Peer Gynt* in Ibsen avviene alla metà del XIX secolo, in Schnittke si sposta nel XX.

Io cambierei forse il titolo di una delle recensioni alla prima del *Peer Gynt* — *Tra un mondo reale e uno immaginario*[27] — in questo modo: "Tra un mondo iperreale e uno irreale". In fondo, non troviamo alcunché di reale, o meglio, di realistico, né in Ibsen né in Schnittke. Esistono due poli opposti, uniti forse dall'asse reale di Solvejg. Ella tuttavia, come autentica realtà, emerge in primo piano soltanto nell'irrealtà, nell'Epilogo, vale a dire «al di fuori del mondo», come risulta scritto sul libretto. Il rozzo iperrealismo della musica, così come lo *slang* nel dramma di Ibsen, svolge un'importante funzione psicologica: le grezze stratificazioni sonore, bruscamente sostituite da momenti estranei agli eventi della trama, divengono quasi simboli della forza gravitazionale e ricordano la potenza della terra, l'elemento deperibile, finito, perituro. Benché sul libretto sia indicato che il primo atto (il primo cerchio del destino di Peer) è ambientato in Norvegia, il secondo in paesi lontani, il terzo nuovamente in patria e l'Epilogo (il quarto cerchio) «al di fuori del mondo», comprendiamo fin da principio l'evidente mancanza di concretezza del luogo e del tempo dell'azione, la sua profonda astrazione, la tensione verso l'Epilogo inteso come risultante di tutto il balletto. «Tutta la musica del balletto — afferma Schnittke — è soltanto un gradino, un accesso a quest'ultimo cerchio». Nel dramma, invece, l'ultimo cerchio è appena accennato: Peer Gynt si addormenta al canto di Solvejg, ma all'"ultimo crocicchio" lo attende il perfido Fonditore di bottoni che convince Peer di aver vissuto una vita priva di senso, di non essere stato sé stesso e, pertanto, di dover essere sottoposto a una nuova fusione. Nel balletto tutto procede verso l'Adagio conclusivo, di ben 40 minuti, di Solvejg e Peer. Il libretto riporta una brevissima indicazione: «Al di fuori del mondo. Solvejg riconosce Peer. Peer riconosce Solvejg». Schnittke così ci parla di questo punto: «Non sono in grado di esprimere a parole l'idea della quarta dimensione, che balugina soltanto, ora scomparendo, ora di nuovo apparendo. L'Epilogo del *Peer Gynt* è il tentativo di esprimere le ombre della quarta dimensione. Questa vita non mi offre, né potrebbe offrirmi, altra possibilità. Eppure, in maniera utopica, io sento questa quarta dimensione, una realtà di tipo diverso da quello terreno, l'ennesima voluta di una spirale».

Nell'Epilogo mancano effettivamente temi nuovi e a confronto con le scene precedenti tutto pare semplicemente rivissuto a un nuovo, quarto livello. Ora esistono soltanto loro due, Peer e Solvejg, che lo ha finalmente riconosciuto tra una folla di sosia. Gli eroi gettano le vesti, come per liberarsi da pastoie materiali, e la scena muove verso l'infinito, perdendo contorni concreti. Nell'Epilogo i temi già noti non si susseguono ma si accavallano l'uno sull'altro, come un mare di nuvole. Basta questa sovrapposizione di volti diversi a creare un'atmosfera irreale, che non dipende dall'intensità del suono ma dal carattere dei temi stessi. Sopra ogni cosa si libra e balugina il limpido re maggiore del coro, che resiste permanentemente, anche quando la massa orchestrale lo copre del tutto (il re maggiore del coro emerge per la prima volta allorquando appare in secondo piano il triangolo con la casa che Peer ha costruito nel primo atto e in cui Solvejg lo ha atteso fino a questo momento). Il duetto di Peer e Solvejg inizia a sdoppiarsi, a moltiplicarsi, riflettendosi nei movimenti plastici delle altre coppie che riempiono la scena, mentre la musica tende sempre più all'accordo di re maggiore che conclude il balletto, anzi, che lo conduce in uno spazio infinito, dissolvendosi nelle stratificazioni ascendenti degli armonici. Ma che cosa viene affidato al coro? Soltanto una battuta di 8/8, ripetuta canonicamente per otto volte e "incantata" su nastro magnetico. Una soluzione di straordinaria semplicità! Ma, come sempre in Schnittke, ciò che appare semplicissimo offre profondità incommensurabili e impensabili energie: tutto ciò che avviene sulla scena è circonfuso dall'aura luminosa della nuova dimensione aperta dal re maggiore corale.

L'Epilogo di *Peer Gynt* esprime in maniera concentrata ciò che oggi definisce la scrittura musicale di Schnittke, e non si tratta di un semplice accostamento o sovrapposizione tra strati stilisticamente e fonicamente diversi, come accadeva nelle prime composizioni. Così, ad esempio nella *Prima Sinfonia*, tale idea veniva espressa dai suoni della realtà o, se vogliamo, dai suoni della storia, dove ogni strato pareva slegato dagli altri e sembrava emergere dall'esterno, come un materiale grezzo appartenente alla quotidianità o alla storia, come un documento, una cronaca o un fotogramma.

Nelle altre opere degli anni Settanta e dei primi anni Ottanta vi era la lotta tra questo materiale grezzo, mobile e non strutturato, e i simboli cristallizzati nella cultura.

Nell'ultima produzione di Schnittke, e soprattutto nel *Peer Gynt*, muta leggermente il carattere della polifonia stilistica. Il rivestimento, il volto esteriore delle stratificazioni sonore cambia, è reso più astratto, meno declamato o, secondo la definizione di Vladimir Jankilevskij, «meno attuale». Nella loro maggiore astrattezza gli strati sonori si avvicinano e acquistano la funzione di temi musicali abbastanza omogenei, in cui mancano sferzanti collisioni esterne a favore di una maggiore energia dinamica interna che, talvolta, raggiunge livelli massimi (come nei due ultimi movimenti della *Quinta Sinfonia*). Il carattere riflessivo extramusicale e metamusicale delle opere dei primi anni Ottanta cede nuovamente all'azione vera e propria realizzata nei puri suoni.

I temi, tuttavia, conservano quei precisi tratti semantici che avevano una particolare rilevanza anche nella prima musica di Schnittke. Si tratta ad esempio del caratteristico "gruppetto" romantico con il conseguente slancio (il tema di Solvejg), il corale, il tema di semitoni perfido e strisciante a noi già noto dal *Trio per archi* (la viola chiude il primo movimento del *Trio* proprio con questo motivo). Tutte queste figurazioni tematiche, tuttavia, presentate nelle opere precedenti nella loro nudità, acquistano ora sonorità più estraniate. I pochi elementi che compongono tali temi non illuminano più la nostra coscienza, non sfavillano improvvisamente come un raggio di luce, bensì vivono con noi sempre, mantenendo una recondita presenza nel nostro subcosciente ed emergendo alternativamente in superficie. Direi che tutta quella cospicua parte di simboli sonori di Schnittke, sommersa ed extramusicale, lascia ora il posto a una simbologia puramente musicale. Avvertiamo il peso della presenza recondita di questi temi (benché spesso non sia udibile); essa pare un rombo, il rumore del tempo e dello spazio, l'attrito tra i diversi strati dell'esistenza. La musica fluisce come un simultaneo movimento temporale di più strati, ognuno dei quali emerge a turno in primo piano.

Allo stesso modo entrano in attrito, sostituendosi vicendevolmente l'uno all'altro, i sette diversi "aspetti" del personaggio principale del balletto. Afferma Schnittke:

> Peer Gynt è un personaggio che alla resa dei conti non ha vinto nulla, non ha raggiunto nulla e ha finito con lo stesso zero con cui aveva iniziato. Per tutta la vita ha commesso errori e ha avuto torto. In questo senso mi ha ricordato il libro su Giuseppe Flavio di Feuchtwanger. Giuseppe Flavio fu sempre un uomo a metà e non occupò mai una posizione decisiva e definitiva. I suoi oppositori lo condannarono essenzialmente per questo motivo. Eppure risultò che quest'inconcludente uomo a metà, proprio per il fatto di essere dimezzato, racchiudesse in sé più vita di molti altri uomini più "concludenti" e tutti d'un pezzo. È un fenomeno paradossale e inspiegabile ma la cui realtà non lascia dubbi. E questa è ancora un'analogia tra Peer Gynt e Faust.

Alla base del balletto vi è l'idea dello sdoppiamento e della frammentarietà di Peer Gynt, simbolo dell'interiore eterogeneità della creatura umana che soggiace al peccato, e l'idea del percorso in cui tale frammentarietà si articola nella vita stessa.

L'impulso a comporre la musica per il balletto era nato già nel 1984. Il coreografo John Neumayer, durante una permanenza a Mosca di tre giorni di ritorno dal Giappone, espose dettagliatamente la propria idea del libretto. «Dopo aver ascoltato Neumayer e aver letto il libro — ricorda Schnittke — non riuscivo a pensare soltanto al balletto. Fin dall'inizio, per me divenne importante un elemento del soggetto che era però soltanto parallelo al balletto. Ho cercato di sentire e realizzare proprio questo elemento posto "al di fuori" della coreografia».

L'infermità del compositore interruppe il lavoro iniziato. Successivamente, tuttavia, Schnittke portò rapidamente a termine la partitura e nella primavera del 1987 la musica fu incisa dall'Orchestra dell'Opera di Amburgo sotto la direzione di Gennadij Roždestvenskij. Soltanto in un secondo momento John Neumayer si accinse a realizzare l'allestimento coreografico. La prima si svolse il 22 gennaio 1989.

«Siamo persone completamente diverse — dice Schnittke parlando del lavoro svolto in comune con Neumayer — eppure, com'è successo in molti casi di collaborazione con registi cinematografici diversi da me, il contatto non si è basato su affinità esteriori, come un dato modo di parlare o di comportarsi. Si è trattato di altro, a un livello non verbale».

Assai spesso, infatti, il momento coreografico e quello musicale divengono nel *Peer Gynt* un tutt'uno, senza per altro copiare in tal senso il cliché offerto dalla tradizionale unità del balletto. Il momento unificante è reso innanzitutto dal fatto che la musica pare diventare una parte dell'elemento plastico mentre la polifonia scenica (i gruppi polifonici sono uno dei cardini principali nelle coreografie di Neumayer) diviene parte della polifonia stratificata della partitura musicale.

«Tra l'elemento visivo e la musica — afferma Schnittke — non vi sono confini». L'elemento musicale e quello plastico paiono alternarsi sul proscenio, come strati diversi di un unico significato. A volte la musica tace del tutto, come nella prima scena muta in cui appaiono i sette "aspetti" di Peer. E soltanto in un punto, come in uno spettacolo tradizionale, vi è soltanto musica a sipario chiuso: all'inizio del secondo atto.

Di che tipo di musica stiamo parlando? In essa riconosciamo subito tratti di Grieg. «Capivo benissimo — dice Schnittke — che vi sarebbe stato comunque un raffronto con Grieg, per questo ho inserito tale musica. Essa inizia come un tipico Grieg, ma presto si rende evidente l'impossibilità di Grieg, l'impossibilità di un suo ritorno». L'episodio all'inizio del secondo atto, tuttavia, è ben di più di una semplice constatazione dell'"impossibilità" di Grieg in una lettura moderna del *Peer Gynt*. Il preludio del secondo atto è un esempio di puro lirismo assai raro in Schnittke e a cui lo stesso compositore è solito dare interpretazioni assai diverse. In realtà, Schnittke è assai più lirico di quanto egli stesso non creda (ricordiamo soltanto opere come i *Tre madrigali* o il *Trio per archi*). Il preludio di stampo grieghiano — più tardi Schnittke comporrà su questa musica il brano orchestrale *Hommage a Grieg* — rimane nel ricordo come un'inconsolabile nostalgia, "in rima" sotto molti aspetti con l'Epilogo, in cui Peer lascia per sempre un mondo puro che si allontana definitivamente e che è divenuto realmente "impossibile".

Il terzo atto e l'Epilogo costituiscono l'autentica vetta creativa del balletto. Un malinconico assolo del corno inglese accompagna Peer che fa vela verso casa. La mancanza di ogni concreta scenografia, il costume di Peer assolutamente tipizzato, mantello grigio e cappello, i movimenti lenti, tutto contribuisce a creare una sensazione di irrealtà e di atemporalità. Ciò che domina è la percezione di continuità, di costante fluire in assenza di quasivoglia barriera, in un intreccio polifonico di stratificazioni che realizza pienamente l'unione di musica e movimento. «È difficile stabilire — afferma Neumayer — che cosa sia esattamente l'Epilogo, se un riassunto o un embrione. Da esso veniamo condotti in quella sfera che Ibsen forse sfiora appena, senza calarsi nelle sue profondità. È il centro spirituale e metafisico dell'intera opera» [dal programma di sala di *Peer Gynt*].

Peer Gynt non rappresenta tanto il percorso del protagonista del balletto quanto, in senso più lato, il percorso di errori, dubbi, fughe e ritorni dell'uomo di tipo faustiano. Per lo stesso Schnittke il balletto ha rappresentato sotto molti aspetti un'opera di svolta, l'inizio di un nuovo periodo nella vita e nel lavoro. Una tensione nuova e un diverso contorno sonoro nelle sue opere costringono l'ascoltatore, a partire da *Peer Gynt*, a penetrare la sua musica più profondamente, a seguire con maggior attenzione lo sviluppo di un pensiero che, a volte, si libra ben più in alto del reale rivestimento sonoro ed amplia di molto il campo di ciò che si ode e si comprende.

Nell'aprile del 1992 si è svolta ad Amsterdam la prima rappresentazione di *Žizn's idiotom* (*La vita con un idiota*), la prima opera lirica di Schnittke, su libretto di Viktor Erofeev.

I rapporti di Schnittke con Amsterdam non iniziano con la prima di *La vita con un idiota*, come si ricorderà, la *Quinta Sinfonia* era stata commissionata al compositore proprio dal Concertgebouw di Amsterdam. Anche in una città eclettica come Amsterdam, in cui eventi diversi e contrastanti sono all'ordine del giorno — fino a formare talora uno stravagante mosaico simile ai quadri "panoramici" di Brueghel — anche in una città avvezza a tutto, la prima della nuova opera venne accolta come un evento straordinario. Assolutamente fuori dal comune dovette sembrare agli europei la combinazione tra lo sferzante e metaforico linguaggio di Viktor Erofeev e la musica di Schnittke, di cui i musicisti più attenti riconobbero subito la diretta discendenza dalle tradizioni operistiche di Alban Berg e da *Il naso* di Šostakovič.

A *La vita con un idiota* fu tributato un sensazionale successo, la prima si chiuse con una lunga ovazione e ricevette critiche entusiaste non soltanto in Olanda. Fu riconosciuta all'istante la risonanza internazionale dell'avvenimento e accanto alla stampa olandese si ebbero le appassionate recensioni del «New York Times» e dell'«Herald Tribune», mentre la rivista «Time» non esitava a definire *La vita con un idiota* un «requiem dell'Unione Sovietica», rilevando lo humor nero del racconto di Erofeev e della musica di Schnittke.

A mio giudizio, si trattò realmente di uno spettacolo brillante, benché realizzato in una lega affatto particolare che presupponeva la completa fusione tra individualità forti e oltremodo diverse: Mstislav Rostropovič come direttore d'orchestra, Boris Pokrovskij come regista e Il'ja Kabakov come scenografo. Ognuna di queste personalità vide e sentì lo spettacolo a suo modo. Nel complesso, l'opera appartiene assai più alla satira dichiarata che non all'assurdo-simbolico che emerge dal racconto di Erofeev. Il carattere del racconto, aggressivo e scioccante, come tutto lo stile di Erofeev, è un chiaro tentativo di superare, o meglio di far esplodere, il corpo stantio, mummificato, della vita e del lessico comunista. Qui è racchiuso il significato del linguaggio gergale di cui il racconto è saturo all'inverosimile; si tratta di una deflagrante irruzione nella libertà di vita e di pensiero che, nella sua sostanza, è assai vicina a Puškin. In fondo la Russia ha ancora oggi un estremo bisogno di libero pensiero, non essendosi del tutto affrancata dai gravami ideologici e verbali dei consueti modelli comunisti.

Non stupisce pertanto che Viktor Erofeev — famoso critico letterario e sottile osservatore e saggista (basti ricordare che la sua tesi di dottorato era dedicata al marchese De Sade) — scriva le proprie opere di prosa esclusivamente in chiave osceno-gergale, cercando di provocare nel lettore vuoi la piena ammissione della sua stessa natura bestiale, vuoi la ricerca di una via d'uscita dal vicolo cieco in cui lo scrittore lo ha cacciato. In tutta verità, devo confessare che a tutt'oggi ho l'impressione che Erofeev, seppure tradotto in 25 lingue, manchi ancora di un proprio lettore adeguato, poiché molti non sono in grado di comprendere il sotto-testo delle sue opere "scandalose".

Ricordo l'interesse appassionato di Schnittke durante la lettura del libretto de *La vita con un idiota*, allorché stava appena iniziando la stesura dell'opera. A molti, me compreso, tale passione riusciva inspiegabile. In quei frangenti il compositore era solito dire che occorre scrivere ciò che appare assolutamente impossibile e improbabile, e soltanto quello. Effettivamente allora, alcuni anni orsono, l'idea di scrivere un'opera tratta da un racconto semi-pornografico su Lenin pareva pazzesca e alla mia domanda su quali fossero le ragioni di un tale interesse verso quel libretto, Schnittke rispose: «Semplicemente lo *sento* come un'opera lirica: è il libretto ideale per un'opera».

La partitura sembra effettivamente scritta con estrema rapidità, senza dubbi particolari. Di straordinario dinamismo è il primo atto (l'opera è in soli due atti), che si sviluppa con un ritmo sostenuto, mentre il secondo, scritto in un secondo tempo, si offre a un ascolto diverso e riflette ampiamente la dolorosa angoscia e il disgusto della vita con un idiota. Curiosamente, il libretto è scritto in modo che i personaggi principali — Io, la Moglie, Vova, Marcel Proust, il Guardiano — non comunicano quasi mai tra loro e nel testo, pressoché privo di dialoghi, la parte principale è affidata a racconti-monologhi, simili ai monologhi interiori proustiani. Questa particolarità viene mantenuta dal compositore anche nella musica, ricca, come molte altre composizioni di Schnittke, di contrasti tra materiali eterogenei: le parole volutamente insignificanti e banali del protagonista (Io) o del Guardiano del ricovero di idioti, tra cui l'eroe sceglie Vova, o le "toccate" spavalde e irruenti delle scene di sesso, le citazioni allusive costruite su canzoni rivoluzionarie come *Vichri vraždebnye* (*Turbini ostili*) o l'*Internazionale*. Risuona inoltre con perseveranza il ritornello idiota del coro «Primavera è giunta. I gracchi son tornati e in volo la primavera hanno portato», che nello spirito ricorda marcatamente i ritornelli patologicamente in modo maggiore delle baldanzose canzoncine dei pionieri. Senza dubbio, la musica non manca di un evidente intento satirico, benché presenti soprattutto il carattere di una sconsolata, cruda e opprimente fantasmagoria, di un brutto sogno, in cui i personaggi sembrano non vedersi e non capirsi né comprendono quanto sta accadendo. È straordinario il finale dell'opera. Io, trasformatosi in un idiota, canta la canzone *Vo pole berëza stojala* (*Nel campo stava una betulla*), mentre Vova, che dovrebbe essere sì morto ma "eternamente in vita", alla fine di ogni frase della canzone emerge per un secondo da sotto terra e grida il suo «Eh!», tutto ciò che le sue labbra pronunciano nel corso dell'intero spettacolo.

L'orchestra, formata da un insieme cameristico di piccole dimensioni, è estremamente mobile. Nel primo atto i musicisti si trasferiscono dalla fossa in sala, mentre alla fine del secondo il momento strumentale passa decisamente in secondo piano per scomparire quasi del tutto, lasciando l'azione nuda, indifesa e disperata. Nel complesso, tuttavia, creando un'opera lirica di intento satirico, Schnittke ha saputo altresì comporre un'opera tetra e tragica, elevando considerevolmente molte immagini ben al di sopra della satira politica o quotidiana. In questo senso, Erofeev ha avuto fortuna: in Schnittke ha trovato uno dei pochi lettori in grado di capirlo.

«La vita con un idiota è piena di sorprese». Con questa dichiarazione del coro ha inizio l'opera che, sul piano della parodia, riprende le intonazioni e le idee del pomposo prologo di *Vojna i mir* (*Guerra e pace*) di Sergej Prokof'ev. Effettivamente, tutti gli avvenimenti successivi sono una catena di sorprese, comiche, disgustose, spaventose, scioccanti. Ognuno è libero di intendere come crede il senso di questa strana narrazione: per lo spettatore europeo, forse, più interessante risulterà il sottofondo di "fermenti leninisti", per il russo la crudele tragedia dell'assurdità che si dipana dinnanzi ai suoi occhi in tutto il suo osceno splendore. Ritengo, tuttavia, che ognuno dei creatori di questo spettacolo vi abbia inserito a modo suo un elemento importante: l'idea dello smascheramento del Male, eterno per sua natura ma mortalmente aggressivo in quella che è tutt'oggi la patria della canzoncina *Nel campo stava una betulla*, le cui note non riuscirono a trasformarsi in un simbolo pienamente positivo neppure nella musica di Čajkovskij.

L'opera può essere intesa sostanzialmente come una paradossale "danza macabra" sulla natura del Male e sulla sua indistruttibilità. Si comprendono così le ragioni che hanno spinto Schnittke alla sua composizione: l'opera rappresenta un ennesimo schizzo, un ennesimo gradino verso il Faust. Così si esprime Schnittke a questo proposito: «Esistono temi a cui si dedica l'intera vita, senza mai riuscire a portarli a compimento. "Faust" è il mio tema principale, e comincio ad averne paura».

Alle mie domande sull'opera lirica *Faust*, Schnittke risponde: «La prima stesura è terminata, ma esistono vari problemi, soprattutto quello dell'impiego della musica elettronica nel secondo atto, e in questo mi valgo della collaborazione di Andrej [il figlio di Schnittke]. Un altro problema riguarda la durata complessiva di quanto scritto finora: secondo i calcoli elaborati dal computer, l'opera in questa veste dovrebbe durare sei ore, e dovrà invece durare esattamente la metà...».

In luogo di postfazione

Alfred Schnittke è alle soglie del sessantesimo anno di età. La sua musica è straordinamriamente popolare e amata, in Russia come in molti altri paesi. Schnittke è uno dei compositori dei nostri giorni più eseguiti e incisi. Nei suo progetti artistici esiste un'intera serie di lavori sinfonici, cameristici e teatrali. Nel settembre 1993 dovrebbe tenersi a Mosca la prima esecuzione mondiale della sua ultima sinfonia, la *Sesta*, sotto la direzione di Mstislav Rostropovič.

Allo stesso tempo, il contesto percettivo della musica di Schnittke sta decisamente mutando. Dopo il crollo dell'Unione Sovietica il compositore non rappresenta più la "resistenza", l'"opposizione" e per gli esecutori è caduto il divieto di eseguire le sue opere. Svanisce l'aureola del martire. La musica di Schnittke, benché indissolubilmente legata a un'epoca di rottura e a decenni di terrore e stagnazione, viene a essere oggi percepita come musica pura, libera da qualsivoglia contesto sociale. Essa rappresenta la fase conclusiva di una delle maggiori linee di sviluppo culturale e musicale nella storia del XX secolo, linea legata in primo luogo ai nomi di Mahler e Šostakovič. Alla musica di Schnittke accade ciò che accadde alle sinfonie di Šostakovič, in essa infatti emergono tratti eterni, imperituri, gli stessi che troviamo nella migliore musica del passato. Con gli anni, la distanza temporale aumenta sempre più e l'istantaneità della percezione lascia il passo a un diverso approccio, allorché il dolore delle ferite causate dagli sconvolgimenti in atto e ancora aperte viene a trasfondersi nei simboli della cultura e nella memoria collettiva di generazioni e generazioni. Dovrà passare del tempo prima che la musica di Schnittke venga definitivamente intesa come un fenomeno della storia culturale. Già oggi, tuttavia, è chiaro che nella sua musica è incarnato il XX secolo, l'essenza della nostra epoca.

Note

[1] A tale problema è dedicato l'articolo di Svetlana Savenko *Muzyka Šnitke kak jazyk sovremennosti* (La musica di Schnittke come linguaggio del mondo contemporaneo), manoscritto.

[2] v. Richard Taruskin, *A post-everythingist Booms*, «New York Times», 12 luglio 1992, p. 20.

[3] A questo proposito v. W. Brooks, *Ives today* in *An Ives Celebration*, H. Wiley Hitchcock e V. Perlis (a cura di), Urbana 1977, p. 212.

[4] R. Taruskin, *op. cit.*

[5] J. McDonald, *Concerto grosso n. 4 / Symphony n. 5. Record Review*, «Classic CD», gennaio 1991.

[6] Riguardo al fenomeno della mancanza di libertà come catalizzatore dello sviluppo storico russo v. A. Ivaškin, *Paradox of Russian Non-Liberty*, «Musical Quarterly», 4, 1992, pp. 541-56.

[7] Ove non specificato, tutte le citazioni provengono da conversazioni con Alfred Schnittke e usciranno in volume presso la casa editrice russa Kul'tura nel 1993.

[8] *Nad čem vy rabotaete* (A che cosa sta lavorando), intervista con Alfred Schnittke, «Sovetskaja muzyka», 2, 1967, p. 157.

[9] *S tribuny teoretičeskoj konferencii* (Dalla tribuna di una conferenza teoretica), «Sovetskaja muzyka», 5, 1966, p. 26.

[10] v. nota 8, p. 151.

[11] Da un'intervista con Valentina Cholopova del 19 luglio 1983, v. V. Cholopova, E. Čigareva, *Al'fred Šnitke*, Mosca, Sovetskij kompozitor 1990, p. 33.

[12] v. L. Lesle, *Komponieren in Schichten. Begegnung mit Alfred Schnittke*, «Neue Zeitschrift für Musik», luglio-agosto 1987, p. 30.

[13] Alfred Schnittke, *Na puti k vploščeniju novoj idei* (Verso la realizzazione di una nuova idea), in: *Problemi tradicii i novatorstva v sovremennoj muzyke* (Problemi di tradizione e innovazione nella musica contemporanea), Mosca, Sovetskij kompozitor 1982, p. 105-7.

[14] A. Schnittke, *Novoe v metodike šocinenija. Statističeskij metod* (Una novità nella metodologia compositiva. Il metodo statistico), manoscritto.

[15] Il lettore troverà un'analisi sufficientemente dettagliata di *Pianissimo* nel libro di V. Cholopova e E. Čigareva, *Al'fred Šnitke*, Mosca, 1990, p. 307 e 317-9.

[16] A. Schnittke, *Statičeskaja forma. Novaja koncepcija vremeni* (La forma statica. Una nuova concezione del tempo), manoscritto.

[17] A. Schnittke, intervento a una serata d'autore presso la Casa del Compositore il 29 marzo 1979.

[18] I. Barsova, *Osuždaem Simfoniju A. Šnitke* (Giudichiamo la Sinfonia di Schnittke), «Sovetskaja muzyka», 10, 1974, p. 15.

[19] v. A. Schnittke, *Polistilističeskie tendencii sovremennoj muzyki* (Tendenze eclettiche nella musica contemporanea), «Muzyka v SSSR», aprile-giugno 1988, p. 24.

[20] A. Schnittke, *Tret'ja čast' Simfonii L. Berio* (Il terzo movimento della *Sinfonia* di Luciano Berio), manoscritto.

[21] "E" - Ernst, "U" - Unterhaltung, musica seria e musica di intrattenimento.

[22] Nota dell'autore all'incisione su disco del *Primo Concerto Grosso* per la Casa discografica Ariola/Eurodisc.

[23] E. Auerbach, *Mimesis*, Mosca, Progress 1976, p. 35.

[24] Si veda: Alex Ross, *The Connoissseur of Chaos*, «The New Republic», 28 settembre 1992, p. 32.

[25] Richard Taruskin, *A Post-Everythingist Booms*, «The New York Times», 12 luglio 1992, p. 20.

[26] N. Uspenskij, *Obrazcy drevnerusskoko pevčeskogo iskusstva* (Modelli di arte canora antico-russa), Leningrado, Muzyka 1971[2].

[27] v. Hartmut Regitz, *Zwischen realen und imaginaren Welt*, «Buehnenkunst», Stuttgart, 2, aprile 1989.

Appendice

Catalogo delle opere

Il catalogo della produzione di Alfred Schnittke, redatto da Aleksandr Ivaškin su indicazioni del maestro stesso, è stato qui suddiviso per praticità di consultazione nelle seguenti sezioni:

1. Lavori per il teatro
2. Composizioni per orchestra
3. Composizioni corali e per voce solista
4. Composizioni cameristico-strumentali
5. Composizioni per strumenti a tastiera
6. Musica elettronica
7. Cadenze
8. Rielaborazioni e trascrizioni
9. Composizioni degli esordi, incompiute e commemorative
10. Musiche di scena, per film, per la televisione e per la radio

L'organico orchestrale riportato con le sole cifre rispecchia, secondo una diffusa convenzione, questa successione di strumenti divisi in sezioni: flauti, oboi, clarinetti, fagotti; corni, trombe, tromboni, tuba.

La parola "anche" anteposta al nome di uno strumento sta a indicare che gli strumentisti elencati precedentemente devono combinare lo strumento principale con un'altro (come è il caso di clarinetto e clarinetto basso, di flauto e ottavino ecc.). Il segno + indica invece la necessità di uno strumentista supplementare.

Abbreviazioni

A	=	contralto (voce e aggettivo)	masch.	=	maschile
a.	=	arpa	mS	=	mezzosoprano
accomp.	=	accompagnamento	ob.	=	oboe
ad lib.	=	ad libitum	orch.	=	orchestra
amplif.	=	amplificato	org.	=	organo
B	=	basso (voce e aggettivo)	ott.	=	ottavino
Bar	=	baritono	perc.	=	percussione
camp.	=	campana	pf.	=	pianoforte
cb.	=	contrabbasso (strum. e agget.)	picc.	=	piccolo
cel.	=	celesta	S	=	soprano
cfg.	=	controfagotto			(voce e aggettivo)
chit.	=	chitarra	sass.	=	sassofono
cl.	=	clarinetto	strum.	=	strumentista, strumento
clav.	=	clavicembalo	T	=	tenore (voce e aggettivo)
cor.	=	corno	tamb.	=	tamburo
cT	=	controtenore	timp.	=	timpani
dir.	=	direttore	tr.	=	tromba
ed.	=	editore, edizione	trb.	=	trombone
elem.	=	elementi	v.	=	vedi, voce (negli organici)
elett.	=	elettrico	vcl.	=	violoncello
esec.	=	esecutore, esecuzione	vibr.	=	vibrafono
fg.	=	fagotto	vl.	=	violino
fl.	=	flauto	vla	=	viola
ingl.	=	inglese	xil.	=	xilofono

N.B. Le abbreviazioni sono intese declinabili in numero, gli aggettivi anche in genere, e sono cumulabili.

§ 1. LAVORI PER IL TEATRO

Anno	Titolo	Organico	Note	Disc.
1971	*Labirinty (Labirinti)*. Balletto in cinque episodi	orch.: perc. I (campanellini, 2 tam-tam), perc. II (marimba), perc. III (vibr.); clav., cel., pf., org.; archi (3, 3, 3, 3, 1)	Libretto di V. Vasil'ev I rappr. (primo episodio): Mosca, 1972, Concorso pansovietico di balletto, (Orch. da camera del Teatro Bol'šoj; A. Bruck, dir.: regia di V. Vasil'ev) I esec. integrale della musica del balletto: Leningrado, 7 giugno 1978, Sala della Cappella accademica, (Orch. di musica antica e contemporanea; E. Serov, dir.) Durata: 35' Manoscritto	18
1974	*Želtyj zvuk (Der gelbe Klang - Il suono giallo)*. Composizione scenica per pantomima, insieme di strumenti, soprano solo e coro misto	strum.: cl., tr., trb., vl., cb., perc. (due strum. per vibr., marimba, camp., campanellini, bongos), cel., clav., pf., org.; chit. elett., chit. B	Libretto di V. Kandinskij in lingua tedesca. Traduzione in russo di A. Schnittke I rappr.: Saint-Baume, Francia, estate 1974, Festival di musica contemporanea. I rappr. in URSS: Mosca, 6 gennaio 1984, Sala dei concerti Čajkovskij (Solisti dell'Orch. del Teatro Bol'šoj, A. Lazarev, dir, Nelly Lee, S; Ensamble moscovita del dramma plastico; dir. artistico G. Mackjavičjus Durata: 35' Manoscritto	
1985	*Eskizy (Schizzi)*. Fantasia coreografica su temi di Gogol'. Balletto in un atto	orch.: 1 (anche ott.), 1 (anche cor. ingl.), 2 (anche cl. picc. e cl. B) 2 (anche cfg.); 4, 3, 3, 1; perc. (timp., xil., vibr., camp., camp. di chiesa, campanelli, tamb. grande, tamburelli, nacchere, raganella, flexaton - 5 strum.); pf., clav., cel., org. elett.; archi	Libretto di A. Petrov. La maggior parte delle scene è nella redazione orchestrale di G. Roždestvenskij 1 - *Sulla prospettiva Nevskij*; 2 - *Chlestakov e il governatore*; 3 - *Un fidanzato dalla capitale*; 4 - *Il terribile sogno di Čičikov*; 5 - *Il naso del maggiore Kovalev*; 6 - *Il cappotto*; 7 - *Le memorie di un pazzo*; 8 - *La sconosciuta*; 9 - *Il ballo dei personaggi*; 10 - *Dubbi dell'autore*; 11 - *Viva Gogol'*!	

103

			(La musica per le scene n. 1 e n. 11 è stata composta collettivamente da A. Schnittke, G. Roždestvenskij, S. Gubajdulina, E. Denisov) I rappr.: Mosca, 16 gennaio 1985, Teatro Bol'šoj (G. Roždestvenskij, dir.; regia di A. Petrov; scenografie di S. Venediktov) Durata: 47' Manoscritto
1986	*Peer Gynt*. Balletto in tre atti e un epilogo	3 (anche ott. e fl. A), 3 (anche cor. ingl.), 3 (anche 1 cl. picc. e 1 cl. B), 3 (anche cfg.); 4, 4, 4, 1; perc. (timp., piatti, tamb. picc., tamb. grande, tam-tam, xil., vibr., marimba, camp., flexaton - 4-5 strum.); a.; cel., pf., clav., org. (3 strum. alle tastiere); archi (massimo 12, 10, 8, 6, 5); coro misto su nastro	Libretto di J. Neumayer dal dramma di Ibsen I rappr.: Teatro dell'Opera di Amburgo, 22 gennaio 1989 (E. Klas, dir; regia di J. Neumayer; scenografia di J. Rose) Durata: 2 h 30' Copyright: Hans Sikorski, Hamburg Trascr. per pf. a quattro mani di M. Gutkin (in preparazione di stampa presso Hans Sikorski, Hamburg)
1990/91	*Žizn's idiotom* (*La vita con un idiota*). Opera in due atti	orch.: 1, 1, 1, 1; 1, 1, 1, 1; tastiere; archi (complesso cameristico)	Libretto di V. Erofeer I rappr.: Amsterdam, 13 aprile 1992, Opera Olandese (M. Rostropovič; regia di B. Pokrovskij; scenografie di I. Kabakov) Durata: 2 h 30' Copyright: Hans Sikorski, Hamburg Manoscritto

§ 2. COMPOSIZIONI PER ORCHESTRA

(Comprese quelle con partecipazione di coro, cantanti e strumentisti solisti)

Anno	Titolo	Organico	Note	Disc.
1957	*Primo Concerto per violino e orchestra* (nuova redazione del 1962)	orch.: 3, 2, 3, 2; 4, 2, 0, 0; timp. e altre perc. (anche xil., vibr., camp.); cel., pf.; a.; archi	I. Allegro ma non troppo. Tempo iniziale; II. Presto; III. Andante; IV. Allegro scherzando - (il secondo movimento può non essere eseguito) I esec.: Mosca, 29 novembre 1963, Ente radiofonico di Stato (Grande orch. sinf. della Radio pansovietica e della Televisione centrale; G. Roždestvenskij, dir.; M. Lubockij, vl.) Durata: 40' (quattro movimenti) Partitura: Mosca, Sovetskij kompozitor, 1968 Spartito: Sovetskij kompozitor, Mosca, 1966 (trascr. dell'autore)	11
1960	*Concerto per pianoforte e orchestra*	orch.: 2 + ott., 2, 3 (anche 1 cl. picc. e 1 cl. B), 2; 4, 3, 3, 1; perc. (5 timp., xil., tamb. grande, tam-tam, piatti, tamb. picc., frusta, woodblock, triangolo); archi	I. Allegro; II. Andante - attacca - III. Allegro I esec.: Mosca, 1960, Sala grande del Conservatorio (Orch. sinf. di Stato; V. Bacharev, dir.; L. Brumberg, pf.) Durata: 25' Manoscritto, Biblioteca della Radio pansovietica	
1964	*Musica per pianoforte e orchestra da camera*	orch.: 1, 1, cl. B, 0; 1, 1, 0, 0; perc. (timp., xil., vibr., camp. - 1 strum.); archi (1, 1, 1, 1, 1)	I. Variazioni; II. Cantus firmus; III. Cadenza - attacca - IV. Basso ostinato I esec.: Varsavia, settembre 1965, Sala della Filarmonica, Festival "Autunno di Varsavia" (Orch. sinf. di Poznan; V. Kshemensky, dir.; A. Utrecht, pf.) Durata: 12' Copyright: Universal Edition, Wien	

		orch.		
1966	Secondo Concerto per violino e orchestra da camera (un solo movimento)	orch.: 1, 1, 1, 1; 1, 1, 1, 0; perc. (timp., xil - 2 strum.); pf.; archi (12)	I esec.: Finlandia, 12 luglio 1966, Festival di Jyvä-Skylä (Orch. da camera della Radio finlandese; F. Zercha, dir.; M. Lubockij, vl.) Durata: 20' Partitura: Mosca, Sovetskij kompozitor, 1970	11, 79, 93
1968	Pianissimo	orch.: 3 (anche 2 ott.), 3 (anche cor. ingl.), 3 (anche cl. B), 3 (anche cfg.); perc. (timp., vibr., camp., campanelli - 4 strum.); a.; 2 pf. clav., cel.; chit. elett., chit. B; archi	I esec.: Donaueschingen, 1969, Festival di musica contemporanea (Orch. sinf. di Baden-Baden; E. Buhr, dir.) Durata: 9' Copyright: Universal Edition, Wien Partitura: Wien, Universal Edition, 1970, n. 14897	6
1969	Sonata per violino e orchestra da camera (versione della Prima Sonata per violino e pianoforte)	orch.: archi (4, 4, 3, 3, 1); clav.	I. Andante; II. Allegretto - attacca - III. Largo; IV. Allegretto scherzando I esec.: Kujbyšev, 22 novembre 1969, Sala della Filarmonica (Orch. della Filarmonica; S. Dudkin, dir.; M. Lubockij, vl.) Durata: 20' Copyright: Hans Sikorski, Hamburg Manoscritto	16
1971	Concerto (doppio) per oboe, arpa e archi (un solo movimento)	orch.: archi	I esec.: Zagabria, maggio 1972, Biennale di Zagabria (Orch. da camera "I solisti di Zagabria"; solisti H. Holliger, U. Holliger; Durata: 16' Copyright: Universal Edition, Wien Partitura: Wien, Universal Edition, 1972, n. 15125	5

Segue § 2. COMPOSIZIONI PER ORCHESTRA

Anno	Titolo	Organico	Note	Disc.
1972	*Sinfonia in quattro movimenti (Prima Sinfonia)*	orch.: 4 (anche 2 ott.), 4 (anche cor. ingl.), 4 (anche cl. picc. e cl. B), 3 + 1 cfg.; 3 sass. (S, A, T); 4, 4, 4, 1 (nel finale + 2 tr. e 2 trb.); perc. (timp, xil., vibr., marimba, 2 camp., 2 tam-tam, 5 tom-tom, 5 bongos, campanelli); 2 a., pf., cl., cel., org.; chit. elett.; archi (12, 12, 8, 8, 8)	I. Senza tempo - Moderato - Allegro - Andante; II. Allegretto; III. Lento - attacca - IV. Lento. I esec.: Gor'kij, 9 febbraio 1974, Sala della Filarmonica (Orch. sinf. della Filarmonica di Gor'kij; G. Roždestvenskij, dir.) Durata: 64' Copyright: Hans Sikorski, Hamburg Manoscritto	69
1975	*Requiem*, dalle musiche per il dramma di Schiller *Don Carlos*, per solisti, coro misto e insieme strumentale	tr., trb., org., pf., cel., chit. elett., chit. B, perc. (timp., marimba, vibr., camp., campanelli ecc.); coro misto, solisti (3 S, A, T)	I. Requiem; II. Kyrie; III. Dies irae; IV. Tuba mirum; V. Rex tremendae; VI. Recordare; VII. Lacrimosa; VIII. Domine Jesu; IX. Hostias; X. Sanctus; XI. Benedictus; XII. Agnus Dei; XIII. Credo; XIV. Requiem. I esec.: Budapest, autunno 1977, festival delle "Settimane musicali di Budapest" (Kodály-korusz) Durata: 35' Copyright: Edition Peters, Leipzig Partitura: Leipzig, Edition Peters, 1977, n. 5790 A	12
1977	*Primo Concerto grosso per due violini, clavicembalo, pianoforte su nastro magnetico e archi* (esiste anche una versione dell'autore per flauto, oboe, clavicembalo, pianoforte su nastro magnetico e archi)	orch.: archi (6, 6, 4, 4, 1)	I. Preludio; II. Toccata - attacca - III. Recitativo; IV. Cadenza; V. Rondò - attacca - VI. Postludio I esec.: Leningrado, 21 marzo 1977, Sala piccola della Filarmonica (Orch. da camera di Leningrado; E. Klas, dir.; G. Kremer, T. Grindenko, vl.; Ju. Smirnov, clav.) Durata: 28' Partitura: Mosca, Sovetskij kompozitor, 1979; Wien, Universal Edition 1979, n. Ph. 488	5, 26, 61, 79, 81

1978	*Terzo Concerto per violino e orchestra da camera*	orch.: 2 (anche 1 ott.), 1 + cor. ingl, 3 (anche 1 cl. picc. e 1 cl. B), 1 + cfg.; 2, 1, 1, 0; archi (1, 0, 1, 1, 1)	I. Moderato; II. Agitato - attacca - III. Moderato. I esec.: Mosca, 27 gennaio 1979, Sala grande del Conservatorio (Complesso cameristico degli studenti del Conservatorio di Mosca; Ju. Nikolaevskij, dir; O. Kagan, vl.) Durata: 28' Copyright: Universal Edition, Wien Partitura: Wien, Universal Edition 1981, n. Ph. 496 Trascr. per vl. e pf. di G. Ajvazova: archivio A. Schnittke	14, 38, 54
1972	*In memoriam* (1978 - versione orchestrale del quintetto per pianoforte)	orch.: 1, 2 (anche cor. ingl.), 3 (anche cl. B), 3 (anche cfg.); 4, 4, 4, 1; perc (timp., 2 tam-tam, marimba, vibr, camp.); chit. elett.; a.; cel., clav., 2 pf., org.; archi (minimo 14, 12, 10, 8, 6)	I. Moderato - attacca - II. Tempo di valzer; III. Andante; IV. Lento - attacca - V. Moderato pastorale I esec.: Mosca, 20 dicembre 1979, Sala grande del Conservatorio (Orch. accademica sinf. della Filarmonica di Mosca; G. Rozdestvenskij, dir) Durata 29' Copyright: Edition Peters, Leipzig Partitura: Leipzig, Edition Peters, 1982, n. 5792	8, 104
1979	*Seconda Sinfonia* ("Sankt Florian"), per solisti, coro da camera e orchestra sinfonica	4 (anche 2 ott. e 2 fl. A), 4 (anche ob. d'amore e cor. ingl.), 4 (anche 1 cl. picc. e 1 cl. B), 4 (anche cfg.); 4, 4, 4, 1; perc (timp., vibr, marimba - 6 strum.); 2 a.; cel., clav., pf., org.; chit. elett., chit. B; archi (12, 12, 8, 8, 8); coro misto; solisti: mS, cT, T, B	I. Kyrie-*Recitando*; II. Gloria-*Maestoso*; III. Credo-*Moderato*; IV. Crucifixus-*Pesante*; V. Sanctus, Benedictus-*Andante*; VI. Agnus Dei-*Andante* I esec.: Londra, 23 aprile 1980, Royal Festival Hall (Orch. sinf., coro e solisti del Coro della BBC; G. Rozdestvenskij, dir) Durata: 55' Copyright: Universal Edition, Wien Partitura: Wien, Universal Edition, 1980, n. 17188	64

Segue § 2. COMPOSIZIONI PER ORCHESTRA

Anno	Titolo	Organico	Note	Disc.
1979	Concerto per pianoforte e archi (un solo movimento)	orch.: archi (6, 6, 4, 4, 2)	I esec.: Leningrado, 10 dicembre 1979, Sala grande della Filarmonica (Orch. sinf. della Filarmonica di Leningrado; A. Dmitriev, dir.; V. Krajnev, pf. Durata: 28' Partitura: Mosca, Sovetskij Kompozitor 1982 Spartito: (trascr. di M. Gutkin), Mosca, Sovetskij Kompozitor, 1989	5, 34, 63, 92
1979/80	Passacaglia	orch.: 4, 4, 4, 4; 6, 4, 4, 1; perc. (timp., vibr., marimba, 3 gong, camp., campanelli, 3 piatti; 4 strum.); chit. elett., chit. B; pf., clav., cel., org.; archi (16, 16, 12, 12, 10)	I esec.: Baden-Baden, 8 novembre 1981 (Orch. della Süddeutsche Rundfunk; G. Mercier, dir.) Durata: 20' Copyright: Universal Edition, Wien	7
1981	Terza Sinfonia	orch.: 4 (anche 4 ott.), 4 (anche cor. ingl.), 4 (anche 1 cl. picc. e 1 cl. B), 4 (anche 1 cfg.); 6, 4 (anche 1 trb. cb.), 1; perc. (timp., 2 tam-tam, 3 tom-tom, tamb. grande, tamb. picc., piatti, vibr., marimba, camp., campanelli - 6 strum.); chit. elett., chit. B; 2 a.; pf., clav., cel., org.; archi (16, 16, 12, 12, 10)	I. Moderato; II. Allegro; III. Allegro pesante - attacca - IV. Adagio I esec.: Lipsia, 5 novembre 1981, Gewandhaus (Orch. del Gewandhaus; K. Masur, dir.) Durata: 50' ca. Copyright: Edition Peters, Leipzig Partitura: Leipzig, Edition Peters 1983, n. 10340	10, 70
1981	Gogol'-suite (suite dalle musiche per lo spettacolo Revizskaja skazka, allestito presso il Teatro sulla Taganka) Redazione orchestrale di G. Roždestvenskij	orch.: 1, 1, 1, 1; 2, 1, 1, 1; perc.; pf., org., clav., cel.; chit. elett., chit. B, archi	I. Ouverture; II. L'infanzia di Čičikov; III. Il ritratto; IV. Il cappotto; V. Ferdinando VIII; VI. I burocrati; VII. Il ballo; VIII. Il testamento I esec.: Londra, 5 dicembre 1980, Sala Maida Vale (Orch. sinf. della BBC; G. Roždestvenskij, dir.) Durata: 37' Manoscritto Trascr. per pf. di V. Borovikov, Mosca, Sovetskij kompozitor 1989	48, 58

1981/82 — Secondo *Concerto grosso*, per due violini, violoncello e orchestra sinfonica

orch.: 3 (anche ott.), 3 (anche cor. ingl.), 3 (anche cl. picc. e cl. B), 3 (anche cfg.); 4, 4, 4, 1; perc. (timp., marimba, vibr., camp., campanelli, piatti, *higb-bat*, tamb. picc., 2 tom-tom, tamb. grande, bongos, tam-tam - 4 strum.); chit. elett., chit. B; clav., pf., cel.; archi

I. Andantino; II. Pesante; III. Allegro - attacca - IV. Andantino
I esec.: Berlino Ovest, settembre 1982, Sala della Filarmonica (Orch. sinf. Berliner Philharmoniker; G. Sinopoli, dir.; O. Kagan, vl.; N. Gutman, vcl.)
Durata: 35'
Copyright: Hans Sikorski, Hamburg

19, 75

1983 — *Istorija doktora Ioganna Fausta* (*Storia del dottor Johann Faust*) (*Seid nüchtern und wachtet...*). Cantata per controtenore, contralto, tenore, basso, coro misto e orchestra

3, 3 (anche cor. ingl.), 3 (anche cl. picc. e cl. B), 3 (anche cfg.); 2 sass. (A e Bar); 4, 4, 4, 1; perc. (timp., vibr., marimba, camp., xil., tam-tam, tamb. grande, tom-tom, tamb. picc., campanellini, flexaton, piatti, woodblock); chit. elett., chit. B; cel., clav., pf., org.; archi

La versione tedesca del testo è tratta dal "libro popolare" *Storia del dottor Johann Faust*, edito da J. Spiess nel 1587; la versione russa è basata sulla versione euritmica di Viktor Schnittke.
I esec.: Vienna, 19 giugno 1983, Konzerthaus (Coro e Orch. sinf. di Vienna; G. Roždestvenskij, dir.; solisti, P. Esswood, K. White, H. Wildheiser, G. Reich)
Durata: 35'
Copyright: Universal Edition, Wien; Hans Sikorski, Hamburg

7

1984 — *Quarto Concerto per violino e orchestra*

orch.: 3, 2 + cor. ingl., 2 + cl. B, 2 + cfg.; sass. A; 4, 4, 4, 1; timp., tam-tam, camp., xil., campanelli, flexaton, marimba, vibr., 4 bongos; a.; cel., cl., pf. (preparato); archi

I. Andante; II. Vivo - attacca - III. Adagio; IV. Lento
I esec.: Berlino Ovest, settembre 1984, Sala della Filarmonica (Orch. sinf. Berliner Philharmoniker; K. Dohnany, dir.; G. Kremer, vl.)
Durata: 35'
Copyright: Universal Edition, Wien
Partitura: Wien, Universal Edition 1989, n. 17194; Mosca, Sovetskij kompozitor, 1989, n. 525

14

1984 — *Quarta Sinfonia*, per solisti e orchestra da camera (un solo movimento)

1 (anche fl. A), 1, 1, 1; 1, 1, 1, 0; perc. (tam-tam, camp., vibr., 6 bongos, campanelli - 4 strum.); pf. solista, cel., clav.; archi (1, 1, 1, 1, 1); S, A (oppure cT), T, B. È possibile la versione per orch. sinf. (archi a sezione piena) e coro misto

I esec.: Mosca, 12 aprile 1984, Sala grande del Conservatorio (Orch. sinf. accademica della Filarmonica di Mosca; D. Kitaenko, dir.; Coro da camera di Stato; V. Poljanskij, dir; V. Krajnev, pf.; E. Kurmangaliev, cT; A. Martynov, T; archi a sezione piena)

12, 72

Segue § 2. Composizioni per orchestra

Anno	Titolo	Organico	Note	Disc.
			I esec. della versione originale da camera: Mosca, 16 marzo 1986, Sala Čajkovskij (Solisti del Teatro Bol'šoj; Coro da camera di Stato; A. Lazarev, dir.; V. Lobanov, pf.; A. Pružanskij, Durata: 41' Copyright: Le Chant du Monde, Paris Partitura: Mosca, Sovetskij kompozitor 1986	
1984/85	*Rituale*, alla memoria dei caduti della II guerra mondiale (per il 40° anniversario della liberazione di Belgrado)	orch.: 3 (anche 3 ott.), 3 (anche cor. ingl.), 2 + cl. B, 2 + cfg.; 4, 4, 4, 1; perc. (vibr., camp., tam-tam, tamb. grande, campanelli, 4 tamb. picc., triangolo, piatti); chit. elett., chit. B; a.; cel., clav., pf., org.; archi	I esec.: Novosibirsk, 15 marzo 1985, Sala della Filarmonica (Orch. sinf. della Filarmonica di Novosibirsk; V. Poljanskij, dir.) Durata: 8' Il manoscritto è andato perduto. Copia presso l'archivio A. Schnittke	7
1985	*Terzo Concerto grosso* per due violini, clavicembalo e 14 archi	archi (4, 4, 3, 2, 1)	I. Allegro; II. Risoluto; III. Pesante; IV. Adagio - attacca - V. Moderato I esec.: Mosca, 20 aprile 1985, Sala grande del Conservatorio (Orch. da camera di Lituania; S. Sondeckis, dir.; O. Krysa, T. Grindenko, vl.) Durata: 20' Copyright: Edition Peters, Leipzig Partitura: Edition Peters 1988, n. 5793	16, 44
1985	*(K)ein Sommernachtstraum* (*Ne son v letnjuju noč - Ne po Šekspiru; Non sogno di una notte di mezza estate - Non da Shakespeare*)	orch.: 4 (anche ott.), 4, 4 (anche cl. B), 2; 4, 4, 4, 1; perc. (timp., vibr., camp., tam-tam, tamb. grande, campanelli, tamb. picc., piatti - 4-5 strum.); cel. clav., pf.; a.; archi (16, 12, 10, 7/8, 7)	I esec.: Salisburgo, agosto 1985, Festival di Salisburgo (Orch. dell'ORF; L. Zagrosek, dir.) Durata: 10' Copyright: Universal Edition, Wien	7
1985	*Concerto per viola e orchestra*	orch.: 3 (anche ott. e fl. A), 3 (anche cor ingl.), 3 (anche cl. picc. e cl. B), 3 (anche cfg.); 4, 4, 4, 1; perc. (timp., xil., vibr., camp., tamb. grande, tamb. picc., piatti, 2 tam-tam, flexaton); a.; cel., clav., pf.; archi (8 vla, 8 vcl, 8 cb.)	I. Largo - attacca - II. Allegro molto; III. Largo I esec.: Amsterdam, 12 gennaio 1986 (Orch. del Concertgebouw; Ju. Bašmet, vla; L. Wies, dir.) Durata: 40' Manoscritto	8, 30, 76, 100

1985/86	*Primo Concerto per violoncello e orchestra*	orch.: 3, 2 + cor. ingl., 2 + cl. B, 2 + cfg.; 4, 4, 4, 1; perc. (timp., camp., vibr., tam-tam, tamb. grande, 2 bongos, tamb. picc., 3 piatti, triangolo); a.; cel., pf.; archi	I. Pesante - Moderato; II. Largo; III. Allegro vivace - attacca - IV. Largo I esec.: Monaco di Baviera, 7 maggio 1986 (Orch. della Filarmonica di Monaco; E. Klas, dir; N. Gutman, vcl.) Durata: 40' Copyright: Hans Sikorski, Hamburg Partitura: Hamburg, Hans Sikorski 1986, n. 1822	13, 32, 46, 47, 42
1987	*Quasi una sonata (Seconda Sonata per violino e pianoforte)*, versione per violino e orchestra da camera Redazione di E. Ščekoldin (revisione dell'autore)	orch.: 2, 2, 2, 2; 2, 0, 0, 0; clav., pf. (1 strum.); archi (5, 4, 3, 3, 1)	I esec.: Milano, 10 giugno 1987 (Orch. da camera Orpheus; G. Kremer; vl. e dir) Durata: 20' Manoscritto	26
1987	*Trio sonata per orchestra da camera* (versione orchestrale del *Trio per archi*) Redazione di Ju. Bašmet (revisione dell'autore)	orch.: archi (insieme cameristico con cb.)	I. Moderato; II. Adagio I esec.: Mosca, 13 maggio 1987, Sala grande del Conservatorio (I solisti di Mosca; Ju. Bašmet, dir.) Durata: 20' Manoscritto, archivio Ju. Bašmet	16, 24, 100
1988	*Quarto Concerto grosso / Quinta Sinfonia*	orch.: 4 (anche 2 ott.), 3 (anche ob. solista nel I movimento e cor. ingl.), 3 (anche cl. picc. e cl. B), 3 (anche cfg.); 4, 4, 4, 1; perc. (timp., tam-tam, vibr., camp., tamb. grande, piatti); a.; pf., clav.; archi (vl. solista nel I movimento)	I. Allegro; II. Allegretto; III. Lento - Allegro; IV. Lento I esec.: Amsterdam, 10 novembre 1988, Concertgebouw (R. Chailly, dir.) Durata: 39-42' Copyright: Hans Sikorski, Hamburg Partitura: Mosca, Sovetskij kompozitor (in corso di pubblicazione)	6, 44, 78
1987/88	*Concerto per pianoforte a quattro mani e orchestra da camera* (in un solo movimento)	orch.: 1 (anche ott.), 1, 1 (anche cl. picc. e cl. B), 1 (anche cfg.); perc. (timp., vibr., camp., tam-tam, tamb. picc., piatti, 3 bongos - 2 strum.); archi (1, 1, 1, 1, 1)	I esec.: Mosca, 18 aprile 1990, Sala grande del Conservatorio (Orch. sinf. di Stato del Ministero della Cultura dell'URSS; G. Roždestvenskij, dir.; V. Postnikova, I. Schnittke, pf.) Durata: 20' Copyright: Universal Edition, Wien	34
1989	*Monologo per viola e orchestra d'archi* (in un solo movimento)	orch.: archi (insieme da camera)	I esec.: Bonn, 4 giugno 1989, Beethovenhalle (I solisti di Mosca; Ju. Bašmet, vla e dir) Durata: 20' Copyright: Hans Sikorski, Hamburg	

Segue § 2. COMPOSIZIONI PER ORCHESTRA

Anno	Titolo	Organico	Note	Disc.
1990	Secondo Concerto per violoncello e orchestra	orch.: 3 (anche 3 ott. e fl. A), 3 (anche cor. ingl.), 3 (anche cl. picc. e cl. B), 3 (anche cfg.); 4, 4, 4, 1; perc. (timp., piatti, 3 gong, tamb. grande, 2 tam-tam, crotali, campanelli, vibr., marimba, camp.); a.; cel., clav., pf.; archi (14, 12, 10, 8, 6)	I. Moderato; II. Allegro - attacca - III. Lento; IV. Allegretto vivo; V. Grave I esec.: Evian, Francia, 27 maggio 1990, festival "Incontri musicali di Evian" (Orch. sinf. degli studenti dell'Istituto Curtis di Filadelfia; T. Guschlbauer, dir.; M. Rostropovič, vcl.) Durata: 36' Copyright: Hans Sikorski, Hamburg	19, 104
1991	Quinto Concerto grosso per violino, orchestra sinfonica e pianoforte (Klavierklänge) dietro le quinte	3 (anche ott. e fl. A), 3 (anche cor. ingl.), 3 (anche cl. picc. e cl. B), 3 (anche cfg.); 4, 4, 4, 1; perc. (timp., triangolo, flexaton, piatti, tamb. grande, tam-tam, 2 tom-tom, vibr., marimba, camp.); a.; clav., cel. (1 strum.) pf. (amplificato); archi (14, 12, 8, 6)	I. Allegretto; II. Allegro; III. Allegro vivace; IV. Lento I esec.: Carnegie Hall, New York, 2 maggio 1991 (Orchestra sinfonica di Cleveland; K. Dohnany, dir.; G. Kremer, vl.; A. Slobodnjak, pf.) Durata: 26' Copyright: Hans Sikorski, Hamburg	
1991	Sutartinés per orchestra d'archi e percussioni	archi (insieme cameristico); org.; perc. (timp., tam-tam, camp., tamb. grande, tamb. picc.)	I esec.: Vilnjus, 5 febbraio 1991, Teatro lituano di opera e balletto (Orch. da camera lituana; S. Sondeckis, dir.) Durata: 5-7' Manoscritto Copyright: Hans Sikorski, Hamburg	
1992	Sesta Sinfonia	orch.: 3, 2 + cor. ingl., 3, 2 cl. B; 3, 2 + cfg.; 4, 4, 4, 1; perc. (timp., tam-tam, tamb. grande, piatti, tamb. picc.); a.; pf.; archi	I. Allegro; II. Presto; III. Adagio; IV. Allegro vivace Durata: 35' ca. Copyright: Hans Sikorski, Hamburg Manoscritto	
1992	Hommage à Grieg (su musiche dell'inizio del II atto del balletto Peer Gynt)	orch.: 2 (anche ott.), 3, 2 + cl. picc., 0; 4, 3, 3, 0; perc. (timp., tam-tam, piatti); a.; pf.; archi (vl. solista)	Durata: 7-10' Copyright: Hans Sikorski, Hamburg Manoscritto	

§ 3. Composizioni corali e per voce solista

(con o senza strumenti)

Anno	Titolo	Organico	Note	Disc.
1965	*Tri sticbotvorenija Mariny Cvetaevoj* (*Tre poesie di Marina Cvetaeva*), per mezzosoprano e pianoforte		I esec.: Mosca, gennaio 1966, Casa pansovietica del compositore (S. Erofeeva, mS) Durata: 10' Manoscritto	
1972	*Golosa prirody* (*Voci della natura*), per 10 voci femminili e vibrafono		Senza testo. I esec.: Mosca, primavera 1975, Sala grande del Conservatorio (Coro degli studenti del Conservatorio; B. Tevlin, dir.) Durata: 8' Partitura: Vilnjus, Vaga 1973; New York, Schirmer 1977	
1975	*Vosem' pesen iz spektaklja Don Karlos* (*Otto canzoni dallo spettacolo Don Carlos*), per baritono e pianoforte		Testo di F. Schiller (in traduzione russa) 1. *I cattivi monarchi*; 2. *Canto d'amore*; 3. *Sul teatro*; 4. *Agli amici*; 5. *Canzone dei briganti*; 6. *Speranza*; 7. *Strada di montagna*; 8. *Commiato* I esec.: Bad Urbach, 22 settembre 1990, concerto "Schiller in Russia" (E. Ponikanin, Bar; L. Orfënova, pf. - Per lo spettacolo del 1975 il responsabile della parte musicale del Teatro del Mossovet, A. Čevskij, scrisse una versione orchestrale delle canzoni, eseguite soltanto alla prova generale nell'interpretazione di G. Bortnikov e poi eliminate dallo spettacolo) Durata: 10' Manoscritto, archivio del Teatro del Mossovet; copia presso l'archivio di A. Schnittke	

Segue § 3. COMPOSIZIONI CORALI E PER VOCE SOLISTA

Anno	Titolo	Organico	Note	Disc.
1975	*Requiem*		(v. § 2. Composizioni per orchestra)	
1976	*Der Sonnengesang des Franz von Assisi*, per due cori misti e sei strumenti	strum.: org., cel., timp., tam-tam, vibr., camp.	Testo di San Francesco d'Assisi in traduzione tedesca I esec.: Londra, 10 giugno 1988, Union Chapel, VIII Festival di Almeida (Nuovo coro e strum. di Londra; G. Wood, dir) Durata: 8' Manoscritto	
1977	*Magdalina (Maddalena)*, per canto e pianoforte		Versi di B. Pasternak (da *Il dottor Živago*) Manoscritto	
1980	*Tri madrigala (Tre madrigali)*, per soprano, violino, viola, contrabbasso, vibrafono, clavicembalo		Versi di F. Tanzer I. *Sur une étoile*; II. *Entfernung*; III. *Reflection* I esec.: Mosca, 10 novembre 1980, Casa pansovietica del compositore (N. Lee, S; L. Ignat'eva, vl.; I. Boguslavskij, vla; N. Gorbunov, cb.; V. Grišin, vibr; V. Časovennaja, clav; G. Roždestvenskij, dir) Durata: 8' Copyright: Hans Sikorski, Hamburg (esiste anche una versione dell'autore per v. e pf.) Partitura: Hamburg, Hans Sikorski 1981, n. 844	57, 89
1980	*Tri sceny (Tre scene)*, per soprano e strumenti	S (vocalizzi), vibr. (6 strum.), tamb. grande, piatti (1-2 strum.), vl., cb. (dietro le quinte)	I esec.: Mosca, 6 giugno 1981, Sala della Casa dello scienziato (Complesso di perc.; M. Pekarskij, dir.; L. Davydova, S) Durata: 17' Partitura: Hamburg, Hans Sikorski 1981, n. 885	

1980/81	*Minnesang* per 52 coristi	18 S, 12 A, 10 T, 12 B	Testi di *Minnesänger* del XII-XIII sec.: un monaco di Salisburgo, Friedrich von Sonnenburg, Alexander Meister, Heinrich von Meissen, Neudhart von Reutenthal, Walter von der Vogelweide, Wolfram von Eschenbach I esec.: Graz, Austria, 21 ottobre 1981, festival "Musik-Protokol", Sala del Congresso di Graz (Coro Pro Arte, Graz); K. E. Hoffmann, dir.) Durata: 13' Manoscritto	22, 89
1984	*Tri chora (Tre cori)*, per coro misto senza accompagnamento		Durata: 9' ca. Manoscritto	
1984/85	*Koncert dlja smešannogo chora (Concerto per coro misto)*		Su versi di G. Narekaci (traduzione in russo di N. Grebnev) dal *Libro di cantici dolorosi* I. *O sovrano di ogni creatura...*; II. *Raccolta di canti dove ogni verso trabocca di pena*; III. *A chi comprende l'essenza del verbo di penitenza*; IV. *L'opera che bo principiato nel giubilo del Tuo nome* I esec. (soltanto della terza parte): Istanbul, 14 luglio 1984, chiesa di Sant'Irene (Coro da camera di Stato; V. Poljanskij, dir.) I esec. integrale: Mosca, 9 giugno 1986, Museo statale di arti figurative Puškin (Coro da camera di Stato; V. Poljanskij, dir.) Durata: 47' Manoscritto	22, 73
1987	*Stichi pokajannye (Cantiche di penitenza)*, in 12 parti, per coro misto senza accompagnamento. Per il millenario del battesimo della Russia		Testi del XVI sec. I esec.: 26 dicembre 1988, Casa della cultura dell'Università Statale di Mosca (Coro da camera di Stato; V. Poljanskij, dir.) Durata: 45' Manoscritto	

Segue § 3. Composizioni corali e per voce solista

Anno	Titolo	Organico	Note	Disc.
1989	*Eröffnungvers zum I Festspielsonntag*, per coro misto a quattro voci e organo		I esec.: Lockenhaus, Austria, 2 luglio 1989, Festival Gidon Kremer (Coro del Festival) Durata: 2' 30" Copyright: Universal Edition, Wien Manoscritto	
1988	*Drei gedichte von Viktor Schnittke*, per voce e pianoforte		I. *Wer Gedichte macht*; II. *Der Geiger*; III. *Dein Schweigen* I esec.: Gor'kij, 6 marzo 1989, Festival di musiche di Alfred Schnittke (V. Koval', Bar; M. Ravin, pf.) Durata: 6-7' Manoscritto	
1991	*Toržestvennyj kant (Solenne kant)*, per violino, pianoforte, coro e grande orchestra sinfonica	orch.: 2 + ott., 2 + cor. ingl., 2 + cl. picc., 3; 4, 4, 4, 1; perc. (timp., camp., tam-tam, triangolo); a.; archi	Il *kant* era un tipo di canto polifonico diffuso in Russia, Ucraina e Bielorussia nel XVII e XVIII sec. I esec.: Mosca, 4 maggio 1991, Sala grande del Conservatorio, concerto di gala per i sessant'anni di G. Roždestvenskij (Orch. sinf. di Stato del Ministero della Cultura dell'URSS; Coro da camera di Stato; A. Roždestvenskij, vl.; V. Postnikova, pf.; V. Poljanskij, dir.) Copyright: Hans Sikorski, Hamburg Manoscritto, archivio di G. Roždestvenskij	
1991	*Agnus Dei* per due soprani, coro femminile e orchestra	orch.: 2, 2, 2, 0; 4, 0, 0, 0; tam-tam; clav.; archi	Durata: 3-4' Manoscritto	

§ 4. COMPOSIZIONI CAMERISTICO-STRUMENTALI

Anno	Titolo	Organico	Note	Disc.
1963	*Prima Sonata per violino e pianoforte*		I. Andante; II. Allegretto - attacca - III. Largo; IV. Allegretto scherzando. I esec.: Mosca, 28 aprile 1964, Sala concerti dell'Istituto Gnesin (M. Lubockij, vl.; A. Schnittke, pf.) Durata: 20' Partitura: Mosca, Sovetskij kompozitor 1969; Leipzig, Edition Peters 1972, n. 5737 Per la versione per vl. e orch. da camera (1968) v. § 2. Composizioni per orchestra	4, 15, 23, 29, 40, 53, 107
1965	*Dialogo per violoncello e sette strumentisti*	strum.: fl, ob, cl, cor da caccia, tr, pf, perc. (timp, marimba, vibr, xil, camp, 3 tom-tom, 4 bongos, woodblock, piatti; 1 strum.)	I esec.: Varsavia, settembre 1967, festival "Autunno di Varsavia" (A. Cekhansky, vcl.; Strum. della Filarmonica di Varsavia; T. Dobzinski, dir.) Durata: 18' Copyright: Universal Edition, Wien Partitura: Wien, Universal Edition 1972, n. 14801; Mosca, Muzyka 1977 (nella raccolta: *P'esy dlja kamernogo ansamblja* [Pezzi per complesso strumentale])	42
1966	*Primo Quartetto per archi*		I. Sonata; II. Canone - attacca - III. Cadenza. I esec.: Leningrado, 7 maggio 1967, Sala concerti Glinka (Quartetto Borodin) Durata: 20' Copyright: Editio Musica, Budapest; Universal Edition, Wien Partitura: Budapest, Editio Musica 1973, n. Ph. 425; Mosca, Sovetskij kompozitor 1979	9, 79

Segue § 4. Composizioni cameristico-strumentali

Anno	Titolo	Organico	Note	Disc.
1968	Seconda Sonata per violino e pianoforte (Quasi una sonata) (in un solo movimento)		I esec.: Kazan, 24 febbraio 1969, Aula Magna del Conservatorio (M. Lubockij, vl.; L. Edlina, pf.) Durata: 20' Copyright: Universal Edition, Wien Partitura: Wien, Universal Edition 1972, n. 15826; Mosca, Sovetskij kompozitor 1975	15, 29, 33, 48, 96, 107
1968	Serenata	vl., cl., cb., pf., perc. (2 piatti, 2 tom-tom, tamb. grande e picc., camp.)	I esec.: Mosca, primavera 1969, Sala piccola del Conservatorio (A. Mel'nikov, vl.; L. Michajlov, cl.; R. Gabdullin, cb.; B. Berman, pf.; M. Pekarskij, perc.) Durata: 12' Copyright: Universal Edition, Wien Partitura: Wien, Universal Edition 1972, n. 15120; Mosca, Sovetskij kompozitor 1980 (nella raccolta: P'esy dlja kamernych ansamblej [Pezzi per complessi da camera]	
1971	Kanon pamjati Igorja Stravinskogo (Canone in memoria di Igor Stravinsky), per quartetto d'archi		I esec.: Londra, 1971 Durata: 4' Partitura: Hamburg, Hans Sikorski 1977, n. 2250; Mosca, Sovetskij kompozitor 1979	17, 27, 35, 90
1972	Sjuita v starinnom stile (Suite in stile antico), per violino e pianoforte		I. Pastorale; II. Balletto; III. Minuetto; IV. Fuga; V. Pantomima I esec.: Mosca, 27 marzo 1973, Sala piccola del Conservatorio (M. Lubockij, vl.; L. Edlina, pf.) Durata: 23' Partitura: Mosca, Sovetskij kompozitor 1977; Hamburg, Hans Sikorski 1977, n. 2298	15, 23, 29, 49, 50, 60, 99, 107

1973	*Pozdravitel'noe rondò* (*Rondò augurale*), per violino e pianoforte		I esec.: Mosca, 27 marzo 1973, Sala piccola del Conservatorio (M. Lubockij, vl.; L. Edlina, pf.) Durata: 10' Manoscritto Il materiale dell'opera è utilizzato nella pièce orchestrale (*Klein Sommernachtstraum*	15
1975	*Cantus perpetuus*, per tastiere e percussioni	tastiere a scelta; perc. intonate	I esec.: Mosca, 14 dicembre 1975, Sala della Casa dello scienziato (A. Ljubimov, tastiere; M. Pekarskij, perc.). Durata: a discrezione degli esecutori (15' ca.) Copyright: Hans Sikorski, Hamburg	
1975	*Preljudija pamjati D. Šostakoviča* (*Preludio in memoria di D. Šostakovič*), per due violini o un violino e nastro magnetico		I esec.: 5 dicembre 1975, Sala Ottobre del Dom Sojuzov (M. Lubockij, V. Lubockij) Durata: 10' Partitura: Mosca, Sovetskij kompozitor 1976 (nella raccolta: *Novye sočinenija sovetskich kompozitorov dlja skripki solo* [Nuove opere di compositori sovietici per violino solo]); New York, Schirmer 1978, n. 7789; Hamburg, Hans Sikorski 1978, n. 2255	21, 80, 84, 96, 109
1972/76	*Quintetto con pianoforte*		I. Moderato - attacca - II. Tempo di valzer; III. Andante; IV. Lento - attacca - V. Moderato pastorale I esec.: settembre 1976 (Quartetto d'archi georgiano; N. Gabunija, pf.) Durata: 29' Copyright: Edition Peters, Leipzig Partitura: Leipzig, Edition Peters 1976, n. 5791; Mosca, Sovetskij kompozitor 1979 Per la versione orch. del *Quintetto, In memoriam,* v. § 2. Composizioni per orchestra	17, 35, 45, 83, 93, 110

Segue § 4. COMPOSIZIONI CAMERISTICO-STRUMENTALI

Anno	Titolo	Organico	Note	Disc.
1975/76	*Moz-Art*, per due violini		Rielaborazione del Minuetto della *Suite in stile antico* / Manoscritto	
1975	*Moz-Art*, dagli abbozzi di *Mozart K. 416d*. Prima versione (per l'Anno Nuovo) in 14 movimenti	fl., cl. (A), 3 vl., vla, vcl., cb., org., perc. (piatti, tamb. grande, camp., campanelli)	I esec.: Mosca, 31 dicembre 1975, Sala piccola del Conservatorio (G. Kremer, T. Grindenko, M. Tolpygo, L. Michajlov, R. Gabdullin, M. Pekarskij e altri) / Durata: 10' / Manoscritto (alcuni movimenti), archivio A. Schnittke	
1976	*Moz-Art* per due violini, dagli abbozzi di *Mozart K. 416d*		I esec.: Vienna, febbraio 1976 (G. Kremer, T. Grindenko) / Durata: 8' / Partitura: Hamburg, Hans Sikorski 1978, n. 2255; New York, Schirmer 1978, n.7789; Mosca, Sovetskij kompozitor 1979 (nella raccolta: *Novye sočinenija sovetskich kompozitorov dlja skripki* [Nuove opere di compositori sovietici per violino]	45, 55, 82
1977	*Moz-Art à la Haydn* per due violini e orchestra da camera	orch.: 6 vl., 4 vla, 2 vcl., 1 cb.	I esec.: Tbilisi, 30 dicembre 1983, Sala grande del Conservatorio (Orch. da camera georgiana; L. Isakadze, dir. e vl.) / Durata: 12' / Manoscritto	26
1974/79	*Inni I, II, III, IV*, per insieme cameristico	strum.: I vcl., a., timp.; II vcl., cb.; III vcl., fg., clav., camp.; IV vcl., cb., fg., clav., a., timp., camp. (2 strum. alle perc.)	I esec.: Mosca, 26 maggio 1979, Casa del compositore (K. Georgian, vcl.; R. Gabdullin, cb.; A. Irsan, fg.; I. Schnittke, clav.; I. Blocha, a.; V. Grisin e V. Šubinskij, perc.) / Durata: I - 10'; II - 8'; III - 4'; IV - 5'.	13, 66, 88

1978	Sonata per violoncello e pianoforte		Partitura: Hamburg, Hans Sikorski 1977, n. 2249, 2250, 2251 e 1980, n. 2308; New York, Schirmer 1977, n. 7745; Mosca, Sovetskij kompozitor 1981 I. Largo; II. Presto - attacca - III. Largo I esec.: Mosca, gennaio 1979, Casa del compositore (N. Gutman, vcl.; V. Lobanov, pf.) Durata: 21' Copyright: Universal Edition, Wien Partitura: Wien, Universal Edition 1980, n. 17114; Mosca, Sovetskij kompozitor 1981	1, 3, 32, 41, 46, 56, 59, 87, 102, 108
1978	Stille Nacht, trasposizione per violino e pianoforte della canzone tedesca		I esec.: Leningrado, gennaio 1978, Sala piccola della Filarmonica (G. Kremer, vl.; E. Baškirova, pf.) Durata: 4' Partitura: Hamburg, Hans Sikorski 1987, n. 1812	15, 37
1979	Stille Nacht, per violino e violoncello		I esec.: Parigi, autunno 1979, Sala Gaveau (O. Kagan, vl.; N. Gutman, vcl.) Durata: 5' Partitura: Hamburg, Hans Sikorski 1987, n. 1812	46, 94
1980	Moz-Art, versione per sei strumenti	strum.: ob., clav., a., vl., vcl., cb.	I esec.: Lockenhaus, Austria, luglio 1981, Festival internazionale di musica (G. Kremer, dir.) Copyright: Hans Sikorski, Hamburg L'originale del manoscritto è andato perduto	
1980	Dve malen'kie p'esy (Due piccoli pezzi), per organo		I esec.: Vienna, 1980 (T. D. Schlee) Durata: 8' Copyright: Universal Edition, Wien Partitura: Wien, Universal Edition 1985, n. 17480 (nella raccolta: Das neue Orgelalbum, II)	36, 72, 97

Segue § 4. Composizioni cameristico-strumentali

Anno	Titolo	Organico	Note	Disc.
1980	*Secondo Quartetto per archi*		I. Moderato; II. Agitato - attacca - III. Mesto; IV. Moderato I esec.: Evian, Francia, maggio 1980, Concorso internazionale di quartetti d'archi (Muir Quartet) Durata: 20' Copyright: Universal Edition, Wien Partitura: Wien, Universal Edition 1981, n. 501; Mosca, Sovetskij kompozitor 1984	9, 86, 94, 98
1982	*Lebenslauf*, per quattro metronomi, tre percussionisti e pianoforte	perc.: bongos, tamb. picc., tom-tom, tamb. grande, camp., vibr.	I esec.: Witten, 25 aprile 1982, "Giornate della nuova musica cameristica" (K. Roderburg, K. I. Kells, K. Hausgenoss, perc.; Z. Roderburg, pf.) Durata 12' Partitura: Hamburg, Hans Sikorski 1982, n. 886	
1981/82	*Settetto* per flauto, due clarinetti, violino, viola, violoncello, clavicembalo, organo		*Introduktion* - Moderato; I. *Perpetuum mobile* - Allegretto; II. *Choral* - Moderato I esec.: Mosca, 14 novembre 1982, Sala piccola del Conservatorio (Solisti del Teatro Bol'šoj: A. Golyšev, E. Mjasnikov, N. Sokolov, L. Ignat'eva, I. Boguslavskij, A. Ivaškin, V. Časovennaja; A. Lazarev, dir.) Durata: 15' Copyright: Universal Edition, Wien Partitura: Wien, Universal Edition 1982, n. 18903	
1982	*A Paganini*, per violino solo		I esec.: Leningrado, 29 settembre 1982, Sala grande della Filarmonica (O. Krysa) Durata: 11'	25, 62, 86

		Partitura: Hamburg, Hans Sikorski 1983, n. 883; Mosca, Sovetskij kompozitor 1985 (nella raccolta: *Izbrannye proizvedenija sovetskich kompozitorov dlja skripki solo* [Opere scelte di compositori sovietici per violino solo])	
1983	*Schall und Hall*, per trombone e organo	I esec.: Mosca, 22 maggio 1983, Sala Čajkovskij (G. Chersonskij, trb.; O. Jančenko, org.) Durata: 8' Partitura: Wien, Universal Edition 1983, n. 17892	
1983	*Terzo Quartetto per archi*	I. Andante; II. Agitato; III. Pesante I esec.: Mosca, 8 gennaio 1984, Sala piccola del Conservatorio (Quartetto Beethoven: O. Krysa, N. Zabavnikov, F. Družinin, V. Fejgin) Durata: 19' Copyright: Universal Edition, Wien Partitura: Wien, Universal Edition 1984, n. Ph. 522	2, 35, 43, 111
1985	*Trio per archi*	I. Moderato; II. Adagio I esec.: Mosca, 2 giugno 1985, Sala piccola del Conservatorio (O. Krysa, F. Družinin, V. Fejgin) Durata: 25' Copyright: Universal Edition, Wien Partitura: Wien, Universal Edition 1985, n. 18209c	17, 94
1986	*Sjuita v starinnom stile (Suite in stile antico)*, versione per viola d'amore e insieme da camera	strum.: clav.; vibr., camp., campanelli I esec.: Mosca, 24 gennaio 1987, Sala piccola del Conservatorio (I. Boguslavskij, vla d'amore; A. Litvinenko, clav.; V. Grišin, V. Šubinskij, perc.) Durata: 23' Manoscritto, archivio di I. Boguslavskij	68

Segue § 4. COMPOSIZIONI CAMERISTICO-STRUMENTALI

Anno	Titolo	Organico	Note	Disc.
1988	*Četyre aforizma* (*Quattro aforismi*), per insieme strumentale	1, 1, 2 (anche cl. B), 1; 2, 1, 1, 0; perc. (2 strum.); pf., clav.; archi (1, 1, 1, 1, 1)	I esec.: Berlino Ovest, 18 settembre 1988, Sala cameristica della Filarmonica, Solisti del Teatro Bol'šoj (A. Lazarev, dir.) Durata: 7' Copyright: Hans Sikorski, Hamburg	
1988	*Zvučašie bukvy* (*Klingende Buchstaben - Lettere sonore*), per violoncello solo		I esec.: Mosca, 28 dicembre 1988, festival "Alternativa - ?", Sala del Museo di cultura musicale Glinka (A. Ivaškin) Durata: 6' Partitura: Hamburg, Hans Sikorski 1990, n. 1842	13, 77, 85
1988	*Nabrosok ko vtoroj časti Fortepiannogo kvarteta G. Malera* (*Schizzo sul secondo movimento del Quartetto con pianoforte di G. Mahler*)		I esec.: Finlandia, 29 luglio 1988, Festival di Kuhmo (O. Krysa, vl.; T. Hofman, vla; R. Cohen, vcl.; V. Lobanov, pf.) Durata: 7-8' Copyright: Hans Sikorski, Hamburg	17, 94
1989	*3 X 7*	cl., cor. da caccia, trb., clav., vl., vcl., cb.	I esec.: Witten, Germania, aprile 1989, Festival della nuova musica da camera Durata: 5' Copyright: Hans Sikorski, Hamburg	
1989	*Quarto Quartetto per archi*		I. Lento; II. Allegro - attacca - III. Lento; IV. Vivace; V. Lento I esec.: Vienna, 21 ottobre 1989, Konzerthaus, sala Mozart (Quartetto Alban Berg) Durata: 38' Copyright: Hans Sikorski, Hamburg	
1990	*Moz-Art à la Mozart*, per otto flauti e arpa	flauti: 2 ott., 2 fl., 2 fl. A, 2 fl. B	I esec.: Salisburgo, 2 agosto 1990, Mozarteum (complesso A. Adorjan) Durata: 12' Manoscritto	

Anno	Titolo	Organico	Note	Disc.
1991	*Madrigal pamjati Olega Kagana* (*Madrigale alla memoria di Oleg Kagan*), per violino solo o violoncello solo		I esec.: Kreut, Germania, 14 luglio 1991, festival "Oleg Kagan" (N. Gutman, vcl.) Copyright: Hans Sikorski, Hamburg	
1991	*K 90-letiju Al'freda Šlee* (*Per il 90° anniversario di Alfred Schlee*), per viola solista		I esec.: Vienna, 17 novembre 1991, Konzerthaus (T. Kakuška) Durata: 5-7' Manoscritto	
1992	*Trio con pianoforte*		Trasposizione del *Trio per archi* I. Moderato; II. Adagio I esec.: Evian, Francia, 25 maggio 1993, festival "Incontri musicali di Evian" (M. Lubockij, M. Rostropovič, I. Schnittke) Durata: 25' Copyright: Universal Edition, Wien	105
1992	*Epilog* (*Epilogo*), dal balletto *Peer Gynt*, per violoncello, pianoforte e coro su nastro magnetico		Durata: 10' ca.	

§ 5. COMPOSIZIONI PER STRUMENTI A TASTIERA

Anno	Titolo	Organico	Note	Disc.
1962	*Šest' detskich p'es* (*Sei pezzi infantili*)		1. *Umnica* (*Il saputello*) - Moderato; 2. *Skripač* (*Il violinista*) - Vivo; 3. *Mjamlik i Ščustrik* (*Biascicone e Strizzaocchi*) - Moderato; 4. *Vostočnaja skazka - Karavan* (*Fiaba orientale - La carovana*) - Andantino; 5. *Igra v prjatki* (*Nascondino*) - Allegro; 6. *Kolybel'naja* (*Ninna-nanna*) - Andantino Successivamente orchestrati nella *Detskaja sjuita* (*Suite infantile*) Durata: 10' Manoscritto	

Segue § 5. COMPOSIZIONI PER STRUMENTI A TASTIERA

Anno	Titolo	Organico	Note	Disc.
1963	Preljudija i fuga (Preludio e fuga)		I esec.: Mosca, 1965 (L.Brumberg) Durata: 8' Manoscritto	
1965	Improvizacija i fuga (Improvvisazione e fuga)		I esec.: Mosca, aprile 1973, Sala grande del Conservatorio (V. Krajnev) Durata: 7' Spartito: Mosca, Sovetskij kompozitor 1974 (nella raccolta: *Koncertnye proizvedenija sovetskich kompozitorov dlja fortepiano* [Opere da concerto di compositori sovietici per pianoforte])	91
1965	Variacii na odin akkord (Variazioni su un solo accordo)		I esec.: Mosca, giugno 1966, Sala concerti dell'Istituto Gnesin (I. Schnittke) Durata: 5' Spartito: Köln, Gerig 1968; Mosca, Muzyka 1978 (nella raccolta: *Sovremennaja fortepiannaja muzyka dlja detej. VII klass* [musica pianistica moderna per bambini. VII classe])	
1971	Šest' p'es (Sei pezzi)		I. Andantino; II. Moderato; III. Andante; IV. Allegro; V. Lento; VI. Vivo I esec.: Mosca, dicembre 1971, Sala piccola del Conservatorio (A. Schnittke) Durata: 7' Spartito: Mosca, Sovetskij kompozitor 1973 (nella raccolta: *Dljasamych malen'kich. Novye p'esy sovetskich kompozitorov dlja fortepiano* [Per i più piccoli. Nuovi brani per pianoforte di autori sovietici]). Sono pubblicati soltanto i nn. 1, 2 e 6	

1979	*Posveščenie Igorju Stravinskomu, Sergeju Prokof'evu, Dmitriju Šostakoviču* (*Omaggio a Igor Stravinsky, Sergej Prokof'ev, Dmitrij Šostakovič*), per pianoforte a sei mani	I esec.: Mosca, 28 dicembre 1979 (V. Postnikova, G. Roždestvenskij, A.Bachčiev) Durata: 7' Spartito: Mosca, IPO Kompozitor (in corso di pubblicazione)	52
1987	*Prima Sonata per pianoforte*	I. Lento; II. Allegretto - attacca - III. Lento; IV. Allegro I esec.: New York, 22 maggio 1989, Metropolitan Museum (V. Feltzmann) Durata: 28' Copyright: Le Chant du Monde, Paris Spartito: Mosca, IPO Kompozitor (in corso di pubblicazione)	20, 101
1990	*Tri p'esy dlja klavesina* (*Tre pezzi per clavicembalo*)	I esec.: Amburgo, maggio 1990, chiesa di St Michael (H. Jena) Durata: 5' Copyright: Hans Sikorski, Hamburg	
1990	*Aforizmy. Pjat' preljudij* (*Aforismi. Cinque preludi*), con lettura di versi di Josif Brodskij	I esec.: New York, ottobre 1990, Carnegie Hall (A. Slobodnjak) Durata: 6-7' Copyright: Schirmer, New York	
1990/91	*Seconda Sonata per pianoforte*	I. Moderato; II. Lento - attacca - III. Allegro moderato I esec.: Lubecca, 1 febbraio 1991, Sala concerti della Scuola superiore di musica (I.Schnittke) Durata: 19' Copyright: Hans Sikorski, Hamburg Manoscritto	106
1992	*Terza Sonata*	I. Lento; II. Allegro; III. Lento; IV. Allegro Durata: 10' ca. Copyright: Hans Sikorski, Hamburg Manoscritto	

§ 6. Musica elettronica

Anno	Titolo	Organico	Note	Disc.
1969	Potok (Corrente)		Durata: 5'50" Registrazione su nastro effettuata presso lo Studio di musica elettronica di Mosca	67

§ 7. Cadenze

Anno	Titolo	Organico	Note	Disc.
1975/77	Cadenze al Concerto per violino di Beethoven, per violino solista, dieci violini e timpani		Durata: I parte - 5'; II parte - 3' Copyright: Hans Sikorski, Hamburg	95
1975	Cadenza al Concerto K. 491 in do minore per pianoforte di Mozart		Partitura: Hamburg, Hans Sikorski 1983, n. 1261	51
1980	Tre cadenze al Concerto K. 467 in do maggiore per pianoforte di Mozart		Partitura: Hamburg, Hans Sikorski 1983, n. 1261	
1983	Cadenze al Concerto K. 503 in do maggiore per pianoforte		Il manoscritto è andato perduto	
1983	Due cadenze al Concerto per fagotto e orchestra di Mozart		Partitura: Mosca, Sovetskij kompozitor 1985 (nella raccolta: *Proizvedenija sovetskich kompozitorov dlja fagota solo* [Opere di compositori sovietici per fagotto solo])	
1990	Due cadenze al Concerto K. 39 per pianoforte di Mozart		Manoscritto	

§ 8. Rielaborazioni e Trascrizioni

Anno	Titolo	Organico	Note	Disc.
1976	D. *Šostakovič. Dve preljudii* (n. 1 e n. 2, dai *Cinque preludi per pianoforte*), trascrizione per piccola orchestra		Partitura: Mosca, Sovetskij kompozitor 1977 (nella raccolta: *Repertuar simfoničeskich orkestrov DMS i muzykal'nych učilišč. P'esy sovetskich kompozitorov* [Repertorio delle orchestre sinfoniche delle scuole e istituti musicali. Compositori sovietici])	
1984	S. *Joplin. Rag-time*		I esec.: Mosca, 1 dicembre 1984, Televisione centrale (Orch. sinf. di Stato del Ministero della Cultura dell'URSS (G. Roždestvenskij, dir.) Manoscritto	
1984	L. *Jensen. Serenata*		I esec.: Mosca, 17 febbraio 1984, Sala grande del Conservatorio (Orch. sinf. di Stato del Ministero della Cultura dell'URSS; G. Roždestvenskij, dir.; T. Erastova, mS) Manoscritto	
1984	F. *Nietsche. Scongiuro*		I esec.: Mosca, 17 febbraio 1984, Sala grande del Conservatorio (Orch. sinf. di Stato del Ministero della Cultura dell'URSS; G. Roždestvenskij, dir.; T. Erastova, mS) Manoscritto	
1985	*Alban Berg. Canone* (trascrizione per nove strumenti ad arco)		I esec.: Mosca, 2 aprile 1985, Sala grande del Conservatorio (Orch. da camera lituana; S. Sondeckis, dir.) Manoscritto Esiste anche una versione autografa per vl. solo e archi; I esec.: Dartington, 1 agosto 1987, Guldhall (String Ensemble, M. Lubockij, vl.; senza dir.)	

§ 9. COMPOSIZIONI DEGLI ESORDI, INCOMPIUTE E COMMEMORATIVE

Anno	Titolo	Organico	Note	Disc.
1948/49	Concerto per armonica e orchestra		Andato perduto	
1953	Poema per pianoforte e orchestra		In spartito; mai pubblicato; archivio A. Schnittke	
1953	Redeet oblakov letučaja grjada (Delle nubi si dirada la volante teoria)		Romanza sui versi di A. Puškin; mai pubblicata; archivio di A. Schnittke	
1953	Fuga per violino solo		Mai pubblicata; archivio A. Schnittke	
1953/54	Sei preludi per pianoforte, in la bem. magg., re min., la min., re min., la magg., si bem. magg.		Mai pubblicati; archivio A. Schnittke	
1954	Variazioni per pianoforte in do diesis minore		Mai pubblicate; archivio A. Schnittke	
1954	Berezka (La betulla)		Romanza su versi di S. Ščipačev; mai pubblicata; archivio A. Schnittke	
1954	Suite per quartetto d'archi (in cinque movimenti)		Rielaborata successivamente nella versione per orchestra da camera; mai pubblicata; archivio A. Schnittke	
1955	Scherzo per quintetto con pianoforte (su materiale tematico della Suite)		Mai pubblicato; archivio A. Schnittke	
1955	Intermezzo per quintetto con pianoforte		Mai pubblicato; archivio A. Schnittke	
1954/55	Sonata per violino e pianoforte (in un solo movimento), in si bem. min.		Mai pubblicata; archivio A. Schnittke	
1955	Sonata per pianoforte (in un solo movimento)		Mai pubblicata; archivio A. Schnittke	
1955	Due romanze: Summak (Tenebra), Niščij (Il mendicante)		Su versi di F. Tjutčev e di M. Lermontov; mai pubblicate; archivio A. Schnittke	

1955/56	*Sinfonia n. 0* (in quattro movimenti)		Partitura e spartito; mai pubblicata; archivio A. Schnittke
1955/56	*Tre cori per coro misto: Zima (Inverno); Kuda b ni šel ni echal ty (Ovunque tu vada)* e *Kolybel'naja (Ninna-nanna)*		Su versi di A. Prokof'ev, di M. Isakovskij e di A. Mašistov; mai pubblicati; archivio A. Schnittke
1957	*Ouverture per orchestra* (su materiale tematico della *Suite*)		Partitura e spartito; mai pubblicata; archivio A. Schnittke
1958	*Nagasaki*, oratorio per mezzosoprano, coro misto e orchestra sinfonica	orch.: 4 (anche 2 ott.), 4 (anche cl. ingl.), 4 (anche cl. picc. e cl. B), 4 (anche cfg.); 8, 4, 4, 2; perc. (5-6 timp., triangolo, woodblock, tamb. picc., piatti, tamb. grande, tam-tam, vibr., termenvox, campanelli, tastiere, camp.); 2 a.; cel., pf.; archi	Testi di A. Sofronov, G. Fere, E. Ejsaku, S. Toson I. *Nagasaki, città di dolore* - Andante sostenuto. Poco pesante; II. *Mattino* - Allegretto - attacca - III. *In questo penoso giorno* - L'istesso tempo; IV. *Sulle ceneri rimaste* - Andante; V. *Il sole della pace* - Andante sostenuto I esec.: Mosca, 1959, Dom Radioveščanija (Grande orch. sinf. pansovietica della Radio-televisione centrale; A. Žjurajtis, dir; N. Postavničeva, mS) Durata: 40' Manoscritto
1959	*Pesni vojny i mira (Canti di guerra e di pace)*, cantata per soprano, coro misto e orchestra sinfonica, sulla base di canzoni popolari russe	orch.: 3, 3, 3; 4, 4, 3, 1; a.; cel., pf.; archi	Testi di A. Leont'ev e A. Pokrovskij I. Moderato. *Zolotitsja travami drevnie kurgany (Rilucono d'erba gli antichi kurgan)*; II. Allegretto. *Na poljach gremit vojna (Rimbomba la guerra)*; III. Andante. *Oj da serdce, gor'ko serdce stonet (Ahimè, il cuore amaramente geme)*; IV. L'istesso tempo. *Otgremel uragan v nebe rodnom (È cessato il rombo dell'uragano nel cielo patrio)* I esec.: Mosca, 1960, Sala grande del Conservatorio (Orch. sinf. di Stato dell'URSS; G. Dalgat, dir.) Durata: 25' Spartito per pianoforte (trascrizione dell'autore): Mosca, Muzyka 1964

Segue § 9. COMPOSIZIONI DEGLI ESORDI, INCOMPIUTE E COMMEMORATIVE

Anno	Titolo	Organico	Note	Disc.
1959	*Quartetto per archi*		Incompiuto; archivio A. Schnittke	
1960	*Concerto per insieme di strumenti elettronici*		Incompiuto; archivio A. Schnittke	
1962	*Detskaja sjuita* (*Malen'kaja sjuita*) (*Suite infantile - Piccola suite*), per piccola orchestra	2 (anche ott.), 2 (anche cor. ingl.), 2, 2; 2, 1, 0, 0; perc. (timp., marimba, campanelli, tamb. picc. e altri strum.); a.; archi	Versione orchestrale di *Sei pezzi infantili* per pianoforte I. Moderato; II. Vivo; III. Moderato; IV. Andantino; V. Allegro; VI. Andantino I esec.: Mosca, 1962, Dom Radioveščanija (Grande orch. sinf. della Radio-televisione pansovietica; A. Žjurajtis, dir.) Durata: 10' Manoscritto (partitura e voci presso la Biblioteca della Radio pansovietica)	
1962	*Odinnadcataja zapoved'* (*Undicesimo comandamento*), opera in due atti		Libretto di M. Čurova, G. Ansimov, A. Schnittke Durata: 2 h Manoscritto (spartito per pianoforte)	
1964	*Muzyka dlja kamernogo orkestra* (*Musica per orchestra da camera*)	fl., cl. B, tr., cor. da caccia; perc.; clav. (amplificato), pf.; archi (1, 1, 1, 1, 1)	I. Lento; II. Presto - attacca - III. Lento; IV. Moderato - Allegretto - Allegro moderato - Presto - Adagio I esec.: Lipsia, novembre 1965 Durata: 10' Manoscritto	
1965	*Charleston*, per orchestra leggera		Dal film *Pochoždenija zubnogo vrača* (Le avventure di un dentista). Strumentazione di P. Dement'ev Partitura: Mosca, Sovetskij kompozitor 1975 (nella raccolta: *Koncertno-tanceval'nyj repertuar estradnogo ansamblja* [Musiche da concerto e da ballo per orchestra leggera])	

1976

Dva fragmenta, per piccola orchestra sinfonica

Dalle musiche per il film *Skaz pro to, kak car' Petr arapa ženil* (Racconto di come lo zar Pietro diede moglie al moro)
I. Minuetto; II. Gavotta
Partitura: Mosca, Muzyka 1979 (nella raccolta: *Repertuar sinfoničeskich orkestrov DMS. P'esy sovetskich kompozitorov* [Repertorio per le orchestre sinfoniche delle scuole musicali. Brani di compositori sovietici])

1979

Polifoničeskoe tango (Tango polifonico), per strumenti vari

1, 1, 1; 1, 1, 1, 0; perc. (2 strum.); pf.; archi (1, 1, 1, 1, 1)

Brano conclusivo dell'opera collettiva *Pas de quatre* scritta da: G. Roždestvenskij - I parte, *Slony i mos'ki (Elefanti e botoli)*; E. Denisov - II parte, *Vdol' po Pjatnickoj (Lungo la Pjatnickaja)*; A. Pärt - III parte, *Silencer*; A. Schnittke - IV parte, *Polifoničeskoe tango*
I esec.: Mosca, 15 settembre 1973, Teatro Bol'šoj, Sala Beethoven (Solisti del Teatro Bol'šoj; G. Roždestvenskij, dir.)
Durata: 5'
Manoscritto, archivio di G. Roždestvenskij

1985

Muzyka k voobražaemomu spektaklju (Musica per uno spettacolo immaginario), per strumenti vari

1-4 fl. (anche ott.), tr, perc. (anche vibr.), pf. (1-2 strum.), vl., chit., armonica a bocca, 2 vocalisti (canto con i pettini)

I. *Zimnjaja doroga (Strada d'inverno)*; II. *Zapev (Intonazione)*; III. *Marš (Marcia)*
I esec.: Mosca, 7 novembre 1985, Sala grande del Conservatorio (Solisti dell'Orch. sinf. di Stato del Ministero della Cultura dell'URSS; G. Roždestvenskij, dir.)
Durata: 10'
Manoscritto, archivio di G. Roždestvenskij

§ 10. MUSICHE DI SCENA, PER FILM, PER LA TELEVISIONE E PER LA RADIO

FILM A SOGGETTO

Anno	Titolo	Organico	Note	Disc.
1963	Vstuplenie (Esordio)		Mosfil'm, regia I. Talankin	
1965	Pochoždenija zubnogo vrača (Le avventure di un dentista)		Mosfil'm, regia E. Klimov	
1966	Šutočka		Mosfil'm, regia A. Smirnov	
1967	Komissar (Il commissario)		Studi cinematografici "Gor'kij", regia A. Askol'dov, seconda versione del 1986	
1968	Angel (L'angelo)		Studio centrale di cinematografia sperimentale, regia A. Smirnov	
	Dom i chozjain (Casa e padrone)		Mosfil'm, regia B. Metal'nikov	
	Dnevnye zvëzdy, (Stelle di giorno)		Mosfil'm, regia I. Talankin	
	Streljanye gil'zy (Bossoli sparati)		Studi "Gor'kij"	
	Šestoe ijulja (Il 6 luglio)		Mosfil'm, regia Ju. Karasik	
1969	Toska (Angoscia)		Mosfil'm, regia M. Blank	
1971	Djadja Vanja (Zio Vanja)		Mosfil'm, regia A. Michalkov-Končalovskij	
			Mosfil'm, regia E. Klimov	
1972	Sport, sport, sport		Mosfil'm, Larissa Šepit'ko	
	Ty i ja (Tu ed io)		Mosfil'm, regia Ju. Karasik	
	Čajka (Il gabbiano)		Mosfil'm, regia M. Romm, il film fu terminato da E. Klimov e M. Chuciev nel 1976	
	I vse-taki ja verju... (Mir segodnja) (Eppure io credo... [Il mondo oggi]			
1973	Gorjačij sneg (Neve calda)		Mosfil'm, regia G. Eliazarov	
	Na uglu Arbata i ulicy Bubulinas, (All'angolo tra l'Arbat e via Bubulinas)		Mosfil'm, regia M. Zacharias	
	Pravo na pryžok (Diritto al salto)		Mosfil'm, regia di B. Kremnev	
1974	Agonija (Agonia)		Mosfil'm, regia E. Klimov, seconda versione del 1981	
	Goroda i gody (Le città e gli anni)		Mosfil'm, regia A. Zarchi	
1975	Osen' (Autunno)		Mosfil'm, regia A. Smirnov	

Anno	Titolo	Produzione
1976	*Belyj parachod* (La nave bianca)	Kirgizfil'm, regia B. Šamšiev
	Vybor celi (La scelta del fine)	Mosfil'm, regia I. Talankin
	Klouny i deti (Clowns e bambini)	Mosfil'm, regia A. Mitta
	Skaz pro to, kak car' Petr arapa ženil (Racconto di come lo zar Pietro diede moglie al moro)	Mosfil'm, regia A. Mitta
	Rikki-Tikki-Tavi	Centrnaučfil'm, in coproduzione con l'India, regia A. Zguridi
1977	*Voschoždenie* (L'ascesa)	Mosfil'm, L. Šepit'ko
	Povest' o neizvestnom aktëre (Novella su un attore ignoto)	Mosfil'm, regia A. Zarchi
	Priključenija Travki (Le avventure di Travka)	Mosfil'm
1978	*Otec Sergij* (Padre Sergio)	Mosfil'm, regia I. Talankin
1980	*Ekipaž* (La carrozza)	Mosfil'm, regia A. Mitta
1982	*Zvezdopad* (Stelle cadenti)	Mosfil'm, regia I. Talankin
	Krepyš (Un tipo quadrato)	Centrnaučfil'm, regia A. Zguridi e N. Kldiašvili
1983	*Proščanie* (L'addio)	Mosfil'm, regia E. Klimov e V. Artëmov
1984	*Belyj pudel'* (Il barbone bianco)	Centrnaučfil'm, regia A. Zguridi e N. Kldiašvili
1992	*Konec Sankt-Peterburga* (La fine di San Pietroburgo)	Regia V. Pudovkin

Film per la televisione

Anno	Titolo	Organico	Note	Disc.
1964	Vyzyvaem ogon' na sebja (Portiamo il fuoco su di noi)		Mosfil'm, studi televisivi, regia S. Kolosov	
1968	Nočnoj zvonok (Uno squillo nella notte)		Studi televisivi Ekran	
1969	Val's (Valzer)		Mosfil'm, studi televisivi, regia V. Titov	
1971	Poslednij rejs "Al'batrosa" (L'ultima traversata dell'Albatros)		Studi televisivi Ekran	
	Domik v Kolomne (La casetta a Kolomna)		Mosfil'm, studi televisivi	
1973	Byloe i dumy (Passato e pensieri)		Televisione centrale, regia L. Elagin	
1974	Kapitanskaja dočka (La figlia del capitano)		Televisione centrale, regia P. Krotenko	
1979	Fantazii Farjat'eva (Le fantasie di Farjat'ev)		Lenfil'm, regia I. Averbach	
1980	Malen'kie tragedii (Piccole tragedie)		Mosfil'm, studi televisivi, regia M. Švejcer	
1981	Evgenij Onegin		Televisione centrale; accompagnamento musicale alla lettura di strofe dell'opera di Puškin	
1984	Mertvye duši (Le anime morte)		Mosfil'm, studi televisivi, regia M. Švejcer	

Film d'animazione

Anno	Titolo	Organico	Note	Disc.
1968	Stekljannaja garmonika (L'armonica di vetro)		Sojuzmul'tfil'm, regia A. Chržanovskij	
1969	Balerina na korable (La ballerina sul vascello)		Sojuzmul'tfil'm, regia L. Atamanov	
1971	Škaf (L'armadio)		Sojuzmul'tfil'm, regia A. Chržanovskij	
1972	Vyše golovu (Di una spanna)		Sojuzmul'tfil'm, regia L. Atamanov	
	Babočka (La farfalla)		Sojuzmul'tfil'm, regia A. Chržanovskij	

	Titolo	Organico	Note	Disc.
1973	*V mire basen* (Nel mondo delle favole)		Sojuzmul'tfil'm, regia A. Chržanovskij	
1977	*Ja k vam leču...* (Volerò da voi)		Sojuzmul'tfil'm, regia A. Chržanovskij	
1981	*I s vami snova ja* (E con voi ci son di nuovo io)		Sojuzmul'tfil'm, regia A. Chržanovskij	
1982	*Osen'* (Autunno)		Sojuzmul'tfil'm, regia A. Chržanovskij	

FILM DOCUMENTARI

Anno	Titolo	Organico	Note	Disc.
1971	*Naš Gagarin* (Il nostro Gagarin)		Studi centrali del film documentario	
1972	*Čili v bor'be, nadežde i trevoge* (Lotta, speranza e paura del Cile)		Studi centrali del film documentario	
1973	*Trudnye dorogi mira - Ravnovesie stracha* (Le difficili strade della pace - L'equilibrio del terrore)		Studi centrali del film documentario	
1976	*Dressirovščiki* (I domatori)		Centranaučfil'm	
1979	*Paradoksy evoljucii* (Paradossi dell'evoluzione)		Centrnaučfil'm	
1980	*Larisa*		Mosfil'm, regia E. Klimov	

ALLESTIMENTI TEATRALI E SPETTACOLI RADIOFONICI

Anno	Titolo	Organico	Note	Disc.
Anni '50	*Majakovskij načinaetsja* (Majakovskij inizia)		Allestimento radiofonico	
Fine anni '50	*Odin kolos ešče ne chleb* (Una sola spiga non è ancora pane)		Di I. Nazarov, allestimento televisivo del Teatro del Mossovet	
1961 o 1962	*Sovremennaja tragedija* (Una tragedia moderna)		Di R. Ebralidze, Teatro Stanislavskij	
1962 o 1963	*Roza i Krest* (La rosa e la croce)		Di A. Blok, allestimento televisivo	
1962 o 1963	*Cesare e Cleopatra*		Di B. Shaw, Teatro del Mossovet	
Fine anni '60	*Boris Godunov*		Di A. S. Puškin, Teatro "Krasnyj fakel" di Novosibirsk	
Iniz. anni '70	*Il cavaliere nascosto*		Di P. Calderòn de la Barca, allestimento televisivo del Teatro del Mossovet	
1972	*Don Carlos*		Di F. Schiller, Teatro del Mossovet	
1973	*Turandot*		Di B. Brecht, Teatro sulla Taganka	
Anni '70	*Vdova polkovnika* (La vedova del colonnello)		Teatro del Mossovet	
1978	*Utinaja ochota* (Caccia all'anatra)		Di A. Vampilov, Teatro MChAT	
1978	*Revizskaja skazka* (La favola dell'ispettore)		Da N. V. Gogol', Teatro sulla Taganka	
1992/93	*Doktor Živago* (Omaggio a Živago)		Da B. Pasternak, Teatro sulla Taganka	

Nota bibliografica

L'elenco è redatto secondo un criterio cronologico. L'asterisco indica i materiali che sono stati citati, anche solo parzialmente, nel saggio di Aleksandr Ivaškin. L'elenco non comprende le note dell'autore, scritte o dettate da Alfred Schnittke in occasione di prime esecuzioni o di incisioni delle sue opere, apparse su programmi di sala, presentazioni di festival o in commento a CD.

A. Scritti di Alfred Schnittke

In lingua russa

O tvorcestve G. Grigorjana (Sull'arte di G. Grigorjan), «Sovetskaja muzyka», 5, 1960, pp. 30-5.

V poiskach svoego puti. (O tvorcestve A. Karamanov) (Alla ricerca della propria strada [Sull'arte di A. Karamanov]), «Sovetskaja muzyka», 9, 1961, pp. 29-32.

Razvivat' nauku o garmonii (Sviluppare la scienza dell'armonia), «Sovestkaja muzyka», 10, 1961, pp. 44-5.

Navstrecu slusatelju. (O tvorcestve R. Ledeneva) (Incontro allo spettatore [Sull'arte di R. Ledenev]), «Sovetskaja muzyka», 1, 1962, pp. 16-20.

Nekotorye certy orkestrovogo golosovedenija v muzyke pervoj poloviny nasego veka. Soobscenie (Alcune caratteristiche nella conduzione orchestrale delle voci nella musica della prima metà del nostro secolo - Comunicazione), stenogramma della riunione del 12 maggio 1965 del gruppo di lavoro teorico presso la sezione moscovita dell'Unione dei Compositori della RSFSR, manoscritto, 75 pp.

Zametki ob orkestrovoj polifonii v Četvertoj simfonii D.D. Šostakoviča (Note sulla polifonia orchestrale nella *Quarta Sinfonia* di D.D. Šostakovič), in *Muzyka i sovremennost'* (Musica e mondo contemporaneo), Mosca, 1966[4], pp. 127-60.

S tribuny teoretičesoj konferencii (Dalla tribuna di una conferenza teorica), «Sovetskaja muzyka», 5, 1966, pp. 26-7.

Nekotorye osobennosti orkestrovogo golosovedenija v simfoničeskich proisvedenijach D.D. Šostakoviča (Alcune peculiarità della conduzione orchestrale delle voci nelle opere sinfoniche di D.D. Šostakovič), in *Dmitrij Šostakovič*, Mosca, 1967, pp. 499-532.

O novych sočinenijach, ob Odinnadcatoj zapovedi (Su nuove opere, su *Undicesimo comandamento*), «Sovestkaja muzyka», 2, 1967, pp. 151-2.

Osobennosti orkestrovogo golosovedenija rannich proizvedenij Stravinskogo (Peculiarità della conduzione orchestrale delle voci nei primi lavori di Stravinsky), in *Muzyka i sovremennost'*, Mosca, 1967[4], pp. 202-60.

Ob izdanii Pjatoj simfonii E. Golubeva (Sulla pubblicazione della *Quinta Sinfonia* di E. Golubev), «Sovetskaja muzyka», 7, 1968, p. 141.

Original'nyj zamysel (Un'idea originale), recensione della *Seconda Sinfonia* di B. Snaper, «Sovetskaja muzyka», 9, 1968, pp. 48-9.

Beskonečno zamknutaja sistema tembrovych svjazej v fuge (ričerkata) Bacha-Veberna (Il sistema indefinitamente chiuso dei rapporti timbrici nella fuga [ricercata] di Bach-Webern), manoscritto, inizio anni '70, 3 pp., con esempi musicali.

Klangfarbenmelodie - melodija tembrov (*Klangfarbenmelodie* - Melodia di timbri), manoscritto, inizio anni '70, 3 pp., con esempi musicali.

Novoe v metode sočinenija - statističeskij metod (Novità nella metodologia compositiva - il metodo statistico), manoscritto, inizio anni '70, 3 pp.

Orkestrovaja micropolifonija Ligeti (La micropolifonia orchestrale di Ligeti), manoscritto, inizio anni '70, 5 pp., con esempi musicali.

Preodolenie metra ritmom (Superamento del metro da parte del ritmo), manoscritto, inizio anni '70, 3 pp., con esempi musicali.

Statičeskaja forma. Novaja koncepcija vremeni (La forma statica - Una nuova concezione temporale), manoscritto, inizio anni '70, 6 pp.

Stereofoničeskie tendencii v sovremennom orkestrovom myšlenii (Tendenze stereofoniche nel moderno pensiero orchestrale), manoscritto, inizio anni '70, 5 pp., con esempi musicali.

Tembrovoe rodstvo i ego funkcional'noe ispol'zovanie. Tembrovaja škala (L'affinità timbrica e il suo utilizzo funzionale - La scala timbrica), manoscritto, inizio anni '70, 9 pp., con esempi musicali.

Tembrovye moduljacii v Muzyke dlja strunnych, udarnych i čelesty Bartoka (Modulazioni timbriche nella *Musica per archi, celesta e percussioni* di Bartók), manoscritto, inizio anni '70, 6 pp., con esempi musicali.

Tret'ja čast' Simfonii Berio (Il terzo movimento della *Sinfonia* di Berio), manoscritto, inizio anni '70, 6 pp., con esempi musicali.

Funkcional'naja peremennost' golosov faktury (L'alternanza funzionale delle voci della fattura), manoscritto, inizio anni '70, 3 pp., con esempi musicali.

* *O Sofii Gubajdulinoj. Predislovie k izdaniju dvuch vo al'nych ciklov* (Su Sofija Gubajdulina - Prefazione all'edizione di due cicli vocali), manoscritto, anni '70, 2 pp.

* *O Concerto grosso n. 1* (Sul *Primo Concerto grosso*), manoscritto, fine anni '70, 2 pp.

* *Vospominanija o M.M. Romme* (Ricordi di M.M. Romm), manoscritto, 1972, 3 pp.

* *Edison Denisov*, (manoscritto in polacco) «Res facta», K“kòw, 6, 1972, pp. 109-24.

Parakoksal'nost' kak černa muzykal'noj logiki Stravisnkogo (Il paradosso come tratto caratteristico della logica musicale di Stravinsky), in *I.F. Strasvinskij. Stat'i i materialy* (I.F. Stravinsky - Articoli e materiali), Mosca, 1973, pp. 383-434.

Osobennosti orkestrovogo golosovedenija S. Prokof'eva (na materiale ego simfonii) (Particolarità nella conduzione orchestrale delle voci in S. Prokof'ev [sulla base delle sue sinfonie]), in *Muzyka i sovremennost'*, Mosca, 1974, pp. 202-28.

* *Sub'ektivnye zametki ob ob'ektivnom ispolnenii* (Note soggettive su un'esecuzione oggettiva), recensione a un concerto di A. Ljubimov, «Sovetskaja muzyka», 2, 1974, pp. 63-4.

A. Vebern. Lekcii o muzyke. Pis'ma (A. Webern. Lezioni di musica - Lettere), trad. russa di *Wegen zur neuen Musik*, redazione e prefazione di M. Druskin e A. Schnittke, Mosca, 1975.

Osuzdaem Tretij fortepiannyj koncert R. Ščedrina (Un giudizio sul *Terzo concerto per pianoforte* di R. Ščedrin), «Sovetskaja muzyka», 2, 1975, pp. 25-6.

* *Krugi vlijanija. (O D. Šostakoviče)* (Ambiti di influenza [Su D. Šostakovič]), in *D. Šostakovič. Stat'i i materialy* (D. Šostakovič - Articoli e materiali), Mosca, 1976, pp. 223-4.

* *Stat'i v svjazi c zapreščeniem postanovki Pikovoj damy v Pariže, 1977* (Articoli sull'allestimento della *Dama di picche* vietato a Parigi, 1977), opuscolo del nuovo allestimento di Karlsruhe, novembre 1990, in tedesco, «Muzykal'naja žizn'», 6, 1991, pp. 8-9.

* *G. Kančeli. Tret'ja i Šestaja simfonii* (G. Kačeli - La *Terza* e la *Sesta Sinfonia*), 1982, nota al disco MELODIJA C 10 20843 000.

* *Na puti k voploščeniju novoj idei* (Verso la realizzazione di una nuova idea), in *Problemy tradicii i novatorstva v sovremennoj muzyke* (Problemi di tradizione e innovazione nella musica contemporanea), Mosca, 1982, pp. 104-7.

* *O prem'ere Četvertoj simfonii* (Sulla prima esecuzione della *Quarta Sinfonia*), «Muzyka v SSSR», ottobre-novembre 1984, p. 82.

Vystuplenie na avtorskom večere v Molodežnom muzykal'nom klube pri VDK 13 dekabrja 1984 (Intervento alla serata d'autore presso il club musicale giovanile dell'Unione pansovietica dei Compositori il 13 dicembre 1984), manoscritto, 20 pp.

* *Svjatoslav Richter*, «Muzyka v SSSR», luglio-settembre 1985, pp. 11-2.

Ob Il'je Averbache (Su Il'ja Averbach), in *Il'ja Averbach*, Leningrado, 1987, pp. 196-8.

* *O živopisi Vladimira Jankilevskogo* (Sulla pittura di Vladimir Jankilevskij), manoscritto, 1987, 1 p.

* *Pamjati Filippa Moiseeviča Gerškoviča* (Alla memoria di Filipp Moiseevič Gerškovič), necrologio per «Sovetskaja kul'tura», manoscritto, 1988, 2 pp.

* *Polistilističeskie tendencii sovremennoj muzyki* (Tendenze eclettiche della musica contemporanea), relazione al Congresso internazionale di musica di Mosca, 8 ottobre 1971; versione ampliata in «Muzyka SSSR», aprile-giugno 1988, pp. 22-4;

V. anche V. CHOLOPOVA, E. ČIGAREVA, *Al'fred Šnitke. Očerk žizni i tvorčestva* (Alfred Schnittke - Saggio sulla vita e l'opera), Mosca, 1990, pp. 327-31 e *Muzykal'nye kul'tury narodov. Tradicii i sovremennost'* (Le culture musicali dei popoli - Tradizioni e modernità), Mosca, 1973, pp. 289-91 (v. sezione *In lingua tedesca*).

* *Vystuplenie na večere, posvjaščennom 60-letiju F. Iskandera v Moskovskom kinokoncertnom zale Oktjabr'* (Intervento alla serata in onore del 60° compleanno di F. Iskander presso la sala cinematografica Oktjabr' di Mosca), manoscritto, 1989, 1 p.

* *O proze Viktore Erofeeve* (Sulla prosa di Viktor Erofeev), in «Knižnoe obozrenie», 15 dicembre 1989, p. 9.

* *Bezkonečnost' duchovnoj žizni (Pamjati Olega Kagana)* (L'infinità della vita spirituale [In memoria di Oleg Kagan]), «Rossijskaja muzyka», settembre 1990.

* *Slovo o Prokof'eve* (Su Sergej Prokof'ev), intervento all'inaugurazione del Festival "Sergej Prokof'ev e la nuova musica sovietica", Germania, ottobre 1990; «Sovetskaja muzyka», 11, 1990, pp. 1-3.

* *G. Kančeli. Oplakannye vetrom* (G. Kančeli - Compianti dal vento), 1991, nota al disco MELODIJA A 10 00777 006.

* *O ser'eznom i neser'eznom* (Sul serio e sul non-serio), «Muzykal'naja žizn'», 13-14, 1991, p. 3.

* *Pismo v Komitet po Leninskim premijam* (Lettera al comitato per l'assegnazione del Premio Lenin), manoscritto, 1990, 1 p.

Tri imeni. O V. Artemove, V. Martynove i V. Susline (Tre nomi - Su V. Artemov, V. Martynov e V. Suslin), «Muzykal'naja Akademija», 1, 1992, pp. 27-30.

In lingua tedesca

Das Orchester und die "Neue Musik", manoscritto, 4 pp.

Polystilistische Tendenzen in der modernen Musik, «Musik Texte. Zeitschrift für neue Musik», 30, luglio-agosto 1989, pp. 29-30.

* *... Schon fast 30 Jahre wiederholt sich derselbe Traum: ich komme in Wien an*, manoscritto, 6 pp.

B. Interviste ad Alfred Schnittke

In lingua russa

Nad čem vy rabotaete? (A che cosa sta lavorando?), «Sovetskaja muzyka», 2, 1967.

V. JAKOVLEV, *Muzykal'nyj mir našego sovremennika beckonečno mnogoobrazen...* (Il mondo musicale dell'uomo contemporaneo è infinitamente vario...), «Zarja molodeži», Saratov, 17 gennaio 1984, p. 4.

E. AVERBACH, *Novyj material muzyki?* (Un nuovo materiale musicale?), in *Roždenie zvukovogo obraza* (La nascita dell'immagine sonora), Mosca, 1985, pp. 216-22.

E. PETRUŠANSKAJA, *Izobraženie i muzyka - vozmožnosti dialoga* (Raffigurazione e musica - le possibilità di un dialogo), «Iskusstvo kino», 1, 1987, pp. 66-7 (v. la sezione *In lingua tedesca*).

* A. Medvedev, *Nužen poisk, nužny izmenenija privičnogo* (Occorre la ricerca, occorrono mutamenti in ciò che è usuale), in *Sovetskij džas* (Il jazz sovietico), Mosca, 1987, pp. 65-9.

E. Artem'ev, G. Kančeli, I. Švarc, *Muzyka v zvukozritel'nom sinteze* (La musica nella sintesi sonoro-visiva), «Voprosy filosofii», 2, 1988, pp. 132-42.

On ne mog žit' inače - O V. Vysockom (Non avrebbe potuto vivere diversamente - Su V. Vysockij), «Muzykal'naja žizn'», 2, 1988, pp. 2-3.

E. Kotljarskij, *Esli sud'ba mne pozvolit* (Se il destino me lo concederà), «Junost'», 5, 1988, pp. 87-9.

A. Kagarlickaja, *Prigovoren k samomu sebe* (Condannato a sé stesso), «Ogonek», 20, 1988, pp. 17-9.

Ju. Makeeva, G. Cypin, *Real'nost', kotoruju ždal vsju žizn'* (Una realtà attesa tutta la vita), «Sovetskaja muzyka», 10, 1988, pp. 17-28.

S. Savenko, *Muzyka kak by otstala* (La musica parrebbe restare indietro), «Gor'kovskij rabočij», 24 febbraio 1989, p. 4.

G. Roždestvenskij, *Sem' not v minore i v mažore* (Sette note in minore e in maggiore), «Literaturnaja gazeta», 8 marzo 1989, p. 8.

A. Fortunatov, *Zapozdalaja prem'era?* (Una prima tardiva?), «Komsoml'skaja pravda», 11 aprile 1989, p. 4.

M. Nevzorova, *Žizn' delaet nas mudree* (La vita ci rende più saggi), «Izvestija», 18 aprile 1989, p. 3.

N. Bordjug, *Ja budu dolgo vspominat' gor'kovčan* (A lungo mi ricorderò degli abitanti di Gor'kij), «Gor'kovskaja pravda», 11-12 maggio 1989, p. 3.

O. Martynenko, *Istina - v mnogoobrazii* (La verità è nella varietà), «Moskovskie novosti», 14 maggio 1989, p. 16; «Sovetskij sojuz», 12, 1989, pp. 26-7 (versione ridotta).

Ju. Ljubimov, A. Bitov, *Trofei ravenstva* (Trofei di ugualianza), «Ogonek», 38, 1989, pp. 9-11.

*N. Šachnazarova, G. Golovisnkij, *Novaja žizn' tradicij v sovetskoj muzyke* (La nuova vita delle tradizioni nella musica sovietica), *Stat'i i interv'ju*, Mosca, 1989, pp. 332-49.

G. Citrinjak, *1990: kak my proživem etot god* (1990: come vivremo questo anno), «Literaturnaja gazeta», 3 gennaio 1990, p. 8.

*V. Cholopova, *Duch dyšit, gde chočet* (Lo spirito respira dove vuole), «Naše nasledie», 3, 1990, pp. 43-6.

V. Jakovlev, *Iz Četvertogo kruga. Al'fred Šnitke govorit...* (Dal Quarto cerchio - Alfred Schnittke racconta...), «Volga», 3, 1990, pp. 155-71.

G. Cypin, *O muzyke, svoej rabote i o sebe* (Su di me, il mio lavoro e la musica), «Muzykal'naja žizn'», 8, 1990, pp. 2-3.

M. Nest'eva, *Vzgljad iz predydušego desjatiletija* (Uno sguardo dal decennio passato), «Muzykal'naja Akademija», 1, 1992, pp. 20-6.

V. Sitkoveckij, V. Juzefovič, *Interes k ser'eznoj muzyke ne propal* (L'interesse per la musica seria non si è perso), «Muzykal'naja Akademija», 1, 1992, pp. 30-2.

In lingua tedesca

J. HANSBERGER, *Alfred Schnittke in Gespräch über sein Klavierquintett und andere Kompositionen*, in *Pommersfeldener Beiträge*, Frankfurt am Main, 1982, III, pp. 231-57.

H. GERLACH, *Fünfzig sowjetische Komponisten der Gegenwart. Fakten und Reflexionen*, Leipzig-Dresden, 1984, pp. 362-7.

A. IVAŠKIN, *Stereotypen des Lebens, in Symbole verwandelt. Alfred Schnittke und sein Ballet "Skizzen"*, «Neue Zeitschrift für Musik», 10, 1985, pp. 21-4.

L. LESLE, *Komponieren in Schichten. Begegnung mit Alfred Schnittke*, «Neue Zeitschrift für Musik», luglio-agosto 1987, pp. 29-32.

Die Möglichkeiten des Dialoges zwischen Bild und Musik im Film, «Kunst und Literatur», 36 Jahrgang, H. 2, Berlino, 1988.

J. KÖCHEL, *Wir haben ein gewandeltes Bewusstesein von der Zeit*. Gesdpräch mit Alfred Schnittke über seine Musikkonzeption, «Bühnenkunst», 2, Stuttgart, aprile 1989, pp. 53-5.

T. PORWOLL, *Verschiedene Einflüsse und Richtungen. Alfred Schnittke im Gespräch*, «Musik Texte», H. 30, Colonia, luglio-agosto 1989, pp. 25-8.

Alfred Schnittke im Gespräch mir Annelore Gerlach, in *Musik für die Oper? Mit Komponisten im Gespräch*, Berlino, 1990, pp. 243-55.

H. LUCK, *Zwischen zwei Kulturen*, «Fono-Forum», settembre 1991, pp. 28-31.

In lingua inglese

J. WISER, *A brief encounter over the language barrier*, «Fanfare», settembre-ottobre 1991, pp. 122-8.

Nota discografica

Il seguente elenco di incisioni è disposto in ordine alfabetico di casa discografica (e numerico di sigla) ed è dunque integrato, per le necessità di consultazione, dal precedente *Catalogo delle opere*. Salvo diversa indicazione (CD = compact disc) le incisioni si intendono su vinile, diametro 30 cm, 33 giri e 1/3 al minuto; per ognuna di esse vengono segnalati il titolo delle composizioni di Alfred Schnittke e gli interpreti.

1. Berlin Classics 0110029
   Sonata per violoncello e pianoforte
   Ja. Vogler, vcl.; B. Canino, pf.
2. BIS CD-167 *
   Terzo Quartetto per archi
   Tale-Quartett
3. BIS CD-336
   Sonata per violoncello e pianoforte
   T. Thedeen, vcl.; R. Pöntinen, pf.
4. BIS CD-364
   Prima Sonata per violino e pianoforte
   C. Bergqvist, vl.; R. Pöntinen, pf.
5. BIS CD-377
   Concerto per oboe, arpa e archi; Concerto per pianoforte e archi; Primo Concerto grosso
   H. Jahren, ob.; K.A. Lier, a.; C. Bergqvist, vl.; P. Swedrup, vl.; P. Pöntinen, clav. e pf.; Nuova Orchestra da camera di Stoccolma; L. Markiz, dir.
6. BIS CD-427
   Pianissimo; Quarto Concerto grosso / Quinta Sinfonia
   Orchestra sinfonica di Gothenburg; Neeme Järvi, dir.
7. BIS CD-437
   Istorija doktora Ioganna Fausta (Storia del dottor Johann Faust) (Seid nüchtern und wachtet...); (K)ein Sommernachtstraum (Ne son v letnjuju noč - Ne po Sekspiru) (Non sogno di una notte di mezza estate - Non da Shakespeare); Passacaglia; Rituale
   I. Blom, mS; M. Bellini, cT; L. Devos, T; U. Cold, B; Coro e Orchestra sinfonica di Malmö; J. de Preist, L. Segerstam, dir.
8. BIS CD-447
   Concerto per viola e orchestra; In memoriam
   N. Imai, vla; Orchestra sinfonica di Malmö; L. Markiz, dir.
9. BIS CD-467
   Primo Quartetto per archi; Secondo Quartetto per archi
   Tale-Quartett
10. BIS CD-477
    Terza Sinfonia
    Orchestra Filarmonica di Stoccolma; E. Klas, dir.
11. BIS CD-487
    Primo Concerto per violino e orchestra; Secondo Concerto per violino e orchestra da camera
    M. Lubockij, vl.; Orchestra sinfonica di Malmö; E. Klas, dir.
12. BIS CD-497
    Quarta Sinfonia; Requiem
    Solisti: S. Parkman, T; M. Bellini, cT; K.-H. Salomonsson, S; L. Lindholm, S; I.-H. Sjöberg, S; A.-F. Eker, A; N. Högman, T; Coro accademico da camera di Uppsala; Stockholm-Sinfonietta; O. Kamu, S. Parkman, dir.

---

* La casa discografica svedese BIS sta gradualmente portando a termine il proprio progetto di pubblicare su CD l'opera omnia di Alfred Schnittke.

13. BIS CD-507
Inni I, II, III, IV per insieme cameristico;
Primo Concerto per violoncello e orchestra;
Zvucasie bukvy (Klingende Buchtaben - Let-
tere sonore)
T. Thedeen, vcl.; Orchestra sinfonica dane-
se; L. Segerstam, dir.

14. BIS CD-517
Quarto concerto per violino e orchestra; Ter-
zo Concerto per violino e orchestra da camera
O. Krysa, vl.; Orchestra sinfonica di Malmö; E. Klas, dir.

15. BIS CD-527
Pozdravitel'noe rondo (Rondò augurale); Pri-
ma sonata per violino e pianoforte; Seconda
Sonata per violino e pianoforte (Quasi una so-
nata); Sjuita v starinnom stile (Suite in stile an-
tico); Stille Nacht
U. Wallin, vl.; R. Pöntinen, pf.

16. BIS CD-537
Sonata per violino e orchestra da camera; Ter-
zo Concerto grosso; Trio sonata per orchestra
da camera
C. Bergqvist, vl.; P. Swedrup, vl.; T. Olsson,
vl.; Orchestra da camera di Stoccolma; L.
Markiz, dir.

17. BIS CD-547
Kanon pamjati Igorja Stravinskogo (Canone in
memoria di Igor Stravinsky); Nabrosok ko vto-
roj casti Fortepiannogo kvarteta G. Malera
(Schizzo sul secondo movimento del Quartet-
to per pianoforte di G. Mahler); Quintetto con
pianoforte; Trio per archi
Tale-Quartett; R. Pöntinen, pf.;

18. BIS CD-557
Gogol'-suite; Labirinty (Labirinti)
L. Markiz, v. recitante; A. Kontra, vl.; Or-
chestra sinfonica di Malmö; L. Markiz, dir.

19. BIS CD-567
Secondo Concerto grosso; Secondo Concerto
per violoncello e orchestra
O. Krysa, vl.; T. Thedeen, vcl.; Orchestra
sinfonica di Malmö; L. Markiz, dir.

20. Chandos 8962
Prima Sonata per pianoforte
B. Berman

21. Chandos 8988
Preljudija pamjati D. Šostakoviča (Preludio in
memoria di D. Šostakovič)
L. Mordkovitch, E. Young, vl.

22. Chandos 9126
Koncert dlja smesannogo chora (Concerto per
coro misto); Minnesang
Coro della Radio nazionale danese; S. Park-
man, dir.

23. Chandos ABRD 1089 8343 (CD)
Prima Sonata per violino e pianoforte; Sjuita
v starinnom stile (Suite in stile antico)
R. Dubinskij, vl.; L. Edlina, pf.

24. Col legno 0647-284
Trio sonata per orchestra da camera
I solisti di Mosca; Ju. Bašmet, dir. (registra-
zione del concerto di Leningrado, 1988)

25. Deutsche Grammophon 415 484-2
A Paganini
G. Kremer

26. Deutsche Grammophon CD 429 413-2
Moz-Art à la Haydn; Primo Concerto grosso;
Quasi una sonata (versione per violino e or-
chestra da camera)
G. Kremer, vl. e dir.; T. Grindenko, vl.; Ju.
Smirnov, clav. e pf.; The Chamber Orche-
stra of Europe; H. Schiff, dir.

27. Deutsche Grammophon 431 686-2
Kanon pamjati Igorja Stravinskogo (Canone in
memoria di Igor Stravinsky)
Quartetto Hagen

28. Deutsche Grammophon DGG 437091
Quinto Concerto grosso
G. Kremer, vl.; Wienn Philharmonic Orche-
stra; K. von Dohnanyi, dir.

29. Dusches NE CD 71 532
Prima Sonata per violino e pianoforte; Secon-
da Sonata per violino e pianoforte (Quasi una
sonata); Sjuita v starinnom stile (Suite in stile
antico)
I. Zejtlin, vl.; P. Deur, pf.

30. ECM New Series 1471 437 199-2
Concerto per viola e orchestra
K. Kaskas'jan, vla; Orchestra della Radio di
Saarbrücken, D.R. Davies, dir.

31. EMI CD 7 54660-2
Quarto Quartetto per archi
Alban Berg Quartet

32. EMI Angel CDC 7 54443-2
Primo concerto per violoncello e orchestra
N. Gutman, vcl.; London Philharmonic Or-
chestra, K. Masur, dir.

33. EMI Electrolac 06K 03 766
Seconda Sonata per violino e pianoforte (Quasi
una sonata)
G. Kremer, vl.; A. Gavrilov, pf.

34. Erato 2292-45742-2 ZK
Concerto per pianoforte a quattro mani e or-
chestra da camera; Concerto per pianoforte e
archi
V. Postnikova, I. Schnittke, pf.; London Sin-
fonietta; G. Roždestvenskij, dir.

35. Etcetera KTC 1124
Kanon pamjati Igorja Stravinskogo (Canone in
memoria di Igor Stravinsky); Quintetto con pia-
noforte; Terzo Quartetto per archi
Quartetto Mondrian

36. Etcetera KTC 2019
Dve malen'kie p'esy (Due piccoli pezzi)
A. Fisejskij

37. Eurodisc (Ar) 20264-366
Stille Nacht
G. Kremer, vl.; E. Kremer, pf.

38. Eurodisc (Ar) 201234-405
Terzo Concerto per violino e orchestra da camera
G. Kremer, vl.; Chamber Philarmonic Or-
chestra; W. Nelsson, dir.

39. Globe GLO 5041
Sonata per violoncello e pianoforte
D. Ferschtman, vcl.; M. Baslavskaja, pf.

40. GOST K 28961 33 D-020372
Prima Sonata per violino e pianoforte
M. Lubockij, vl.; L. Edlina, pf. (registrazione d'archivio)
41. Jugoton LP-D-DIG 2-02193
Sonata per violoncello e pianoforte
A. Valčič, vcl.; D. Tikvica, pf.
42. Koch-Schwann (in preparazione)
Dialogo per violoncello e sette strumentisti; *Primo Concerto per violoncello e orchestra*
D. Geringas, vcl.; Solisti dell'Orchestra della Süddeutsche Rundfunk (Baden-Baden); B. Kontarsky; W. Nelsson, dir.
43. LDRCD - 1008
Terzo Quartetto per archi
Quartetto Britten
44 London 430 698-2
Quarto Concerto grosso / *Quinta Sinfonia*; *Terzo Concerto grosso*
R. Brautigam, clav.; V. Liberman, vl.; G. van Weden, vl.; Orchestra Concertgebouw; R. Chailly, dir.
45. Le chant du Monde LDX 786 75
Moz-Art; *Quintetto con pianoforte*
Ju. Smirnov, pf.; G. Kremer, T. Grindenko, vl.; Ju. Basmet, vla; K. Georgian, vcl.
46. Marco Polo 8.223334
Primo Concerto per violoncello e orchestra; *Sonata per violoncello e pianoforte*; *Stille Nacht*
M. Kliegel, vcl.; R. Havenith, pf.; V. Godhof, vl.; Orchestra della Radio di Saarbrücken, G. Markson, dir.
47. Melodija A - 10 00335 004; SUCD 10 00067/SIK 7-003 E 258 939-231
Primo Concerto per violoncello e orchestra
N. Gutman, vcl.; Orchestra sinfonica di Stato del Ministero della Cultura dell'URSS; G. Roždestvenskij, dir.
48. Melodija C - 10 831-2
Seconda Sonata per violino e pianoforte (Quasi una sonata)
L. Isakadze, vl.; V. Skanavi, pf.
49. Melodija C - 10 08673-4
Sjuita v starinnom stile (Suite in stile antico), R. Nodel', vl.; M. Voskresenskij, pf.
50. Melodija C - 10 09937-8
Sjuita v starinnom stile (Suite in stile antico)
Ju. Korcinskij, vl.; N. Kogan, pf.
51. Melodija C - 10 14751
Cadenza al Concerto K.491 in do minore per pianoforte di Mozart
D. Baskirov, pf.; Insieme di solisti; P. Kogan, dir.
52. Melodija C - 10 15262-2
Posvescenie Igorju Stravinskomu, Sergeju Prokof'evu, Dmitriju Šostakoviču (Omaggio a Igor Stravinsky, Sergej Prokof'ev, Dmitrij Šostakovič)
V. Postnikova, G. Roždestvenskij, A. Bachciev
53. Melodija C - 10 15537-8
Prima Sonata per violino e pianoforte
H. Achtjamova, vl.; L. Blok, pf.

54. Melodija C - 10 15681 000
Terzo Concerto per violino e orchestra da camera
O. Kagan, vl.; Insieme di solisti; Ju. Nikolaevskij, dir.
55. Melodija C - 10 18173 74
Moz-Art
V. Malinin, A. Mel'nikov
56. Melodija C - 10 18359-60
Sonata per violoncello e pianoforte
N. Gutman, vcl.; I. Sucharebskaja, pf.
57. Melodija C - 10 18403 / Mobile Fidelity MFCD 869
Tri madrigala (Tre madrigali)
N. Lee, S; Solisti dell'Orchestra del Teatro Bol'šoj; A. Lazarev, dir.
58. Melodija C - 10 18757-62
Gogol'-suite
Orchestra sinfonica di Stato del Ministero della Cultura dell'URSS; G. Roždestvenskij, dir.
59. Melodija C - 10 19237-38
Sonata per violoncello e pianoforte
M. Chomicer, vcl.; A. Ginzburg, pf.
60. Melodija C - 10 20223 005
Sjuita v starinnom stile (Suite in stile antico)
V. Kafel'nikov, tr.; L. Grebko, pf. (trascr. per tr. e pf. di V. Kafel'nikov).
61. Melodija C - 10 21225 004
Primo Concerto grosso
L. Isakadze, O. Krysa, vl.; N. Mandenova, clav.; A. Schnittke, pf.; Orchestra da camera di Stato della Georgia; S. Sondeckis, dir.
62. Melodija C - 10 21869 001
A Paganini
O. Krysa
63. Melodija C - 10 22845 004
Concerto per pianoforte e archi
V. Krajnev, pf.; Orchestra da camera lituana; S. Sondeckis, dir.
64. Melodija C - 10 23085 000; SUCD 10 00063
Seconda Sinfonia
E. Zolotova, mS.; E. Kurmagalier, čT.; Ju. Bogdanov, T; Ju. Visnjakov, B.; Coro da camera di Stato e Orchestra della Filarmonica di Leningrado; G. Roždestvenskij, dir.
65. Melodija C - 10 25177 003
Muzyka k voobrazaemomu spektaklju (Musica per un spettacolo immaginario)
Orchestra sinfonica di Stato del Ministero della Cultura dell'URSS; G. Roždestvenskij, dir.
66. Melodija C - 10 28753 008; SUCD 10-00061/ Mobile Fidelity MFCD 915
Inni I, II, III, IV per insieme cameristico
A. Ivaškin, vcl.; V. Barcalkin; Ju. Rudomëtkin; I. Pasinskaja; V. Casovennaja; V. Grisin; N. Grisin
67. Melodija C - 60 30721 000
Potok (Corrente)
68. Melodija SUCD 10 00010
Sjuita v starinnom stile (Suite in stile antico)
I. Boguslavskij, vla d'amore; A. Litvinenko, clav.; V. Grisin, V. Subinskij, perc.

69. Melodija SUCD 10 00062; A 10 00643 002
Prima Sinfonia
Orchestra sinfonica di Stato del Ministero
della Cultura dell'URSS; G. Roždestvenskij,
dir.

70. Melodija SUCD 10 00064; C 10 25175 009
Terza Sinfonia
Orchestra sinfonica di Stato del Ministero
della Cultura dell'URSS; G. Roždestvenskij,
dir.

71. Melodija SUCD 00065; A 10 00271 005
Quarta Sinfonia
Solisti: B. Postnikova; E. Kurmangaliev; N.
Dumcev; Orchestra sinfonica di Stato del
Ministero della Cultura dell'URSS (con ar-
chi a sezione piena); Coro da camera di Sta-
to; G. Roždestvenskij, dir.

72. Melodija SUCD 10 00066
Dve malen'kie p'esy (Due piccoli pezzi)
O. Jancenko

73. Melodija SUCD 10 00066; A 10 00485 001;
Victor Vic. 51
*Koncert dlja semsannogo chora (Concerto per
coro misto)*
Coro da camera di Stato; V. Poljanskij, dir.

74. Melodija SUCD 10 00067
Primo Concerto grosso
G. Kremer, T. Grindenko, vl.; I solisti di Mo-
sca; Ju. Bašmet, dir.

75. Melodija SUCD 10 00068; A 10 00509 005
Secondo Concerto grosso
O. Kagan, vl.; N. Gutman, vcl.; Orchestra
sinfonica di Stato del Ministero della Cultura dell'URSS; G. Roždestvenskij, dir.

76. Melodija SUCD 10 00068; A 10 00499 007
Concerto per viola e orchestra
Ju. Bašmet, vla.; Orchestra sinfonica di Stato
del Ministero della Cultura dell'URSS; G.
Roždestvenskij, dir.

77. Melodija SUCD 10 00556
*Zvucasie bukvy (Klingende Buchtaben - Let-
tere sonore)*
A. Ivaškin

78. Melodija SUCD (in preparazione)
Quarto Concerto grosso / Quinta Sinfonia
Orchestra sinfonica di Stato del Ministero
della Cultura dell'URSS; G. Roždestvenskij,
dir.

79. Melodija/Eurodisc 27 393 XGK
*Primo Quartetto per archi; Secondo Concerto
per violino e orchestra da camera*
Quartetto Borodin; M. Lubockij, vl.; Orchestra da camera della Filarmonica di Leningrado; G. Roždestvenskij, dir.

80. Melodija/Eurodisc 28 752 KK
*Preljudija pamjati D. Šostakoviča (Preludio in
memoria di D. Šostakovič)*
G. Kremer

81. Melodija/Eurodisc S 10 13135-6 (stereo);
SQ25 099 (quadrifonia)
Primo Concerto grosso
G. Kremer, T. Grindenko, vl.; London Sym-
phony Orchestra; G. Roždestvenskij, dir.

82. Melodija/Eurodisc 200 083-405
Moz-Art
G. Kremer, T. Grindenko

83. Melodija C 10 08751/13288/Eurodisc 28384
KK
Quintetto con pianoforte
Ju. Smirnov, pf.; G. Kremer, T. Grindenko,
vl.; Ju. Bašmet, vla; K. Georgian, vcl.

84. Melodija/Le Chant du Monde LDX 78675
*Preljudija pamjati D. Šostakovica (Preludio in
memoria di D. Šostakovič)*
G. Kremer, T. Grindenko

85. Mobile Fidelity MFCD 911
*Zvucasie bukvy (Klingende Buchtaben - Let-
tere sonore)*
A. Ivaškin (registrazione del concerto del festival "Alternativa - ?")

86. Mobile Fidelity MFCD 915
A Paganini; Secondo Quartetto per archi
O. Krysa, vl.; Quartetto Beethoven

87. Olympia OCD 295
Sonata per violoncello e pianoforte
N. Savinova, vcl.; V. Jampol'skij, pf.

88. Opus 9111 1277
Inni III, IV per insieme cameristico
Complesso Musica Moderna; Y. Benesz, dir.

89. ORF 1020 618
Minnesang; Tri madrigala (Tre madrigali)
Coro Pro Arte; K.E. Hoffmann, dir. (regi-
strazione effettuata durante il festival Musik-
Protokol, 1981); N. Lee, S; Solisti dell'Or-
chestra del Teatro Bol'šoj

90. Orfeo S 009 844 F
*Kanon pamjati Igorja Stravinskogo (Canone in
memoria di Igor Stravinsky)*
Quartetto Hagen (registrazione effettuata al
Festival di Lockenhaus, Austria, 1983)

91. Panton 11 0730
Improvizacija i fuga (Improvvisazione e fuga)
M. Balasz

92. Panton 8 111 0496 ZA
Concerto per pianoforte e archi
Ch. Dvorzakova, pf.; Orchestra filarmoni-
ca ceca; G. Roždestvenskij, dir.

93. Philips 411 107-1
*Quintetto con pianoforte; Secondo Concerto
per violino e orchestra da camera*
E. Baskirova, pf.; G. Kremer, K. Rabus, vl.; G.
Caussé, vla.; K. Iwasaki, vcl.; H. Holliger, dir.

94. Philips 434 040-2
*Nabrosok ko vtoroj casti Fortepiannogo kvarteta
G. Malera (Schizzo sul secondo movimento del
Quartetto per pianoforte di G. Mahler); Secondo
Quartetto per archi; Stille Nacht; Trio per archi*
I. van Coilhen, G. Kremer, vl.; H. Schnee-
berger, D. Challon, T. Zimmerman, vla; H.
Hagen, K. Hagen, H. Schiff, D. Geringas,
vcl.; V. Sacharov, pf. (registrazione del con-
certo di Lockenhaus)

95. Philips 6514 075
Cadenze al Concerto per violino di Beethoven
G. Kremer, vl.; Academy of St Martin in the
Fields; N. Marriner, dir.

96. Philips 6514 102
Preljudija pamjati D. Šostakoviča (Preludio in memoria di D. Šostakovič); Seconda Sonata per violino e pianoforte (Quasi una sonata)
M. Lubockij; L. Edlina, pf.

97. Preciosa Aulos 66 022
Dve malen'kie p'esy (Due piccoli pezzi)
Friedemann Herz

98. Preciosa Aulos 68 508
Secondo Quartetto per archi
Quartetto Leonardo

99. RCA 60370-2-RC; 60370-2-RC (cassetta)
Sjuita v starinnom stile (Suite in stile antico)
V. Spivakov, vl.; E. Kisin, pf.

100. RCA 60446-2-RC
Concerto per viola e orchestra; Trio sonata per orchestra da camera
Ju. Bašmet, vla e dir.; I solisti di Mosca; London Symphony Orchestra; M. Rostropovič, dir.

101. Russkij Disk R 10 00487
Prima Sonata
V. Lobanov

102. Schwann Musica Mundi VMS 1064/Koch Records CD 310 091
Sonata per violoncello e pianoforte
D. Geringas, vcl.; T. Schatz, pf.

103. Sony Classical S2K 52495
Zizn' s idiotom (La vita con un idiota)
D. Duesing, Io; T. Ringholz, la moglie; H. Haskin, Vova; L. Zimnenko, il guardiano; R. Leggate, Proust; R. Bischoff, il sosia dell'autore; Coro e Orchestra dell'Opera olandese; M. Rostropovič, dir.

104. Sony Classical SK 48421
In memoriam; Secondo Concerto per violoncello e orchestra
M. Rostropovič, vcl. e dir.; London Symphony Orchestra; S. Ozawa, dir.

105. Sony Classical SK
Trio per violino, violoncello e pianoforte
M. Lubockij, vl.; M. Rostropovič, vcl.; I. Schnittke, pf.

106. Sony Classical SK
Seconda Sonata
I. Schnittke

107. Undine Ode 800/2
Prima Sonata per violino e pianoforte; Seconda Sonata per violino e pianoforte (Quasi una sonata); Sjuita v starinnom stile (Suite in stile antico)
M. Lubockij, vl.; R. Gothoni, pf.

108. Unicorn-Kanchana DKPCD 9083
Sonata per violoncello e pianoforte
A. Byllé, vcl.; P. Lane, pf.

109. Victor 2064
Preljudija pamjati D. Šostakoviča (Preludio in memoria di D. Šostakovič)
G. Kremer

110. Virgin Classic VC 7 91436
Quintetto con pianoforte
Quartetto Borodin; L. Berlinskaja, pf.

111. Virgin Classic VC 7 91436-2251609
Terzo Quartetto per archi
Quartetto Borodin

Indice dei nomi

Finito di stampare nel mese di luglio 1993
presso Stampatre - Torino

Fotocomposizione Erregrafica - Torino

Musica e Spettacolo

Storia della Musica
a cura della Società Italiana di Musicologia

1. Giovanni Comotti, **La musica nella cultura greca e romana**
2. Giulio Cattin, **La monodia nel Medioevo**
3. F. Alberto Gallo, **La polifonia nel Medioevo**
4. Claudio Gallico, **L'età dell'Umanesimo e del Rinascimento**
5. Lorenzo Bianconi, **Il Seicento**
6. Alberto Basso, **L'età di Bach e di Haendel**
7. Giorgio Pestelli, **L'età di Mozart e di Beethoven**
8. Renato Di Benedetto, **Romanticismo e scuole nazionali nell'Ottocento**
9. Fabrizio Della Seta, **Italia e Francia nell'Ottocento**
10. Guido Salvetti, **La nascita del Novecento**
11. Gianfranco Vinay, **Il Novecento nell'Europa orientale e negli Stati Uniti**
12. Andrea Lanza, **Il secondo Novecento**

Storia dell'opera italiana
a cura di Lorenzo Bianconi e Giorgio Pestelli

4. **Il sistema produttivo e le sue competenze**
5. **La spettacolarità**
6. **Teorie e tecniche, immagini e fantasmi**

Autori e opere

1. Michael Talbot, **Vivaldi**
2. Alberto Basso, **Frau Musika. La vita e le opere di J. S. Bach** (2 voll.)
   Le origini familiari, l'ambiente luterano, gli anni giovanili,
   Weimar e Köthen (1685-1723)
   Lipsia e le opere della maturità (1723-1750)
3. Winton Dean, **Bizet**
4. Sergio Sablich, **Busoni**
5. Michelangelo Zurletti, **Catalani**
6. Gastone Belotti, **Chopin**
7. Paolo Fabbri, **Monteverdi**
8. Julian Budden, **Le opere di Verdi** (3 voll.)
   Da Oberto a Rigoletto
   Dal Trovatore alla Forza del Destino
   Da Don Carlos a Falstaff
9. William Ashbrook, **Donizetti** (2 voll.)
   La vita
   Le opere
10. Franco Pulcini, **Šostakovič**
11. Carl Dahlhaus, **Beethoven e il suo tempo**
12. Christian Martin Schmidt, **Brahms**
13. Autori Vari, **Tosti**, a cura di Francesco Sanvitale
14. Arnfried Edler, **Schumann e il suo tempo**
15. Autori Vari, **Gershwin**, a cura di Gianfranco Vinay

Musica contemporanea
a cura di Enzo Restagno

1. Autori Vari, **Ligeti**
2. Autori Vari, **Henze**
3. Autori Vari, **Petrassi**
4. Autori Vari, **Nono**
5. Autori Vari, **Xenakis**
6. Autori Vari, **Carter**
7. Autori Vari, **Donatoni**
8. Autori Vari, **Gubajdulina**
9. Autori Vari, **Schnittke**

Documenti e saggi

1. Charles Burney, **Viaggio musicale in Italia**, a cura di Enrico Fubini
2. Charles Burney, **Viaggio musicale in Germania e Paesi Bassi**, a cura di Enrico Fubini
3. Antonio Serravezza, **La sociologia della musica**
4. Giovanni Guanti, **Romanticismo e musica. L'estetica musicale da Kant a Nietzsche**
5. George Bernard Shaw, **Il wagneriano perfetto**
6. Folco Portinari, **Pari siamo! Io la lingua, egli ha il pugnale.**
   Storia del melodramma ottocentesco attraverso i suoi libretti
7. Ugo Duse, **Per una storia della musica del Novecento e altri saggi**
8. Harvey Sachs, **Toscanini**
9. Massimo Mila, **Cent'anni di musica moderna**
10. Richard Wagner, **La mia vita**, traduzione e introduzione di Massimo Mila
11. Stendhal, **Vita di Rossini** seguita dalle **Note di un dilettante**,
    a cura di Mariolina BongiovanniBertini
12. Paolo Gallarati, **Musica e maschera. Il libretto italiano del Settecento**
13. John Mainwaring, **Memorie della vita del fu G. F. Händel**, a cura di Lorenzo Bianconi
14. John Rosselli, **L'impresario d'opera. Arte e affari nel teatro musicale italiano**
    dell'Ottocento
15. Enrico Fubini, **Musica e cultura nel Settecento europeo**
16. Autori Vari, **L'esperienza musicale. Teoria e storia della ricezione**,
    a cura di Gianmario Borio e Michela Garda
17. Rubens Tedeschi, **I figli di Boris. L'opera russa da Glinka a Šostakovič**
18. F. Niemetschek - F. von Schlichtegroll, **Mozart**, traduzione e cura di Giorgio Pugliaro
19. Richard Strauss, **Note di passaggio. Riflessioni e ricordi**, a cura di Sergio Sablich
20. Fedra Florit, **Il Trio di Trieste. Sessant'anni di musica insieme**

Improvvisi

1. **Glenn Gould. No, non sono un eccentrico**, a cura di Bruno Monsaingeon
2. John O'Shea, **Musica e Medicina. Profili medici di grandi compositori**
3. Piero Rattalino, **Fryderyk Chopin. Ritratto d'autore**
4. Stendhal, **Vita di Rossini**, a cura di Mariolina Bongiovanni Bertini
5. Alexandra Orlova, **Čajkovskij. Un autoritratto**, a cura di Maria Rosaria Boccuni
6. Daniele Martino, **Catastrofi sentimentali. Puccini e la sindrome pucciniana**

I manuali EDT/SIdM

1. Bellasich - Fadini - Leschiutta - Lindley, **Il clavicembalo**
2. Walter Piston, **Armonia**, a cura di Gilberto Bosco, Giovanni Gioanola
   e Gianfranco Vinay
3. Jean-Jacques Nattiez, **Musicologia generale e semiologia**, a cura di Rossana Dalmonte

4. Guido Facchin, **Le percussioni**, a cura di Giovanni Gioanola
5. Ian Bent, **Analisi musicale**, a cura di Claudio Annibaldi
6. Allorto - Chiesa - Dell'Ara - Gilardino, **La chitarra**, a cura di Ruggero Chiesa
7. Anthony Baines, **Gli ottoni**, a cura di Renato Meucci
8. Felix Salzer - Carl Schachter, **Contrappunto**, a cura di Mario Baroni e Elena Modena

Atti

Atti del XIV Congresso della Società Internazionale di Musicologia (Bologna 1987)
a cura di A. Pompilio, D. Restani, L. Bianconi e F. A. Gallo
I. **Round Tables**
II. **Study Sessions**
III. **Free Papers**

Cataloghi e Annuari

1. Harvey Sachs, **Arturo Toscanini dal 1915 al 1946. L'arte all'ombra della politica**
2. Harvey Sachs, **Arturo Toscanini from 1915 to 1946. Art in the shadow of politics**

1. **Opera '87. Annuario EDT dell'opera lirica in Italia**, a cura di Giorgio Pugliaro
2. **Opera '88. Annuario EDT dell'opera lirica in italia**, a cura di Giorgio Pugliaro
3. **Opera '89. Annuario EDT dell'opera lirica in Italia**, a cura di Giorgio Pugliaro
4. **Opera '90. Annuario EDT dell'opera lirica in Italia**, a cura di Giorgio Pugliaro
5. **Opera '91. Annuario EDT dell'opera lirica in Italia**, a cura di Giorgio Pugliaro
6. **Opera '92. Annuario EDT dell'opera lirica in Italia**, a cura di Giorgio Pugliaro

Confini (Popular Music)
a cura di Daniele Martino

1. Manu Dibango, **Tre chili di caffè. Vita del padre dell'Afro-Music**
2. Artemy Troitsky, **Tusovka. Rock e stili nella nuova cultura sovietica**
3. Simon Frith, **Il rock è finito. Miti giovanili e seduzioni commerciali nella musica pop**
4. Patrick Humphries, **Vita di Tom Waits**
5. Robin Denselow, **Agit-pop. Musica e politica da Woody Guthrie a Sting**
6. Dave Laing, **Il punk. Storia di una sottocultura rock**
7. Dick Hebdige, **La lambretta e il videoclip. Cose & consumi dell'immaginario contemporaneo**
8. David Toop, **Rap. Storia di una musica nera**
9. Franco Battiato, **Tecnica mista su tappeto. Conversazioni autobiografiche con Franco Pulcini**

Spettacolo

1. Autori Vari, **L'economia dietro il sipario. Teatro, opera, cinema, televisione**, a cura di M. I. Boni
2. Merce Cunningham, **Il danzatore e la danza**
3. Autori Vari, **Agnès Varda**, a cura di Sara Cortellazzo e Michele Marangi
4. Autori Vari, **Neorealismo. Cinema italiano 1945-1949**, a cura di Alberto Farassino
5. **VII Festival Cinema Giovani. Catalogo generale (Torino 10-18 novembre 1989)**
6. Autori Vari, **Racconti crudeli di gioventù. Nuovo cinema giapponese degli anni '60,**
a cura di Marco Müller e Dario Tomasi
7. **VIII Festival Cinema Giovani. Catalogo generale (Torino 9-17 novembre 1990)**
8. Autori Vari, **Free cinema e dintorni. Nuovo cinema inglese. 1956-1968,**
a cura di Emanuela Martini
9. **IX Festival Cinema Giovani. Catalogo generale (Torino 8-16 novembre 1991)**
10. **Musica a Torino 1991. Rock, pop, jazz, folk**
11. Autori Vari, **Cinema e video a Torino 1992**
12. Omero Barletta, **Cento immagini di jazz**, prefazione di Paolo Conte